S. FISCHER

ANTJE RÁVIK STRUBEL

Blaue Frau

Roman

S. FISCHER

Originalausgabe
Erschienen bei S. FISCHER
4. Auflage Oktober 2021
© 2021 S. Fischer Verlag GmbH,
Hedderichstr. 114, D-60596 Frankfurt am Main

Satz: Fotosatz Amann, Memmingen
Druck und Bindung: CPI books GmbH, Leck
Printed in Germany
ISBN 978-3-10-397101-9

TEIL 1 *(Helsinki)*

Ich habe gehört, daß ich die Frau bin,
der er schon auf Seite sechzehn begegnet.
Inger Christensen

Jede Nacht sind die Autos zu hören. Das Rauschen der Autos auf den dreispurigen Straßen und das Rascheln der Blätter am Vogelbeerbaum.

Das sind die Geräusche.

Sie dringen durch das Fenster herein, das einen Spaltbreit geöffnet ist. Das Meer hört man nicht. Die Ostsee, die im Süden liegt, jenseits der Plattenbauten, in einer Bucht mit verschilften Ufern, die im Winter schnell zufrieren wird.

Peitschenlampen säumen die Wege. Nachts fällt ihr bleiches Licht auf den Bordstein und auf den Balkon der kleinen Wohnung, der zur Straße zeigt. Die metallenen Lampenschirme schwanken im Wind. Das Schlafzimmer zeigt zum Hof, wo es einen Spielplatz gibt, einen Verschlag für die Fahrräder und den Vogelbeerbaum.

Die Wände der Wohnung sind weiß und leer bis auf den Spiegel im Flur. In der Küche hängen zwei Postkarten über der Spüle. Auf der einen Karte fahren gelbe Taxis durch eine Straßenschlucht in New York. Auf der anderen, einer Schwarzweißaufnahme, sitzen zwei Frauen in einem Pariser Straßencafé. Sie tragen Glockenhüte aus den zwanziger Jahren des letzten Jahrhunderts und elegante Röcke.

Das sind die Bilder.

Die Blumentöpfe im Metallregal auf dem Balkon sind unbenutzt. Spinnweben haben sich dort verbreitet. Die Spinnen leben noch. Es ist September.

Am Horizont, wo Lagerhallen und ein riesiger Sendemast die Reihen der Plattenbauten begrenzen, türmen sich Wolkenberge auf. Der Sendemast ist der einzige Orientierungspunkt in den identischen Straßen.

Niemand weiß, wo sie ist.

Die Wanduhr zeigt halb drei. Das silberne Zifferblatt stellt den Weltatlas dar. Einen Sekundenzeiger gibt es nicht, nur ein kleines rotes Flugzeug, das die silberne Welt umrundet. Jede Weltumrundung dauert bloß eine Minute, und doch sieht es langsam, fast gemächlich aus. Ein Schatten fliegt unter dem Flugzeug mit und ist ihm manchmal ein kleines Stück voraus, je nachdem, wie der Lichteinfall ihn auf die glänzende Erde wirft.

Sie könnte überall sein.

Nina. Sala. Adina.

In der Küche gibt es ein paar Töpfe, einen Wasserkocher und eine fleckige Espressokanne. Die Kanne fiept, wenn unter Druck Wasserdampf aus dem Ventil am Kessel tritt. Auf den Tassen im Schrank steht in Großbuchstaben IKEA. Die Wohnung sieht nach einer echten Wohnung aus, nach einem Menschen. Ein paar Bücher sind da, Kerzenständer, Hochglanzmagazine übers Kochen und Reisen. Im Flur liegt ein abgewetzter Läufer. Walkingstöcke stehen an der Garderobe.

Das sind die Gegenstände.

Sie stellt die Walkingstöcke in den Schrank im Flur. Aus dem Bad ist einlaufendes Wasser zu hören. Aus dem Treppenhaus dringt kein Geräusch. Die Wohnungstür ist abgeschlossen. Die Griffe an den Fenstern sind fest verschraubt. Nur ein schmales Winterfenster lässt sich einen Spalt weit öffnen. Der Spalt ist nicht groß genug, um den Kopf hinauszustrecken. Das ist ihr recht, obwohl im Moment die Sonne scheint und die Wohnung sich aufheizt.

In der Küche steht die angebrochene Plastikflasche. Sie misst einen Deckel voll Flüssigkeit ab und gießt den Schwapp in den Kaffee.

»Nur ein Schluck«, sagt sie, als wäre da jemand.

Die Wanduhr schlägt mit dem Klang einer leisen Kirchenglocke.

10

»Salut, Sala! Auf dich.« Mit erhobener Tasse nickt sie den schmutzigen Scheiben der Balkonverglasung zu. »Auf dich und alles Gute!«

Wind zieht durch den Fensterspalt. Auf der Wanduhr ist es kurz vor drei. Die silbernen Umrisse der Kontinente zeigen keine Städte, keine Straßen, keine Gebirgsfalten und keinen Fluss. Sie stellt den Schnaps in den Kühlschrank. Eine Flasche braucht ihren Platz, wenn sie selbst schon fremd und die Wohnung nicht ihre ist. Sie ist in einem Land, das sie nicht kennt, in einem Land im Norden, wo die Bäume andere sind und die Menschen eine andere Sprache sprechen, wo das Wasser anders schmeckt und der Horizont keine Farbe hat.

Ihr Herz setzt einen schnellen Schlag, wo er nicht hingehört. Sie lenkt sich ab. Sie denkt an Buchen und Kastanien, an Linden und Kiefern, an den Geruch nach Holz und Erde und daran, wie ruhig und scheinbar zeitlos das Leben eines Baumes verläuft, wie das des Vogelbeerbaums vor dem Schlafzimmerfenster. Sie denkt daran, wie mickrig ihr Herzrasen wird vor der gleichgültigen Pracht dieser Bäume und ihrem Ewigkeitsversprechen, ewig jedenfalls, solange sie nicht in Rodungsgebieten stehen. Aber die Bäume, die sie im Kopf hat, wachsen unversehrt vor einem Doppelhaus. Niemand wird sie fällen, weil sie aufpasst.

Aufgepasst hat.

Das ist die Vergangenheit.

In ihrer Vorstellung hat sie das Recht, in der Vergangenheit zu sein. Es fällt Schnee dort. Es ist Winter und sie noch ein Kind. In kristallklaren Nächten scheint der Mond fahl auf die Wege und beleuchtet die Tannen und Fichten und die Masten der Skilifte, die an den gerodeten und von Pistenraupen gewalzten, schneebedeckten Hängen stehen. Das Doppelhaus befindet sich in einem sanften Tal vor einem hohen Horizont. Es ist weit weg von hier. Es ist 1500 Kilometer, eine Stunde

Zeitverschiebung und zwanzig Autostunden von Helsinki entfernt, in einem Gebirge an der tschechisch-polnischen Grenze. Sie liegt im Kinderzimmer unter dem Dach. Ihr Bett hat sie mit einer Lichterkette dekoriert. Wenn sie sich aufrichtet, kann sie vom Fenster aus den Čertova hora sehen. Nur der Gipfel des Berges zeichnet sich vor dem Nachthimmel ab, seine schneebeflogenen schroffen Felsen.

Wenn ihre Mutter zum Gutenachtsagen ins Dachzimmer kommt, lässt sie die Jalousie herunter und schaltet die Lichterkette aus. Sobald sie gegangen ist, macht Adina die Jalousie wieder auf. Sie will sehen, wie das Mondlicht auf ihre Haut fällt und sie verwandelt. Sie zieht das Nachthemd hoch bis zum Bauch. Die Beine sehen im bleichen Licht dünn aus, verletzlicher als am Tag. Sie legt eine Hand auf ihren Oberschenkel, sie kann den Oberschenkel zur Hälfte umfassen. Sie winkelt das Bein an, ein schimmerndes Ding, das Knie nur ein Knochen. Sie stellt sich einen Jungen vor, einen Jungen, der noch kein Gesicht hat, noch nicht einmal einen Körper, er hat nur diese Hand, die ihre ist und sich deshalb gut anfühlt, als sie mit den Fingerspitzen über ihren Oberschenkel streift.

Im Dorf gibt es keine Jungen. Es gibt nur die Barkeeper in der Cocktailbar des Viersternehotels, die den Touristen in der Saison Cubra Libre und Old Fashioned mixen und ihr manchmal einen Orangensaft auf Kosten des Hauses spendieren. Es gibt die Kinder der Touristen, die den ganzen Tag mit Snowboards auf der Piste sind und ihre Plastikanzüge auch zum Abendessen nicht ausziehen. Sie streifen nur die Ärmel ab, und die Oberteile bleiben auf der Hüfte hängen.

»Du musst morgen früh raus«, sagt ihre Mutter, wenn sie die Lichterkette ausmacht und die künstlichen Blüten mit einem Nachglühen verlöschen. »Dein Brot liegt in der Brotbüchse im Kühlschrank. Und dass du mir die Äpfel isst!«

12

Adina sieht das Mondlicht auf ihrem Bettzeug und auf ihren Anziehsachen, die über der Stuhllehne hängen. Sie sucht die Kleidung für den nächsten Morgen immer schon am Abend vorher heraus, gefütterte Hosen und einen grünen Wollpullover, der ihr zu groß ist. Die Ärmel schlackern über die Handgelenke. Wenn sie ihn trägt, kommt sie sich vor wie ein Naturforscher auf Expedition.

Auch die Schultasche ist fertig gepackt. Morgens ist dafür keine Zeit. Außerdem ist es dunkel, denn sie macht das Licht nicht an. Sie hat sich alles so ausgedacht, dass sie es mit Zähneputzen rechtzeitig zum Bus schafft. Der Bus wartet nicht, obwohl sie in den ersten fünfzehn Minuten die einzige Mitfahrerin ist. Abends, wenn es auf der schmalen, kurvigen Straße, die sich vom Tal ins Dorf hinaufwindet, Glätte gibt, muss sie die letzten Kilometer nach Hause laufen, weil der Busfahrer nicht extra wegen ihr Schneeketten montiert.

Das Dorf klemmt zwischen Bergmassiven. Die Gebirgszüge des Krkonoše bilden seine natürliche Grenze. Hinter dem Dorf steht der Wald an steilen Hängen. Auf den letzten Kilometern des Nachhausewegs hält Adina sich dicht an den Schneewällen am Straßenrand. Die Straße ist unbeleuchtet. Aber der Schnee schimmert. Und die Autos, die aus dem Tal hinauf nach Harrachov fahren, bestrahlen mit ihren Scheinwerfern die Wipfel der Fichten.

Sie drückt ihr Knie auf die Matratze zurück und betrachtet die Beine. Zwei Leberflecken. Eine Narbe am rechten Knie, der Rest ist glatt weiß.

Das ist der Blick.

Der Blick kommt aus der Gegenwart. Die weiße Glätte der Beine wäre ihr als Kind nicht aufgefallen. Das hätte sie nicht gekümmert. In ihrem Bett am Čertova hora gab es solche Blicke nicht. Ihre Mutter machte die Lichterkette aus, und Adina schlief ein. So ist es glaubwürdig. Alles andere ist hinzugefügt.

13

»Theater«, sagt sie laut und nimmt den letzten Schluck aus der Tasse.

Wind zieht durch den Fensterspalt. Aus dem Bad ist das Einlaufen des Wassers zu hören.

Theater kann sie sich nicht leisten. Wer eine Aussage macht, muss präzise sein.

Sie weiß nicht, wie man eine Aussage macht. Sie wird vor ein Gericht müssen. In Helsinki gibt es ein Gericht. Es befindet sich in der Nähe des Doms, der wie ein weißer Felsen aus der Brandung der Stadt aufragt. Aber sie kann nicht einfach zum Gerichtsgebäude gehen und anklopfen. Sie ist in einem Land, dessen Sprache sie nicht spricht. Sie weiß nicht, an wen man sich wendet, nur, dass sie einen Anwalt braucht, und Anwälte kosten Geld. Sie weiß aber, dass sie die Aussage machen muss, in einem holzgetäfelten Saal und vor Geschworenen, wie sie es im Film gesehen hat, in den amerikanischen Serien der Barkeeper. Die Richterin wird eine schwarze Robe tragen. Und die Angeklagten kommen in Handschellen herein, und werden herangezoomt von Kameras, die alles filmen, die jede Einzelheit festhalten. Jede Pore, jede Schuppe, jedes Flackern der Augen wird von nun an wiedererkennbar sein.

Und wenn die Verteidiger sagen, Einspruch Euer Ehren, weil ihre Aussage ungeheuerlich ist, wird die Richterin den Kopf heben. Sie wird sich Zeit nehmen, jeden Verteidiger zu mustern, und das wird lange dauern, weil für Männer wie diese ein einziger Verteidiger nicht reicht.

Einspruch abgelehnt, wird die Richterin sagen. Bitte, Adina Schejbal, sprechen Sie weiter.

Und die Männer werden ahnen, wen sie vor sich haben. Ihre Hände in den Handschellen werden anfangen zu zittern. Und die Geschworenen erheben sich. Der Saal wird verstummen, wenn die Geschworenen rufen: Welchen sollen wir töten? Es wird still werden vor Gericht, wenn man fragt, wer wohl sterben muss. Und sie wird sagen: alle.

Es wird sich anfühlen wie das nasse Glitzern der Birkenblätter im Morgenlicht. Ein Flirren, ein Sprühen, als hätten die Birken ihre Blätter soeben ins Meer getaucht.

»Sala?«

Das Meer. Das jenseits der Plattenbauten beginnt, und das sie von hier aus nicht sehen kann.

»Sala!«

Das ist Leonides.

»Träumst du wieder, Sala?«

Leonides mit seinem weichen Kinn. Mit seinen braunen Cordjacketts und den glänzenden Krawatten. Mit seinem Tick, drei Äpfel am Tag zu essen, niemals nackt zu schlafen und Natur nur auf Gemälden zu mögen, vor allem auf den Gemälden niederländischer Maler.

Sie wird nie wieder hören, wie Leonides diesen Namen sagt. Sala.

Auf den Felsen am Ufer, jenseits der Birken, am Ende der Bucht erscheint die blaue Frau. Sie ist so deutlich, dass ihre Gestalt alles überstrahlt.

Das Licht fällt scharf auf die Felsen.

Hinter den Felsen liegt Schotter, der zu schwarzen Wegen aufgeschüttet wurde, um das Wasser zurückzuhalten. Dort, wo kein Schotter liegt, ist der Untergrund weich und schlammig, durchwebt vom Wasser, das mit den Flussläufen aus den höhergelegenen Sümpfen und Moorwiesen des Umlands in die Stadt hineinströmt, in unzähligen Rinnsalen hin zum Meer.

Das Wasser schwemmt die Moose auf, nährt Blaubeeren, Sumpfporst und Farne, versickert im Uferschlamm, dringt durch die Risse im Stein und steht knapp unterhalb des Asphalts der Straßen. Der Regen bringt es mit. Und das Meer, das gegen die Hafenbefestigung rollt, treibt es zurück an Land. Windböen tragen das Wasser heran. Sie peitschen, vom Schärengarten kaum abgeschwächt, über die Schnellstraßen, die den Hafen begrenzen, und in die Gebäude jenseits der Schnellstraßen, die noch im Rohbau stehen.

Die blaue Frau kommt langsam näher.

Sie betritt die Einfriedung des kleinen Seglerhafens. Sie steigt über die rostigen Schienen, auf denen die Boote zum Einwintern hochgezogen werden. Sie geht an den Booten vorbei. Ihr Tuch wird vom Wind aufgeweht, und sie nimmt es ab.

Sie bleibt stehen und ordnet ihr Haar, und das Tuch in ihrer Hand flattert.

Wenn die blaue Frau auftaucht, muss die Erzählung innehalten.

Im Bad läuft das Wasser ein. Es ist ein fensterloses Bad mit einer Wanne auf Füßen. Kalk hat sich ins Linoleum gebrannt. Die Heizrohre an der Wand feuern, und ihr wird heiß, obwohl sie nackt dasteht.

Sie taucht einen Fuß in die Wanne. Beim Nachholen des anderen Beines mischt sie kaltes Wasser dazu. Langsam geht sie in die Knie. Das Wasser steigt an den Oberschenkeln hoch, die Brüste tauchen ein. Dann rutscht ihr Po an der glatten Emaillewand ab, und sie schlittert der Länge nach in die randvolle Wanne. Ihr Kopf taucht beinahe unter.

Schaum bedeckt sie wie schwereloses Gebirge, Blasen platzen am Kinn. Unter Wasser greift sie nach ihrem Bein. Sie umfasst den Oberschenkel und zieht das Bein an, ihr Knie ein Gipfel inmitten von Flocken.

Das ist der Körper.

Das Wasser glüht auf der Haut, die sich rötet. Die Poren öffnen sich, und die Hülle wird weich, beschützt und umfangen vom Schaum. Sie tastet vorsichtig die Ränder ihres Körpers ab. Sie macht es so, wie Leonides sie berühren würde, obwohl er nicht da ist, und in ihrer Vorstellung ist es nicht mehr seine Hand. Aber das ist in diesem Moment nicht wichtig. Wichtig ist, dass es sich gut anfühlt.

Nur das Herz schnellt in den Hals, wo es flattert. Sie atmet langsam, bis es herunterfährt, und denkt an die Kühle seines Apartments, an die hohen Decken, das nüchterne Mobiliar. Tisch und Stühle sind aus Holz, aus hellem Holz, das einmal gewachsen ist, das ein gemaserter Stamm war, eine Birke, Außenseiterin unter den Bäumen mit einer Biegsamkeit, um die sie nicht zu beneiden ist. Ihr weicher Stamm hat sich einmal zurück zur Erde biegen lassen und wird nun eingerahmt von Glas und Chrom und Geschirr von iittala, das Leonides auf die grüne Marmorplatte in der Küche stellt. Die Einrichtung muss den verschiedensten Geschmäckern entsprechen, hat er gesagt, weil das Apartment der Universität gehört.

Ein paar ihrer Sachen sind noch dort. Die Mütze, ein Nachthemd, das blaue Button-down-Hemd und eine Jeans hat sie in Leonides' begehbarem Kleiderschrank zurückgelassen. Das Nachthemd ist ein Geschenk von ihm. Vielleicht hebt er es auf. Vielleicht legt er es neben seine Seidenpyjamas, solange er dieses Apartment noch benutzt.

»Geh zum Arzt«, hatte Leonides gesagt, wenn das Flattern im Hals wiederkam, das sie glauben lässt, sie ersticke.

»Das hatte ich schon als Kind.«

»Du warst ein nervöses Kind.«

»Nein.« Sie seift sich ein, schöpft Wasser unter die Achseln, zwischen die Beine und schrubbt die weiche Haut mit dem Waschlappen sauber. Vorsichtig hebt sie sich aus der Wanne. »Nicht, dass ich wüsste. Ich war nicht nervös.«

Schaum ist auf den Boden geschwappt. Sie wischt die Lauge mit Klopapier auf und wirft den Matsch ins Klo. Ins Handtuch gewickelt, betritt sie den Flur. Nasse Fußabdrücke bleiben auf dem Linoleum zurück, als sie das Wohnzimmer durchquert, um auf den Balkon zu gehen, der ringsum mit Glasfenstern verschlossen ist. Von ihrem Körperdampf beschlagen die Scheiben. Die Ostsee ist von hier aus nicht zu sehen. Der dritte Stock ist zu niedrig, um über die Dächer der Plattenbauten und die Schnellstraßen hinweg das Meer sehen zu können. Nur die Anliegerstraße vor dem Häuserblock zeichnet sich im Dunst auf den Scheiben ab und das Flachdach des Gebäudes gegenüber. Dort sind die Mülltonnen des Wohnblocks untergebracht. Drei Bäume stehen davor, zwei Linden, die noch Früchte tragen, und ein Ahorn mit rotem Laub. Auf dem

Thermometer sind es zehn Grad. Die Spinnen in den Blumentöpfen bewegen sich wie im Schlaf.

Das ist der Abschied.

Sie muss kühl sein, wenn sie eine Aussage macht. Sie muss sich herunterfahren wie ein Tier im Winterschlaf. Die Kälte muss sie bis auf die Knochen erfassen. Sie muss langsamer werden, bis alles vereist, jedes Zögern, jede Schwäche, die Schuldgefühle, die Scham und alle Bedenken, bis sie ganz still ist und nur noch eines zählt: dass die Angeklagten die Höchststrafe erhalten.

»Du Meisterin im Abschiednehmen!«

»Ich?«

»Ja.«

Sie kann sich so viel Zeit mit dem Abschied lassen wie die Bäume, die sich dem Jahr entziehen, jeder mit seiner eigenen Geschwindigkeit. Den Ahorn hat die Kälte schon erfasst, während in den Linden noch der Sommer steckt.

»Oder ist noch jemand hier?«

Linden gibt es auch in Harrachov, im Schatten des Čertova hora. Eine alte Linde steht vor der Glasbläserei, und neben dem Potraviny wurden in den neunziger Jahren junge Linden gepflanzt. Eine Lärche wirft ihren Schatten auf die Treppe vor dem Doppelhaus. Am Saum der steilen Waldwege wachsen Fichten, und Tannen umkränzen den Schanzentisch der großen Sprungschanze. Im Winter liegen Äste auf den verschneiten Straßen und auf der Zufahrt zur Benzinpumpe, an der es nur zwei Tanksäulen gibt. Die Schneelast bricht regelmäßig Äste von den Bäumen.

Wenn ihre Mutter morgens von der Schicht kommt, nimmt sie, ehe sie sich schlafen legt, den Schneeschieber, um den Gehweg vorm Haus vom Schnee zu befreien. Ihre Mutter hat Angst, dass jemand ausrutschen könnte. Jeden Tag gehen Urlauber mit Skiern auf den Schultern am Haus vorbei, meistens

Deutsche. In Deutschland, hat ihre Mutter gehört, wird man verklagt, wenn sich jemand vor dem Haus etwas bricht. Seitdem schippt sie im ersten Morgengrauen Schnee. Sie kann es sich nicht leisten, verklagt zu werden, weil sie keine deutsche Rechtsschutzversicherung hat. Sie hat überhaupt keine Rechtsschutzversicherung. Manchmal ist sie morgens zu müde. Dann schiebt Adina den Schnee vor der Treppe weg. Sie schwitzt, weshalb sie später in der Schule frieren wird. Aber sie hat keine Zeit, sich umzuziehen. Der Bus wartet nicht, bis der einzige Fahrgast seinen Pullover gewechselt hat.

Das Doppelhaus steht am Rand von Harrachov, am unteren Ortseingang. Es steht schon lange. Als mährische Bergleute es bauten, die in den Stollen nach Erz schürften, gab es die Sprungschanze und die Skilifte noch nicht. Später wohnten dort Deutsche. Die Deutschen zogen aus, als sie den Krieg verloren hatten, und die Sowjets zogen ein. Die Rote Armee machte ein Lazarett aus dem Haus, ehe nach dem Krieg eine Gipswand und eine zweite Haustür eingebaut wurden. Die Wand trennt die eine Hälfte des Hauses von der anderen ab, damit zwei Familien darin Platz haben. Aber nur eine Familie zog ein. In die andere Hälfte zog ihre Großmutter, Tochter eines Partisans. Der Partisan war im Krieg geblieben und wurde zum Helden des Antifaschismus. Als Tochter eines Helden musste ihre Großmutter nicht zur Untermiete wohnen wie jede andere ledige, junge Frau, sondern bekam als Anerkennung ein halbes Haus. Die Klärgrube am Schuppen gab es damals schon und den großen, mit Obstbäumen bestandenen Garten auch.

Die Deutschen kamen wieder. Jeden Winter kommen sie zum Skifahren nach Harrachov. In der Nähe des Hauses gibt es einen Übungshang. Es gibt einen Babylift, einen Zauberteppich und einen aufblasbaren Rübezahl, der an Seilen im Wind mit den Gliedmaßen wackelt.

»Daran habe ich lange nicht gedacht.«

»Woran?«

»Wie das war, als ich klein war.«

»Aber jetzt denkst du daran?«

»Ja.«

»Und wie war das?«

»Ich glaube, ich war nicht nervös. Ich war kein nervöses Kind.«

Vor dem Dachfenster in Harrachov leuchtet der Čertova hora. Wenn der Wind ungünstig steht, trägt er das Rattern der Sessel am Skilift zu ihr ins Zimmer herein. Auch bei geschlossenem Fenster ist das Rattern zu hören. Sobald ein Sessel über die Rollen an den Masten gleitet, rattern die eisernen Halterungen. Kraft ist Masse mal Geschwindigkeit. Das trägt Adina in die dünnen Hausaufgabenhefte ein. Sie hat ein kariertes Heft für Mathe und Physik und ein liniertes für Tschechisch, Geschichte und Deutsch. In Deutsch gibt es drei Möglichkeiten der Verneinung. Nein. Kein. Und nicht. Das Rattern des Sessellifts dringt zu ihr herein, auch wenn sie das nicht möchte.

Manchmal rattern die Sessel noch im Schlaf über ihre Schädeldecke. Jungs in klobigen Skischuhen bringen sie zum Schaukeln. Sie beachten die Verbotsschilder an den Liftmasten nicht. Die Piktogramme, auf denen schaukelnde Liftsessel durchgestrichen sind, haben für sie keine Gültigkeit.

Der kleine Tisch, an dem Adina ihre Hausaufgaben macht, wackelt. Sie hat ihn in jede Ecke des Zimmers geschoben. Aber das Wackeln kommt nicht von den schiefen Holzdielen. Eines der Tischbeine ist zu kurz. Früher waren die Beine am unteren Ende mit Tierköpfen verziert, mit geschnitzten Löwen, die ihre Mäuler aufrissen, als wollten sie dem Tisch die Füße abbeißen. Der Partisan sägte die Löwen ab. Bevor er in den Krieg zog, sägte er die Tischbeine oberhalb der Löwenköpfe durch. Er war überzeugt vom Sieg der Sowjetunion. Diesen Sieg zu erleben, damit rechnete er nicht. Sollte er sein Leben im Kampf verlieren, durften die Genossen keine bourgeoisen Möbel in der Wohnung finden, keinen feudalistischen Tisch. Verzierungen und Dekoration waren ein Überbleibsel des Feudalismus, und der Feudalismus gehörte ausgemerzt, besonders Löwenköpfe. Sie symbolisierten die herrschende Klasse, Fürsten und Könige. Das wusste der Partisan. Er rottete die Löwen mit Stumpf und Stiel aus, damit seine Tochter nicht als Klassenfeind in ein Umerziehungslager kam. Beim letzten Bein vertat er sich. Er setzte die Säge einige Millimeter zu weit oben an. Niemand wusste, warum, nicht einmal ihre Großmutter, die auf dem Tisch Pflaumen und Kirschen einweckte, Apfelkuchen machte und Holundersaft. Ihr diente der Tisch als Küchenbank. Als das Herz ihrer Großmutter versagte und die alten Möbel auf den Sperrmüll sollten, hat Adina die Küchenbank gerettet. Sie hat sie aus dem Möbelhaufen vor dem Haus wieder herausgeholt und in ihr Dachzimmer geschleppt, über jede der zehn Stufen.

Ihr Computer steht inmitten roter verwitterter Flecken. Unter das kurze Bein hat sie ein Stück Pappe geklemmt, so, wie ihre Großmutter das gehandhabt hat. Der Tisch wackelt trotzdem.

Zur Piste geht Adina nicht. Sie geht auch nicht zum Übungshang oder zum Auslauf des Funparks, wo sich die Snowboarder treffen. Sie ist eine gute Skifahrerin. Sie hat mit drei Jahren Ski fahren gelernt. Aber sie läuft lieber querfeldein den Berg hinauf, durch ungespurtes, unwegsames Gelände, um abseits der Pisten abzufahren, im steilen Tiefschnee zwischen den Fichten. Ihre Mutter hat ihr eine Stirnlampe geschenkt, ein Licht an einem Gummiband, das man auf Blinken einstellen kann. Von ihrer Stirn zucken geisterhafte Blitze durch den Wald. Düster leuchten die verschneiten Baumstämme vor ihr auf und gleiten zurück ins Dunkel. Adina stellt sich vor, der erste Mensch zu sein, der je hier gegangen ist. Oder nicht einmal ein Mensch, denkt sie, ein Wesen, dessen Stirn eine geheimnisvolle Leuchtkraft hat.

Wenn sie mit den Hausaufgaben fertig ist, geht sie zur Glühweinbude beim Sessellift. Sie macht das viermal in der Woche. Sie löst die Frau ab, die dort seit dem Mittag hinter dem Tresen steht. Die Frau hat früher in einer Textilfabrik des Krkonoše gearbeitet. Die Textilfabrik hat dicht gemacht, und jetzt verdient sie sich zu ihrer kleinen Rente etwas dazu. Auch Adina verdient sich etwas dazu. Sie reißt einen neuen Zettel vom Kassenblock. Für jeden verkauften Glühwein macht sie mit Kugelschreiber einen Strich. Es gibt auch Becherovka und Slibowicz, für die macht sie einen Stern. Abends herrscht viel Betrieb vor der Bude, Skifahrer mit roten Irokesenkämmen und Hasenohren auf den Helmen, Spaziergänger und Snowboarder. Die Snowboarder tragen auch Helme, aber ohne Schmuck. Ihre Helme sind schwarz oder glänzen metallisch über Gesichtern, die weich und mehlig sind wie der viele Schnee. Die Snowboarder sind älter als Adina. Das bedeutet nicht, dass sie alt genug für Glühwein sind. Adina müsste sie nach ihrem Alter fragen. Aber sie weiß, wie die Snowboarder dann gucken. Sie gucken, als gäbe es in der Bude etwas zu sehen, etwas, das einer Untersuchung unterzogen werden muss wie der Frosch, dem die Jungs in ihrer Klasse die Beine ausgerissen haben, um herauszufinden, was er ohne Beine macht.

Nur einmal hat sie einen Snowboarder gefragt, ob er schon achtzehn ist, an einem ihrer ersten Tage am Glühweinstand. Der Snowboarder hatte einen schwarzen Military-Anzug an, Pusteln auf den Wangen und einen dünnen Oberlippenbart. Seine Kumpel sagten Ronny zu ihm. Zu ihr sagte Ronny nichts. Er grinste, als sie ihm Kinderpunsch gab, und kippte den Punsch in den Schnee. Dann sagte er etwas, das Adina nicht verstand. Seine Kumpel johlten. Sie klopften mit ihren Fausthandschuhen auf seinen Helm und drängelten sich neben ihn an die Theke. Er beugte sich vor und streckte ihr langsam seine Zunge entgegen. Er ließ sie auf- und abflappen wie einen gefangenen Schmetterling, mit derselben Geschwindigkeit, nur viel nasser. Am nächsten Tag kam er wieder. Er baute sich vor ihr auf, pflanzte seine Arme auf die Theke, verlangte Glühwein und flappte mit seiner Zunge herum. Schließlich packte er ihren Arm. Die Borsten auf seiner Oberlippe glitzerten im Budenlicht, als ihr Kopf gegen seinen Helm stieß. Ein feuchter Schlag traf ihre Lippen, und der Becher fiel um. Glühwein spritzte auf Ronnys teuren Skianzug. »Blöde Fotze!«

Das hat Adina verstanden. So viel Deutsch kann sie schon. Sie weiß, dass das Wort hässlich ist, obwohl ein Körperteil, das noch niemand gesehen hat, weder schön noch hässlich sein kann.

Aber vielleicht geht es um etwas anderes. Dass jemand wie Ronny ihr einfach seine Zunge in den Mund stecken kann, hängt vielleicht mit dem zusammen, was die Barkeeper meinen, wenn sie über deutsche Frauen reden. Sie reden oft über deutsche Frauen, manchmal sogar, wenn welche in der Bar sitzen und Cuba Libre durch die Strohhalme ziehen. Die Barkeeper sprechen kein Deutsch. Und die Frauen mit den Strohhalmen wissen nicht, was es bedeutet, wenn die Barkeeper beim Servieren des Cubra Libre grinsend fragen, ob sie glauben, Tschechen seien ein bisschen dumm im Kopf. Gut genug zum Liftsitze unter den Arsch klemmen, zum Dreck wegmachen oder als Sexspielzeug, billig wie die Hörnchen im Potraviny.

Vielleicht hat Ronny gedacht, sie sei ein bisschen dumm im Kopf. Ihre Mutter kann sie nicht fragen. Ihre Mutter will nicht, dass sie Alkohol verkauft. Wer zu jung ist, welchen zu trinken, sollte auch keinen verkaufen, lautet ihre Devise. »Warum triffst du dich nicht mal mit einer Freundin«, sagt sie, wenn sie abends ins Zimmer kommt, um die Jalousie herunterzulassen. »Lad jemanden ein. In deiner Klasse gibt's doch bestimmt nette Mitschüler.« In der Schule sitzt Adina in der hintersten Reihe. Sie hat keine Banknachbarin. Sie meldet sich selten im Unterricht. Sie findet es albern, auf Fragen zu reagieren, deren Antworten die Lehrerin kennt. Sie ist ein bisschen arrogant. Jedenfalls glaubt Adina, die anderen denken das von ihr, weil sie in den Pausen nie mit ihnen raucht. Sie macht nicht beim Jungsgucken mit und lästert nicht über die Mitschülerin, die noch keinen Busen hat. Sie gehört zu keiner Clique und ist nie für oder gegen jemanden. Sie hat einfach nicht so viel Interesse an den Schülern aus der Stadt.

Touristenkinder kriegt sie leicht herum. Adina kennt die heimlichen Pfade, die Schleichwege am Fluss und den kürzesten Weg durch den Fichtenwald zum Kamm. Sie weiß, wie man mit den Barkeepern umgehen muss, um mittags in der Bar kostenlos Orangensaft zu trinken. Touristenkinder sind für jede Abwechslung dankbar. Adina hat schon so viele kennengelernt, dass sie sie nicht mehr auseinanderhalten kann. Nur manchmal erkennt sie jemanden im nächsten Jahr wieder. Dann führt sie ihn stolz den Barkeepern vor, die eine Runde spendieren zur Feier des Tages. Aber Touristenkinder bleiben nur eine Woche. Eine Woche ist zu kurz, um Freunde zu machen.

Adinas Freunde sind aus *Rio*. Wenn es vor ihrem Dachfenster dunkel wird und die Umrisse des Čertova hora leuchten vom Schnee, wird es bei ihren Freunden Morgen oder Nachmittag, oder es ist tief in der Nacht. In *Rio* ist das nicht wichtig. In *Rio* ist immer jemand, sobald sie den Computer anmacht.

Ihre Mutter lässt die Jalousie herunter, gibt ihr einen Gute-Nacht-Kuss und macht sich auf den Weg ins Zlatá Vyhlídka. Dann ist niemand mehr im Haus. Adina kann ungestört mit ihren Freunden chatten. Sie zieht den Computer auf den Schoß, gibt den Link ein und wartet auf das Schnarren, das sie nach *Rio* bringt.

Manchmal ist die Verbindung schlecht. Nebel oder Sturm

stören das Netz. Sie sitzt im Schneidersitz auf dem Bett, und bis sich der Torbogen nach *Rio* öffnet, schabt sie mit einem Obstmesser den Lack von den Nägeln. Sie hat den Nagellack heimlich ausprobiert. Aber mit lackierten Nägeln kann sie nicht nach *Rio*. Dort nennen sie sich Galadriel, ZP oder Darth Vader. Sie ist der letzte Mohikaner, und zum letzten Mohikaner passt kein Nagellack.

Mit ZP unterhält sie sich darüber, ob ein letzter Mohikaner den Stamm überhaupt retten kann. ZP schlägt vor, Kinder zu kriegen, aber sie will keine Kinder. Darth Vader findet, sie sollte alle Feinde ausrotten. Ihr Stamm würde die anderen überleben, und das wäre auch eine Rettung. Aber sie hat keine Feinde. Eine Woche ist zu kurz, um Feinde zu machen.

Außer Ronny.

Auch am vierten Tag kreuzte er vor der Glühweinbude auf. Sie hätte sich gern unsichtbar gemacht. Sie wollte sich ducken, als sie ihn kommen sah. In seinem Military-Look trat er aus dem Schatten der Fichten. Aber wer Striche auf einer Liste macht für jedes verkaufte Getränk, kann sich nicht ducken. An diesem Tag hat sie ihm heimlich Schuss in den Glühwein getan; jede Menge Slibowicz. Für ihn ging die Skisaison vorzeitig zu Ende. Er hätte nicht weiterfahren dürfen. Trotz beleuchteter Piste war er gegen einen Liftmast geknallt.

Den Freunden in *Rio* kann sie das erzählen. In *Rio* lassen sich Dinge sagen, die man sonst nicht aussprechen darf. Sie konnte nicht wissen, dass Ronny an einen Liftmast knallt. Aber wenn sie es gewusst hätte, schreibt sie an ihre Freunde, dann hätte sie das mit dem Slibowicz trotzdem getan. Aus *Rio* kommt ein kleines Teufelsgesicht zurück. »Bleib tapfer, kleiner Mohikaner!«

Darauf ist Adina stolz. In *Rio* wissen sie, was ihr Name bedeutet. In *Rio* ist es etwas Besonderes, der letzte Teenager von Harrachov zu sein.

Die blaue Frau ist bei den Bootsschuppen angelangt. In den Schuppen lagern Spanten und Bohlen und Werkzeug zum Reparieren der Boote. Schlösser hängen an den verwitterten Türen, die abgeschlossen sind.

Sie geht mir entgegen. Sie lächelt mich an, ihr Gesicht ist ein einziges Strahlen.

Sie kommt mir bekannt vor.

Das kann nur ein Irrtum sein.

Die Linden vor dem Balkon tragen Früchte, obwohl der Ahorn schon herbstlich bunte Blätter hat. Das ist ein Irrtum der Pflanzen, ein Orientierungsverlust, ausgelöst durch das flache nördliche Licht.

»Komm rein, Sala!«

Eine Regenfront schiebt sich vor die Spitze des Sendemasts. Der Dunst hat das Blinken der roten Warnleuchte geschluckt. An den Plattenbauten sehen die Balkone zum Verwechseln ähnlich aus. Nur die Himmelsrichtung unterscheidet sie. Aber die Wolkenfront löscht auch diesen Unterschied jetzt aus.

»Du erkältest dich!«

Das ist Leonides.

»Sala?«

Leonides mit seiner ruhigen Stimme. Mit seiner Gelassenheit. Der findet, dass Adina ein schöner Name ist. Aber Sala gefällt ihm besser. Sala klingt in seinen Ohren streng und klar, ein Kosename, der gut zu ihr passt, und so, wie er ihn ausspricht, mit stimmlosem S und der Betonung auf dem ersten A, findet sie das auch. Leonides. Der darauf dringt, dass ein Mensch sich vor Kälte schützt. Der darauf gedrungen hätte mit seiner Zimperlichkeit und seiner Fürsorge. »Du wirst noch krank von deinen Abhärtungsmethoden!« Eine Fürsorge, die schwer auszuhalten ist, jetzt, wo sie sich anschmiegen möchte wie an einer wärmenden Wand und er nicht da ist.

Die Bastmatte unter den Füßen ist eisig.

Sie geht zurück ins Warme. Sie macht die Balkontür hinter sich zu, und auf dem Weg ins Schlafzimmer löst sich das Handtuch von ihrem Körper. Nackt steht sie vor dem Kleiderschrank, der halb leer ist, nackt vor Schubladen, die sie nicht braucht. Ihre Hände streichen über ihren flachen Bauch. Sie legt sie auf die frierenden Brustspitzen. Dann zieht sie frische Unterwäsche, eine weiche Hose und einen dunklen Pullover an.

Das ist die Kleidung.

Die Espressokanne steht benutzt auf dem Herd in der Küche. Sie klopft den Kaffeesatz aus dem Sieb, füllt Wasser und neues Pulver ein und wartet auf das Fiepen, mit dem der Dampf aus dem Ventil austritt. Draußen beginnt es zu dämmern. Fahles Licht fällt in Küche und Wohnzimmer und löscht den Nachmittag langsam aus. Sie füllt den Kaffee in die Tasse mit den Großbuchstaben. Im Halbdunkel setzt sie sich an den schmalen Tisch im Wohnzimmer, den sie seitlich vor den Balkon geschoben hat. Beim Hinsetzen klappert das Polster des Stuhls. Der Stuhl ist kaputt. Aber es ist alles da, was sie braucht.

Sie sieht *Motion Eye* an, die schwarze Linse der Kamera. Dann fährt der Laptop hoch. Sie hat lange gebraucht, aber alles ist da. Sie wird eine Aussage machen. Es gibt eine Organisation, die ihr dabei helfen kann, eine Organisation mit Anwälten und Spendengeldern und einer Adresse im Stadtzentrum. Der Weg durchs Internet ist kürzer als der in die Stadt, dafür muss sie auch nicht die Wohnung verlassen. Die Homepage ist auf Finnisch. Aber jemand, der kein Finnisch kann, kann auf eine britische Fahne klicken, dann baut sich die Seite in Englisch auf. Nicht jemand, denkt sie. Kein Mensch klickt diese Fahne an, nur Frauen. Die Organisation richtet sich an Frauen in Not. Und wenn sie auf die Fahne klickt und die Seite hinabscrollt und unter Kontakt eine E-Mail verfasst, dann wird sie eine von ihnen. Sie wird eine Frau in Not sein. Dabei ist sie nie in ihrem Leben jemals eine Frau gewesen. Jedenfalls hat sie nie auf diese Weise an sich gedacht, *kleiner Mohikaner*. Sie ist auch kein Mann.

»Nur um das klarzustellen«, sagt sie laut. Aber da ist niemand, der das in Zweifel zieht.

Sie steht noch einmal auf. Im Kühlschrank in der Küche steht der Schnaps. Sie hält Tasse und Flasche im richtigen Winkel, um per Augenmaß einen *shot* abzumessen. In Not ist sie nicht. Das zu behaupten soll sich erst mal jemand trauen. Vielleicht ist sie das einmal gewesen. Aber da hatte sie kein Internet. Da ist sie auch nicht in einer Wohnung gewesen, für die sie die Miete im Voraus bezahlt hat, bar, mit knackigen Scheinen. Wer in Not ist, kennt keine Organisation, an die man sich wenden kann, keine Notrufnummern, keine Beratungshotlines oder E-Mail-Adressen. In Not hat man keine Zeit, sich im Internet zu informieren.

Sie gießt einen schludrigen Schluck in den Kaffee.

Für eine Organisation, die sich die Not der Menschen zur Aufgabe macht, ist sie eine von vielen. Eine, an die sich niemand erinnert. Erinnern können sich immer nur die, von denen man wünschte, sie täten es nicht.

Und ein Jahr ist eine lange Zeit. Sie hatte schon einmal Kontakt aufgenommen, im Sommer vor einem Jahr, mit dem Vorhaben, eine Aussage zu machen, die sie dann nicht gemacht hat. Weil Leonides dazwischenkam. Weil sie dachte, dass Leonides die bessere Alternative ist.

Weil Leonides die bessere Alternative war.

Leon, flüstert sie. Leo. Mein Le.

Le wie –

Leben. Life. Život.

Das hatte er nicht gemocht.

»Das ist ungesund. Da schwingt viel Selbstverleugnung mit«, hatte er gestelzt formuliert. »Jeder lebt sein eigenes Leben, du deines, ich meines. Sonst gibt es in einer Beziehung keine Gerechtigkeit. Das Pendel schlägt immer nur zugunsten des einen aus.«

Einen ganzen Vortrag hatte er daraus in seiner grünen Küche gemacht. Aber es dauerte nicht lange, und er begann, es zu vermissen. Leo, mein Leben. Er wollte es wieder hören. Er wollte hören, wie sie es sagte, flüsterte *Leo, mein Le*, wie sie es leise und verliebt in sein Ohr sprach. Er gewöhnte sich schnell daran. Er hatte sogar darum gebettelt, einmal, später, auf einem Ausflug in einen Nationalpark mit N.

Das ist die Erinnerung.

Sie hat das Recht, in der Erinnerung zu sein. Auch wenn sie keine Methode hat, dorthin zurückzukehren. Alles geschieht lose und lückenhaft. Schon der Name des Parks fällt ihr nicht mehr ein. Nuri. Nuxi. Nukso. Finnisch ist eine schwierige Sprache. Aber die Birken und die Nordfichten und die Moore rechts und links der aufgeschütteten Wege sieht sie noch vor sich und Leonides in seinem offenen Hemd.

Es kam nicht oft vor, dass sie zusammen Ausflüge machten. Leonides hatte seine Termine, er hatte einen strikten Arbeitsplan, und sie hatte nichts, nur Leo, und war froh, wenn ihn die anderen nicht brauchten. Er hatte einen freien Nachmittag, oder er hatte sich irgendwo losgeeist, und sie waren mit seinem alten Volvo über eine der dreispurigen Straßen gefahren, auf denen man in Kürze den Stadtrand erreicht. Während der Fahrt drehten sie die Stereoanlage auf und hörten in voller Lautstärke finnischen Pop.

Am Parkplatz vor dem Nationalpark wurden Würstchen gegrillt. In einer Blockhütte gab es Getränke und Mückennetze zu kaufen und Wanderkarten, auf denen die Wege verschiedene Schwierigkeitsgrade hatten. Sie waren mit roten oder gelben Dreiecken markiert, und Leonides entschied sich für einen roten.

Die Sonne spiegelte sich in einem kleinen See, und die offenen Feuerstellen am Ufer spiegelten sich in der Sonne im See, und das Wasser war so kalt, als wäre es gestern erst aufgetaut.

Und es gab diesen Geruch, diesen frischen Duft nach Moos und feuchtem Holz und Laub. Sie hätte losrennen wollen mit ihm an der Hand, ihn tief hineinzuziehen zwischen die Bäume, in das Glück, hier zu sein, ganz normal, Leute, die einen Sonntagsausflug machten. Sie hatte Lust, alles zu sehen, den ganzen Park auf einmal zu erkunden, jeden Felsen, jeden See, ohne eine Abzweigung auszulassen, weil sie ganz sicher zur schönsten Aussicht führte.

Leonides hatte nicht die passenden Schuhe an. Das Leder weichte schnell durch. Dennoch kam er überall hin mit. Die Mücken machten ihm nichts aus, die sie nicht einmal bemerkte. Sie wollte weiter, immer so mit ihm gehen, aber Leonides wurde am Abend gebraucht. Die Zeit war begrenzt. Für einen Kaffee auf der Rückfahrt war es schon zu spät.

»Sag es«, hatte er gedrängt, als sie auf einem Plateau saßen, wo es Wind gab und weniger Mücken. »Nur noch einmal.«

Sie packten die Brote aus.

»Komm. Sag es zu mir.«

»Das ist verboten, Leon.«

»Bitte. Nur hier.«

»Da schwingt so viel Selbstverleugnung mit!«

»Gut. Dann werde ich deinen Namen auch nie wieder sagen.«

»Das musst du auch nicht.«

Er lehnte sich vor und nahm ein Brot aus der Folie.

»Adina, Salina, Sala«, sagte er, als handele es sich um einen Abzählreim.

Er sah aus wie ein Kind, was an der komischen Haltung liegen konnte, mit der er auf den Felsen hockte, ein Bein lang ausgestreckt, das andere angewinkelt und unter den Arm geklemmt. Mit der freien Hand führte er das Brot zum Mund.

»Adina, Salina, Sala.«

Sie hatte die Brote eingepackt. Sie hatte sie auf der grünen Marmorplatte geschmiert, erst Frischkäse, dann Schinken und

Salami aufgelegt, in der gleichen Reihenfolge wie ihre Mutter beim Vorbereiten der Brotbüchse für die Schule. Und Leonides biss einfach so hinein. Er aß mit Tempo das erste und das zweite Brot, bevor er die leere Folie sorgsam faltete, als wäre es wichtig, hier nicht zu krümeln. Dabei war es viel wichtiger, etwas dagegen zu tun, dass er so beschäftigt war und ihren Ausflug abkürzte wegen irgendwelcher Leute, nicht dass sie etwas gegen Leute hatte. Aber dass sie schon zurückmussten, war nicht fair. Er hätte bleiben, er hätte sein Telefon nehmen und sagen können, er habe sich den Knöchel verstaucht oder sei ins Moor gefallen und leider sofort erkrankt, aber Leonides kam nicht auf solche Gedanken. Es ist ein Akt der Höflichkeit, hätte er gesagt, dass man sich an Verabredungen hält.

»Adina, Salina, Sala«, wiederholte er, dem Klang der Worte lauschend. »Wie findest du das?« Herausfordernd schaute er sie an. »Sala. Klingt streng und klar, finde ich. So wie du.«

Sie sah zu, wie er die Folie im Rucksack verstaute. Dann kniete sie sich hinter ihn auf den Felsen und schob ihre Hände unter sein Hemd.

»Leon«, sagte sie leise. »Leo, mein Le.«

Aber das kann sie nicht in die E-Mail schreiben.

Als die blaue Frau auftaucht, ist niemand am Hafen. Keine Segler. Auch Badende sieht man nicht. Keine Familie, die am Strand ihr Picknick zusammenpackt. Nur sie. Sie trägt einen knöchellangen hellen Wildledermantel, schwarze Stiefel mit Blockabsätzen und ein blaues Tuch.

Sie hebt eine Hand. Sie winkt mir zu, sie meint mich. Es sieht aus, als hätte sie mich erwartet.

Wir setzen uns in den Schatten der Birken und beginnen ein Gespräch. Wir reden vom Wetter. Über die Wettervorhersagen im Radio, die länger als die Nachrichten sind. Niederschlagsmengen und Windstärken gibt man für jede Schäreninsel bekannt, gefolgt von Warnungen für Landesteile, in denen das finnische Militär Manöver abhält. Eine Verbindung von Wetter und Krieg, wie sie das Wort Kugelhagel nahelegt, als wäre beides von derselben Unabdingbarkeit. Es fällt mir schwer, das Wort Kugelhagel ins Englische zu übersetzen.

Hail of bullets, sagt die blaue Frau. Shower of shots. Sie habe ein Faible für Sprachen.

Ich vergleiche den finnischen Wetterbericht mit den Staumeldungen im Deutschlandfunk. In Finnland, sagt die blaue Frau, sei das Wasser das Einzige, was sich staue.

Wir reden über die Klimaerwärmung. Die längeren Sommer im Norden, den heftigen Sturm. Über Bäume und über die

Birke, diese Außenseiterin unter den Laubhölzern, ihren geschmeidigen Stamm. Über Bäume zu sprechen bedeute, über Untaten zu schweigen. So habe es ein toter deutscher Dichter einmal formuliert.

Heute, entgegnet die blaue Frau, schließe das die Bäume ein.

Sie redet über Bücher, die sie gelesen hat. Manche kenne ich, andere nicht. Eingeprägt habe sich ihr von den Deutschen nicht Brecht, nicht der mit den Bäumen, sondern Tucholsky. Berührt hätten sie allerdings Romane von Monika Fagerholm und Carson McCullers.

Ich erwähne mein Vorhaben, einen Roman zu schreiben. Gewöhnlich verschweige ich Fremden, dass ich Schriftstellerin bin. Aber die blaue Frau möchte wissen, was mich nach Helsinki bringt, und in Helsinki nahm die Idee zum Roman vor zwei Jahren Form an. Ich erzähle ihr vom Wissenschaftskolleg in der Fabianinkatu, wo ich Stipendiatin war, von der großen Tageslichtlampe im Aufenthaltsraum und den beiden Masseuren Tuomas und Hariis, die die Fellows am Kolleg einmal im Monat kostenlos massieren.

Es freue die Finnen, sagt die blaue Frau, wenn man sich für ihr Land interessiere.

Ihr Englisch ist tadellos. Ob sie selbst Finnin ist, ist schwer zu sagen. Ich spreche sie nicht darauf an.

Ich rühme die Bibliotheken mit ihrer freundlichen Architektur, ihrer offenen Atmosphäre, die mir gefallen, nachdem ich früher immer einen Bogen um Bibliotheken machte, mit ihrer Düsterkeit, den Sprechverboten, dem elitären Staub. Hier sei das anders. Manchmal gehe ich nur dorthin, um die Zeitung zu lesen, die *Dagens Nyheter*, den *Guardian, Die Zeit.*

Wir reden über das, was in den Zeitungen steht, was uns düster erscheint in Europa. Sie ist gut über alles informiert.

»Du solltest dich auf den Weg machen«, sagt sie, als es dunkel wird.

Der Kaffee in der Tasse mit den Großbuchstaben ist kalt. Im Wohnzimmer hängt schwach der Widerschein der Straßenlampen. *Dear Ladies and Gentlemen* leuchtet ihr auf dem Bildschirm entgegen. Sie liest die Anrede laut, bevor sie *and Gentlemen* wieder löscht. *My name is Adina Schejbal. I'm sorry. I'm really sorry. But something came in between.*

Das Wort *interfere* fällt ihr ein, denn etwas ist dazwischengekommen, seit sie die erste kurze E-Mail an die Organisation vor einem Jahr geschrieben hat. Aber auf der Übersetzungsseite im Netz hat *interfere* etwas mit *hindrance* und *obstacle* zu tun, und verhindert hat Leonides nichts. Hindernisse gibt es nur in der Sprache. Wenn sie nervös ist, gehen ihr die englischen Vokabeln aus, die sie in der Schule gelernt hat, weshalb sie mit Leonides manchmal in russischen Brocken oder gleich mit Händen und Füßen spricht.

Gesprochen hat.

Der Schatten des Flugzeugs fliegt über die silberne Welt. Das Flugzeug schickt den Schatten für eine halbe Minute voraus, bevor es ihn einholt und überfliegt. Die Zeit umrundet den Globus. Dort, wo sie sich aufhält, ist es kurz vor acht. Die Wolken sind im Dunkel verschwunden.

Hell leuchtet der Monitor. Frauen strahlen sie an. Frauen in hohen Räumen vor Bildern und Blumen. Unzählige Fotos bezeugen die Arbeit der Organisation, als hätten sie dort extra jemanden angestellt, der sich nur mit dem Hochladen der Fotos befasst. Auf einem Bild halten zwei Frauen eine Urkunde in die Kamera, lächelnd, ein Lächeln für Menschen in Not, ein munteres Lächeln, eines, das Hoffnung machen soll und Mut. Nur eine der Frauen auf den Fotos ist älter. Sie hat eine weiße Haube auf, wie sie Enten haben oder Nonnen. Die Nonne lächelt nicht. Aber ihre Augen leuchten. Es sind gute Augen. Vor solchen Augen legt man gern die Beichte ab, auch wenn man nicht an Gott glaubt. Es ist nicht auszuschließen, dass ein Glaube etwas bewirkt, dass er Berge versetzt, die es in der platten Landschaft vor dem Fenster gar nicht gibt. Nur wenn man nichts zu beichten hat, ist selbst eine gute Nonne die Falsche.

Sie klickt die Seite weg und gerät auf eine Wetterseite mit Warmluftfronten und Hochdruckgebieten. Auch hier ist alles voller Hoffnung, weil schöne Aussichten die Besucherzahlen erhöhen.

Als es klingelt, ist sie zu erschöpft, um sich zu erschrecken.

Es dauert eine Weile, ehe sie das Klingeln an der Tür und die Wohnung, in der sie sich befindet, in einen Zusammenhang bringt. Es könnte die Klingel des Nachbarn sein. In Plattenbauten sind alle Klingeln gleich. Die Wohnungstüren gleichen sich, und zwischen dem Schrillen ihrer Klingel und dem des Nachbarn gibt es keinen Unterschied. Sicher ist sie nicht, weil sie in den Tagen, die sie hier wohnt, noch nie an ihrer eigenen Tür geklingelt hat.

An den Klingelschildern stehen finnische Namen, auch bei ihr.

Das Licht der Peitschenlampen schlägt in die Nacht. Sie kontrolliert, ob die Verbindung noch da ist, manchmal stürzt das Internet ab. Die Datenübertragung ist langsam, ein mobiler Zugang, den sie überall benutzen kann. Auch das ist ein Geschenk von Leonides, das erste. Er hatte den Stick mitgebracht. Er hatte ihn ihr geschenkt, drei Monate, acht Tage und achtzehn Stunden nach ihrer Ankunft in Helsinki.

Leon, mein Le.

Der eines Abends in der Hotellobby saß, auf einem der plüschigen Sofas, umringt von Männern in Anzügen und einigen wenigen Frauen. Sie sahen wie Geschäftsleute aus, wie Banker oder Anwälte, und unterhielten sich auf Englisch. Nur wenn es Gelächter gab, war Russisch zu hören. Dann hatte jemand einen Witz gemacht. Witze gingen besser auf Russisch. Sie stand hinter der Bar. Sie spülte Gläser, und es wurde spät, was an Leonides lag, aber das wusste sie damals noch nicht.

Der Barkeeper hatte Schluss gemacht. Nur sie war noch da. Sie servierte frische Drinks, füllte die Gläser nach, stellte Schalen mit Erdnüssen auf die Tische. Es war nicht das erste Mal, dass sie den Tresen bewachte, bis der letzte Gast gegangen war.

Er winkte ihr zu, als wollte er eine neue Runde bestellen. Eine fast leere Flasche Wein stand vor ihm auf dem Tisch. Er war der Einzige, der Weißwein trank. Die anderen tranken Bier und Vodkatini.

»*How kind of you not to leave us alone!*«

Er sprach mit einem leichten Akzent. Aber seine Aussprache war klar, auch nach einer ganzen Flasche Wein.

»*Please.* Feiern Sie mit!«

Sie wehrte ab.

»In Brüssel gab es heute eine wichtige Debatte. In Zukunft wird sich der Westen nicht mehr aufführen können wie der Hüter des Heiligen Grals.«

Sie hätte gern ein Tablett mit Gläsern in der Hand gehalten. Sie hätte gern etwas zu tun gehabt und stand hilflos vor dem Sofa.

»Kommen Sie, stoßen Sie mit uns an! Zweihundert Jahre als Menschen zweiter Klasse zu leben waren zweihundert Jahre zu viel.«

Einige nickten.

»Apropos Hochmut des Westens.« Er wandte sich wieder den anderen zu. »Neulich saß ich mit diesem Kollegen an der Bar. Netter Typ. Hab seit Jahren mit ihm zu tun. Wir treffen uns auf denselben Meetings, sitzen in denselben Bars. Und da schaut er mich auf einmal an, als sähe er mich zum ersten Mal. Plötzlich kommt es ihm ganz erstaunlich vor, dass ich Englisch rede wie er. Dass ich wie er etwas von Wein verstehe, Bach und Dylan höre und weiß, was am Sinai passiert ist. Nach all den Jahren geht ihm auf, dass ich aus demselben Holz geschnitzt bin wie er. Er meinte es nett, ein gebildeter Kollege aus dem Westen Deutschlands. Und auch deshalb, meine Freunde, ist die Erklärung des Europarats vom letzten Jahr so entscheidend. Zwanzig Jahre nach Ende des Kalten Krieges muss endlich Schluss sein mit der fatalen Hierarchie unter Europäern.«

Das sagte dieser Mann in einem dunkelblauen Anzug nachts um zwei in der Lobby eines Helsinkier Hotels, in dem sie seit drei Monaten in einem Abstellraum hauste.

Als sie sich umdrehte, um zum Tresen zurückzugehen, legte er seine Hand auf ihren Unterarm, nur leicht. »Verstehen Sie sich als Europäerin?«

Darüber hatte sie nie nachgedacht. Und auch jetzt dachte sie nicht darüber nach. Sonst hätte er als Nächstes wissen wollen, woher sie kam und was sie hier machte, was für ein Akzent das war, mit dem sie sprach, denn das war kein astreines Englisch, das hörte jeder, und ein finnischer Akzent war es auch nicht.

Er hatte die Frage freundlich wiederholt. Und da nickte sie. Sie war auf dem europäischen Kontinent. Sie war auf diesem Kontinent geboren. Sie hatte einen Teil dieses Kontinents überquert. Sie hatte drei Grenzen zwischen vier europäischen Ländern gekreuzt, im Bus, zu Fuß, mit einer Fähre, als Schwarzfahrerin, per Anhalter und schließlich mit einem regulären Ticket in einem Zug, der weit nach Mitternacht am Hauptbahnhof von Helsinki angekommen war, wo sie bis zum Morgengrauen auf einer Bank kampiert hatte, ehe sie nach einer Katzenwäsche auf der Bahnhofstoilette losgezogen war, um sich einen Job zu suchen. Sie hatte mehr von diesem Kontinent gesehen als jeder andere in dieser Lobby, ob es Banker oder Anwälte oder sonst was waren.

»Wunderbar!«, rief Leonides. »Wir rätseln nämlich, was eine Europäerin heutzutage am nötigsten braucht.«

Er schaute sie an, als wäre ihre Antwort entscheidend für den Europarat. Als wäre, was sie zu sagen hatte, richtungsweisend für das weitere Leben jedes Einzelnen auf den Plüschsofas der Lobby. Sein rechtes Ohr leuchtete unter den dünnen Haaren hervor, und etwas an diesem feuerroten Ohr brachte sie dazu, das Rätsel ohne langes Nachdenken zu lösen.

»Sie braucht eine gute Verbindung. Ich meine ins Netz. Sie muss sich vernetzen.«

Leonides hatte sein Glas gehoben, Weißwein aus der Bretagne, ein Muscadet von der Loire, und ihr anerkennend zugenickt. Vielleicht hatte er sie da bewusst wahrgenommen, hatte sie unterschieden vom Hotelpersonal, das gut war für nächtliche Bestellungen und am nächsten Tag vergessen wie der Großteil einer solchen Nacht.

»Wie kommt es, dass ich Sie hier noch nie gesehen habe?«

»Jetzt haben Sie mich gesehen.«

»Das stimmt.«

Zu ihrer ersten Verabredung schenkte er ihr einen Stick.

Die blaue Frau ist die Anhöhe hinaufgegangen, die vom Ufer zur Straße führt. Sie steht am Eingang der Unterführung.

Vor ihrer hell umrissenen Gestalt bricht das Dunkel des Tunnels jäh ab.

Sie schaut mir entgegen.

Ich frage sie, ob sie in der Nähe wohne. Ob sie oft am Hafen sei.

Die Geste, die ihre Antwort begleitet, beschreibt einen Kreis, keine Richtung.

Sie komme gern hierher. Das Klirren der Segelstangen, das Schreien der Möwen, der Geruch nach Teer, das gefalle ihr. Nur hier könne sie mit mir reden, zwischen den Schienen, den Schuppen und der Badestelle am Ufer, an der eine Bank aufgestellt ist.

Zu ihrer ersten Verabredung stand sie in einer menschenleeren Straße, in einer Gegend, in der sie nie zuvor gewesen war. Sie hatte einen Zettel dabei mit dem Namen und der Adresse des Restaurants, in dem sie verabredet waren. Aber das Restaurant gab es nicht. Sie ging bis ans Ende der Straße. Rechts und links lagen mehrere Restaurants, alle hießen Ravintola. Ein Ravintola hatte stuckverzierte Türbögen. Ein anderes sah aus wie ein Pub, und die Fassade eines weiteren glich einer Burgmauer. Keines trug den Namen, der auf ihrem Zettel stand. Sie lief zur Kreuzung zurück, um die Straßennamen zu vergleichen. Sie war richtig.

Es überraschte sie nicht, dass etwas, das auf einem Zettel stand, nicht mit der Wirklichkeit übereinstimmte. Aber der Zettel mit seiner Handschrift war das Einzige, was sie zu diesem Zeitpunkt von Leonides besaß. Sie wusste nicht, dass er immer in diesem Hotel abstieg, dass er jedes Mal, wenn er nach Helsinki kam, im selben Hotel ein Zimmer buchte, weil dieses Hotel sein liebstes war.

Es war noch früh am Abend. Das Laub der Bäume leuchtete im späten Licht. Sie kannte sich in dieser Stadt nicht aus. Sie wusste nichts von finnischen Gebräuchen. Sie hatte keine Ahnung, was ein Zettel mit einer Adresse bedeutete, was es in diesem Land bedeutete, wenn ein Mann nachts um zwei etwas auf einen Zettel schrieb. Sie arbeitete schwarz als Aushilfe. Sie händigte Zimmerschlüssel aus, sie leerte Mülleimer, bezog Betten, gab Auskünfte zu Preisen und Frühstückszeiten und dem Bedienen des Kaffeeautomaten. Sie trug eine weiße Schürze über einer schwarzen Bluse, die Uniform des Personals.

Vielleicht hatte sie ihn missverstanden. Vielleicht war er betrunken gewesen, manchen merkte man das Betrunkensein nicht an. Oder er hatte ihr absichtlich eine falsche Adresse gegeben. Er hatte nicht vor, die Aushilfe wiederzusehen, die Aschenbecher leerte und Gläser spülte. Es war ein Zeitvertreib gewesen. Eine Show vor großer Runde in den plüschigen Sofas eines teuren Hotels, die ihm die Genugtuung verschaffte, noch im Rennen zu sein. Er hatte sie benutzt.

Diese Verzweiflung in deinem Blick, hatte er später gesagt, *die muss der Mensch erst mal akkumulieren!*

Es klingelt an der Wohnungstür. Das Schrillen geht durch Mark und Bein.

Die Verzweiflung, nicht für voll genommen zu werden, hatte Leonides auf der menschenleeren Straße gesagt, *die kenne ich gut. Du bist für die anderen einfach nicht da.*

Im Treppenhaus steht jemand, der zu wissen scheint, dass sie da ist, dass sie hier in der Wohnung sitzt und das Klingeln hört. Er hat sie hineingehen sehen und wird nicht aufhören, zu klingeln, bis sie aufsteht und öffnet. Sie legt ihre Hände flach auf den Tisch.

Das ist die Angst.

Sie konzentriert sich.

Sie muss nicht an die Tür gehen. Sie braucht nicht aufzumachen. Sie hat das Recht, auf ein Klingeln nicht zu reagieren, so wie sie das Recht hat, in dieser Erinnerung zu bleiben, auf der unbekannten Straße im Stadtzentrum, wo es mehr Ravintolas gibt, als man braucht, und von denen eines schließlich das richtige war.

Im Ravintola auf der gegenüberliegenden Straßenseite hatte Lenin ein Bier getrunken, vor mehr als hundert Jahren, bevor er losgefahren war zur Revolution. Das hatte Leonides gesagt, als er aufgetaucht war. Lachend trat er aus dem Häuserschatten ins letzte Tageslicht.

»Die Leber machen sie dort gut«, sagte Leonides. »Aber ich dachte, du bist vielleicht kein Freund von Leber.«

Sie war kein Freund von Leber, und er hatte sie ins Ravintola mit der Stuckverzierung geführt, zu einem Platz am Kamin. Es war ein Gaskamin mit Scheiten aus Keramik.

»Lenin? Ist das wahr?«

»Auf ein letztes Glas Bier, bevor er den Winterpalast stürmte.«

»Oder erzählt man das nur den Touristen?«

»Es gibt noch den Tisch, an dem er gesessen hat. Aber man stellt ihn nicht mehr aus. An Kommunisten, vor allem russische, wird man hier nicht gern erinnert. Der Tisch steht im Keller. Wenn du willst, lassen wir ihn uns zeigen.«

Sie war erleichtert. Sie hätte sich stundenlang über Lenin unterhalten können, Wladimir Iljitsch Uljanow, über Lenin, das letzte Bier und die Revolution, denn sie kannte diesen Mann nicht. Sie wusste nichts von ihm, außer dass er sich zurechtfand in den Restaurants von Helsinki und gern der Letzte war, ein Gast, der bis in die frühen Morgenstunden in Hotellobbys saß. Der blieb, bis alle Freunde und Kollegen gegangen und nur er und sie hinter der Theke noch übrig waren. Zwei Nachtschwärmer, hatte er zum Abschied gesagt, zwei Nachtschwärmer, für die es unverzeihlich wäre, sich nicht kennenzulernen.

Und das machten sie jetzt. Sie saßen im richtigen Lokal, an einem Zweiertisch in der Nähe des Kamins, er mit dem Rücken zur Straße. Der Raum war klein. Es gab nur wenige Tische, man unterhielt sich gedämpft. Als sie sich in ihrem Stuhl zurücklehnte und die Anspannung nachließ, merkte sie, wie ihr Lächeln etwas zu gelten begann, den Holzscheiten aus Keramik, den Ravintolas; ein Wort, das, wie sich herausstellte, Restaurant bedeutete. Auf der Speisekarte wurden in kleiner Schrift drei Menüs angeboten, in verschiedenen Sprachen, von denen sie zwei nicht verstand.

»Wenn ich in Helsinki bin, komme ich jedes Mal hierher«, sagte Leonides. »Es ist so was wie meine Stammkneipe.«

Auf den Tischen lagen weiße gestärkte Tischtücher, schlanke Tonvasen mit einem einzelnen Birkenzweig standen darauf. Die Weinflaschen wurden in Eiskübeln serviert.

»Ist Kneipe nicht ein bisschen untertrieben?«

Leonides lachte. »Ich muss mir das dringend abgewöhnen. Im Westen beherrschen sie die Kunst der Untertreibung nicht. Sie nehmen es wörtlich. Deshalb mache ich gern in Helsinki Station. Finnland ist das Scharnier zwischen Ost und West: russische Seele, skandinavisches Design.«

Im gedimmten Licht der Deckenfluter schaute sie ihn zum ersten Mal genauer an. Er trug einen Cordanzug über einem Hemd mit langem Kragen. Das dicke Brillengestell ließ ihn professoral aussehen, trotz der leichten Röte auf dem sonst weißen Fleisch seiner Wangen unter einer glatten, fast faltenlosen Haut. Seine Augen waren lebhaft, was im Widerspruch zu seinen Bewegungen stand, die im Anzug eingesperrt schienen. Insgesamt haftete ihm etwas Altmodisches an.

»Jetzt fragst du dich, wo der herkommt. Tja, meine Reisen mögen mich verändert haben. Aber ein Teil von mir ist immer noch der baltische Junge, der nicht viel redet und auf das hört, was seine Mutter ihm sagt. Ich bin Este. Aus Tallinn. Keine achtzig Kilometer Luftlinie von hier.«

Ein Kellner brachte Olivenöl und eine Papiertüte mit Knäckebrot und Baguette.

»Wir Esten wissen nie so recht, ob wir zum Westen gehören«, sagte Leonides. »Ob wir dazugehören *wollen*. Mit Sicherheit wissen wir nur, dass der Osten erst hinter Narva beginnt. Hinter der Grenze zu Russland. Als Estland noch Sowjetrepublik war, war es natürlich verboten, das so zu sehen.« Er schlug die Speisekarte auf. »Was nimmst du?«

Sie schaute in die Karte. Aber statt sich auf die Gerichte zu konzentrieren, sah sie eine Landkarte vor sich, die Landkarte des nördlichen Europa. Sie sah die Hinterläufe eines springenden Tigers. Ein Hinterlauf war Finnland, der Torso Schweden und Norwegen. Russland bildete den anderen Hinterlauf und den Schwanz. Der Tiger machte einen Satz in die Ostsee, und dort, wo die Hinterläufe aufs Wasser trafen, musste Estland sein.

»Zu Sowjetzeiten war die Sache eindeutig«, sagte Leonides. »Da waren *wir* die Europäer. Da wollten die Russen unbedingt zu *uns* zum Arbeiten kommen. Wir waren die mit den Cafés. Die mit dem guten Wein, den Kirchen und Komponisten. Keiner rotzte im Lokal auf den Boden. Wir exportierten elektrische Designerkaffeemühlen und Saftpressen nach Moskau und in die DDR.« Lächelnd wischte er sich unter der Brille über die Augen. »Unsere Städte gehen bis ins Mittelalter zurück. Wir beherrschen den Umgang mit Silberbesteck, und jede zweite Finnin geht heute bei uns zum Friseur.«

Er sprach laut, und eine Frau drehte sich um. Aber auch als er die Stimme gesenkt hatte, klang er noch wie auf einer Bühne. Er hielt eine Rede, die keine Antwort zu verlangen schien. Das störte sie nicht. Solange er redete, kam er nicht auf die Idee, sie auszufragen. Sie brauchte nur dazusitzen, die Speisekarte aufgeschlagen vor sich.

»Bisher hatten wir mit unseren Überlegenheitsgefühlen zu kämpfen. Jetzt wollen unsere westlichen Freunde uns weismachen, wir hätten einen Minderwertigkeitskomplex.«

Geübt warf er sich die Serviette über den Schoß, griff nach dem Olivenöl und tröpfelte sich etwas Öl auf den Teller. Er salzte und nahm eine Scheibe Baguette. Er sah aus wie jemand, der das oft machte. Er war in diesen Lokalen zu Hause. Er konnte sich in eine Speisekarte vertiefen und entscheiden, was er wollte, und er schien davon auszugehen, dass ihr die Namen der Fischgerichte ebenso vertraut waren wie ihm und die Beilagen und das Dessert, dass sie die richtige Wahl treffen würde, mit der gleichen Sicherheit wie er, obwohl er wusste, dass sie kein Nachtschwärmer war, dass sie zum Gläserspülen nachts in Hotelküchen stand.

Zu Hause war sie schon lange nirgendwo mehr gewesen. Das war nicht schlimm. Es wurde ihr nur, als der Kellner unaufgefordert zwei Prosecco brachte, wieder bewusst.

»Kommst du oft nach Helsinki?«

Er sah auf. »Im Moment bin ich in Brüssel und auf einer Vortragsreise in den USA und Professor in Tartu. Also im Grunde bin ich gar nicht hier.«

»Wie ich.«

Sie sprachen Englisch miteinander. Englisch war weder ihre noch seine Muttersprache. Sie mussten beide die fremde Sprache im Kopf in die eigene umwandeln, er ins Estnische, sie ins Tschechische, wodurch ihr Gespräch von einem leichten Zögern bestimmt war. Sie hatte den Eindruck, dass alles, was er sagte, eine Färbung hatte, die für sie unzugänglich blieb. Und auch für ihn musste der Untergrund ihrer Worte im Dunkeln liegen. Vielleicht war es deshalb so einfach, für einen Moment zu vergessen, dass es zwischen ihr und diesem Mann, der nur eine Tischlänge entfernt von ihr saß, einen gewaltigen Abstand gab. Ödnis. Leeres, baumloses Land.

»Ich bin nie dort, wo ich gerade bin«, sagte er. »Bevor ich irgendwo ankomme, muss ich schon wieder los. Das nennt man wohl den globalen Menschen.«

»Nicht unbedingt.«

»Nein?«

»Manchmal ist man bloß nicht da, weil einen dort, wo man ist, niemand kennt.«

Er hörte auf, mit dem Öl und dem Salz und dem Baguette zu hantieren. Seine Augen waren schmal, fast lauernd. Das konnte von der Brille kommen. Die starken Gläser verkleinerten die Augen. Und doch war es, als sähe er ihr etwas an.

»Da fällt mir ein, ich hab was für dich«, sagte er schließlich und griff in die Innentasche seines Jacketts. »Für Leute, die selten zu Hause sind. Leute wie uns.«

Er zog einen weißen Stick heraus und hob ihn umständlich hoch, wie um sicherzugehen, dass er beim Transport im Jackett nicht zerbrochen war. Als er ihn über den Tisch reichte, nahm sie den Geruch einer Handcreme wahr. Es war ein angenehmer Geruch.

»Wenn du mal wieder nicht weißt, wo du bist, kannst du das problemlos im Internet nachschlagen.« Sie schauten sich an.

»Immerhin passen wir zu diesem Restaurant«, erwiderte sie und schaute weg. »Du bist nicht hier, und ich bin nicht hier. Und das Restaurant auch nicht. Jedenfalls steht nirgendwo ein Name dran. Ich hätte es nie gefunden.«

»Woraus sich eine wesentliche Frage ergibt«, sagte Leonides lächelnd. »Ist die Namenlosigkeit unseres Lokals ein Zeichen der typischen finnischen Selbstverleugnung oder ist sie nur Schlamperei?«

Aber weil sie sich mit diesem Land noch nicht beschäftigt hatte, konnte sie nicht viel dazu sagen.

Die blaue Frau sitzt am äußersten Ende der Bucht, bei den Moosen und Windflüchtern.

Bald wird es Herbst. Die Birken stehen in Flammen.

Ich setze mich neben sie. Sie rückt ihren Mantel zurecht und weist mich auf das noch kräftige Licht hin. Das Licht intensiviere unter dem Einfluss der kalten Nächte die Farben. Dann erkundigt sie sich nach meinem Buch. Ob ich vorankomme, möchte die blaue Frau wissen. Ob dieses Licht etwas sei, worüber es sich zu schreiben lohne. Ob ich eine politische Autorin sei, ob mich die Gegenwart interessiere.

Ich sage, das komme darauf an.

Worauf komme es an, hakt sie nach.

Auf sie.

Die blaue Frau lacht. Sobald das Gespräch auf sie kommt, lenkt sie ab, als lohne sich die Auskunft nicht.

Ja, sagt sie. Da gebe sie mir recht. Die Auskunft lohne sich wirklich nicht.

Sie speichert den Brief im Ordner Entwürfe. Sie klappt den Laptop zu. So verharrt sie im Dunkeln, die Hände im Schoß. Aus dem Treppenhaus ist eine Männerstimme zu hören.

Beim Aufstehen klappert das Polster des Stuhls. Auch ihre Knochen scheinen zu klappern, sie machen einen gewaltigen Lärm.

Im Flur zeichnet sich der Schatten des Vogelbeerbaums vor dem Schlafzimmerfenster ab. Sie versucht, nur an diesen Baum zu denken, an die dunkelroten Beeren, das knallige Rot an schwarz glänzenden Zweigen, an diesen Überschuss an Farbe, den so ein Baum produziert.

Niemand weiß, wo sie ist.

An der Wohnungstür hält sie inne. Der Deckel liegt wie immer über dem Spion. Sie wagt es nicht, ihn zur Seite zu schieben.

»Aufmachen!« Die Stimme ist bedrohlich nah. Sie gehört nicht Leonides. »Aufmachen oder ich rufe die Polizei!«

Sie hat den Impuls, sich zusammenzukauern. Sie will sich klein machen hinter der Tür. Sie will den Kopf auf die Beine legen und die Augen schließen wie als Kind, wenn sie als Einzige im Schulbus saß. Der Schulbus hatte dreißig leere Plätze und fuhr nur wegen ihr noch nach Harrachov. Sie setzte sich ganz nach hinten und zog den Kopf ein, damit es aussah wie eine Betriebsfahrt.

Beim Öffnen der Tür rastet die Sicherheitskette ein. Ein Umriss zeichnet sich im Treppenhauslicht ab, das blendet.

»Was machen Sie hier? Wer sind Sie?«

Sie erkennt ein dickliches Gesicht, eine Glatze.

»Wie sind Sie reingekommen?«

»Mit dem Schlüssel.«

»Woher haben Sie den?«

Der Mann ist einen Kopf größer als sie. Sein Blick schwankt an ihr herab, legt ihre Hand, ihre Hüfte bloß. Sie zieht sich zurück.

»Vuo-kra-ovi.«

»Was?«

»Die Wohnungsseite im Internet.«

Der Mann draußen wischt sich über die Glatze. »Das geht hier zu wie im Taubenschlag!«

Ihr fällt ein, dass es Nachbarn gibt, auch in diesem Haus. Es gibt Leute, die ihren Hausflur bewachen wie ein Revier.

»Der Schlüssel war in einem Umschlag«, sagt sie, »in einem Umschlag bei der Wohnungsverwaltung.« Sie nimmt den Vertrag von der Kommode im Flur und hält das Papier in den Türspalt. Der Mann tippt mit dem Zeigefinger darauf, weshalb er nicht sieht, wie es zittert.

»Sind Sie das?«

Es gelingt ihr zu lächeln. »Wer soll ich sonst sein?«

Für einen Moment ist der Mann irritiert.

»Sie wohnen alleine hier?«

»Ja.«

»Und wo ist die andere?«

»Welche andere?«

»Die andere, die hier wohnt.«

»Das weiß ich nicht.«

»Ich hatte doch neulich erst das Pech, ihr im Treppenhaus zu begegnen!«

»Hier ist niemand außer mir«, sagt sie, aber vielleicht hätte sie das nicht sagen sollen.

Der Mann schnauft. »Die ganze Nachbarschaft hat sie mit ihrer Scheißfragerei verrückt gemacht. Rannte mit einem Aufnahmegerät von Tür zu Tür, eine von diesen Schreiberlingen, die erst Ruhe geben, wenn sie die ganze elende Geschichte kennen.« Er versucht noch einmal, an ihr vorbei in die Wohnung zu sehen. »Sie wohnen also alleine hier?«

»Ja.«

»Na dann. So ist das also. Dann ist sie wohl weg. Und Sie?« Erneut trifft sie sein forschender Blick. »Wie lange bleiben Sie?«

»Das weiß ich nicht.«

»Aha.« Er klingt besänftigt. »Dann hat sich das Rumgeschnüffel wohl erledigt.«, sagt er und macht einen Rückwärtsschritt. »Da kann der Mensch wieder ungestört den Müll rausbringen.«

An der Treppe dreht er sich noch einmal um. »Willkommen in Finnland! Waren Sie schon in der Sauna? Die ist unten im Keller. Die Saunazeiten stehen am Aushang.«

Manchmal bleibe ich allein. Wann die blaue Frau zum Hafen kommt oder für wie lange, lässt sich nicht sagen.

Sie will, dass ich mich nicht darum kümmere. Auch verabreden möchte sie sich nicht.

Ihr Erscheinen muss unhinterfragt bleiben.

»Du darfst alles«, hat sie gesagt, »aber rechne nicht mit mir.«

Sie hat es zurück ins Wohnzimmer geschafft. Sie steht vor dem Sofa. Es ist kein üppiges Sofa, keine Sofalandschaft, wie sie in den Hochglanzmagazinen von Möbelhäusern abgebildet sind, und es ist auch nicht so elegant wie die Sofas in den Apartments der Universität. Der Stoff ist braun und robust, passend zur anspruchslosen Wohnung, in der man dennoch gerne lebt.

Das Hinsetzen gelingt ihr nicht. Ihre Knie sind fest, wie aus Stein. Erst als sie die Hand an die Kante der Lehne geschlagen hat, geben ihre Beine nach. Der Schmerz schickt Funken durch ihr Handgelenk.

Das sind die Gewohnheiten.

»Das war zu erwarten«, sagt sie. »Das war ja zu erwarten, dass du doch noch Ärger machst.«

In der Stille, die folgt, sieht Leo sie hinter seiner gerahmten Brille erstaunt an. Weil es nicht schlimm ist, zu weinen. Weinen ist ein uraltes Menschenrecht. Zum Steinerweichen.

Leonides mit seinen Menschenrechten. Als könnte man sie in der Jackentasche mit sich herumtragen wie einen Stick und brauchte sie nur großzügig an alle auszuteilen. Er hat eine rechtschaffene Arbeit daraus gemacht, wie andere auch, ein ganzer Apparat wird von Menschenrechten in Gang gehalten, und wenn Leonides am Abend in den Nachrichten sieht, dass Kinder misshandelt und Frauen mit Säure übergossen werden, dass Babys verhungern und Menschen ausgebombt werden, dann ist das für ihn die Bestätigung, dass seine Arbeit sinnvoll ist. Dass er gebraucht wird. Es ist die Aufforderung, am nächsten Tag noch ein bisschen härter zu arbeiten, und es hält ihn nicht davon ab, mit ihr Wein zu trinken, gekühlten Muscadet von der Loire.

Hielt, denkt sie. Sie muss sich die Gegenwart abgewöhnen. Nichts hielt ihn ab von seiner Vorliebe für Wein und gemalte Natur, von seiner Leidenschaft fürs Leben. Und dann denkt sie, dass auch das nicht stimmt, denn die Leidenschaft besitzt er noch immer, die besitzt er auch ohne sie. Dieses Vermögen, zu genießen, was ihn im Moment umgibt, seine Seidenpyjamas, eine gute Bettwäsche, einen Segeltörn, einen knackigen Wintertag, in Spitze gehüllte Brüste, und dabei niemals niedergeworfen zu werden, von nichts, was es ihm leichter machen wird, sie hinter sich zu lassen. Er wird erschrocken sein über ihr Verschwinden, wie er über schlechte politische Neuigkeiten erschrickt. Verstehen wird er es nicht. In seiner Welt verschwindet man nicht einfach so, ohne Ankündigung, ohne Abschied, das gebietet schon die Höflichkeit. Er wird ein bisschen härter arbeiten, aber bald darauf bestellt er die Kiste eines neuen Jahrgangs Muscadet.

So wird es sein. Kein Zweifel. Zweifel sind nicht zugelassen. Sie geht in die Küche und öffnet den Kühlschrank, wo nichts als eine Zwiebel und eine Packung Käse liegen. Sie nimmt den Schnaps. *Viru Valge.* So steht es in weißer Schrift auf einem blauen Label. Unter dem Schriftzug ist eine Frau abgebildet, die in ein rundes Holz bläst, in eine Art Signalhorn. Der Schnaps sieht in der Plastikflasche harmlos aus, wie Wasser, von dem sie sich ein paar Tropfen in den schmerzenden Handballen massiert. Sie nimmt einen Schluck. Das Wasser bewirkt gar nichts, außer dass es brennt und wenig später für eine Weile eine Wärme in ihrem Körper hinterlässt.

Es ist nicht leicht, sich die Gegenwart abzugewöhnen, weil die Gegenwart mehr ist als eine grammatikalische Form.

Leo, mein Leben.

Mit Selbstverleugnung hatte das nichts zu tun. Sich selbst zu verleugnen sieht anders aus. Das beginnt ganz unmerklich damit, dass man ins Wanken gerät, ins Kippeln kommt, und er hat sie nie ins Kippeln gebracht. Im Gegenteil. Mit Leonides bekam sie etwas zurück. Er hat sie zu ihr zurückgebracht. Als funktioniere das. Flaschenrückgabe, Geschirrrückgabe, jemand hat das Geschirr schmutzig gemacht und stehen lassen, und jemand anderes nimmt sich der Teller an und gibt sie zurück. Das hätte sie ihm sagen sollen. Mit Leonides begann die Zeitrechnung, und mit ihm endet sie. Nur ihm fehlte dafür die Vorstellungskraft.

»Leo?« Die Uhr macht ihr leises Glockengeräusch.

An jenem Abend im Oktober, vor nicht einmal einem Jahr, als er ihr im Ravintola gegenübersaß, richtete sich ihr innerer Zeitstrahl neu aus.

Vorher war sie Aushilfskraft gewesen. Eine, die freiwillig Nachtschichten übernahm und sich tagsüber schlafen legte, innerlich immer alarmiert, weshalb sie es nie schaffte, den Wachzustand ganz zu verlassen. Solange sie wach war, lenkte sie sich ab, und solange sie sich ablenkte, gelang es ihr, sich zu verhalten wie das Personal in den schwarz-weißen Uniformen. Es sei denn, sie musste einen Kühlschrank aufmachen. Kühlschränke öffnen konnte sie nicht. Wenn sie hinter der Theke stand und Getränke und Eiswürfel aus dem Kühlfach nehmen musste oder aus der Eistruhe in der Küche Pommessäcke oder Speiseeis, fing sie an zu zittern. Das grelle Licht und die Kälte schlugen über ihr zusammen, und jemand anderes musste das für sie tun, musste das tiefe Schubfach aufziehen und hineingreifen, um Prosecco oder Bier herauszuholen, der Lehrling, dem sie dafür beim Abkratzen der Schmutzteller half.

An jenem Abend im Ravintola, als das Essen serviert wurde, schmale Lachsstreifen, garniert mit Kartoffelschnitzen und Moltebeeren, die umwogt waren von einem grünen Schaum, geschäumten Birkenblättern, wie der Kellner vor Stolz fast flüsternd erklärte, kam es ihr vor, als würde sie sich am Schopf in die Gegenwart hineinziehen mit einer Hand, die Leonides'

Hand war. Er war ein Mann, der eine duftende Handcreme benutzte.

Sie hatte noch nie geschäumte Birkenblätter gegessen. Vorsichtig sog sie die teure Luft von der Gabel, um sich keine Blase entgehen zu lassen. Sie mussten lachen, das erste Mal gemeinsam. Als der Kellner kam, erkundigte sich Leonides, warum die Köche keine Fichte verwendet hätten. Fichtennadeln hätten bestimmt mehr Fleisch. Wie sich herausstellte, hatte auch Leonides noch nie geschäumte Blätter gegessen. Die Entfernung zwischen ihnen war deshalb nicht weg. Die Ödnis, das baumlose Land waren noch da. Aber sie waren jetzt etwas, an das man sich gewöhnen konnte.

»Wir hätten eine Vorspeise nehmen sollen«, sagte Leonides. »Möchtest du einen Salat?«

Sie hatte keinen großen Hunger.

»Blätter zum Abendessen! Manchmal überkommt mich der Verdacht, dass das nie was wird mit denen und mit uns. Wenn meine Kollegen in Brüssel von ihrer Jugend reden, erinnern sie sich an Rockbands. Ich erinnere mich an eine völlig andere Kultur.«

»Ihr habt als Kinder nicht das Laub von den Bäumen gegessen?«

»Manchmal gab es auch Brot.«

Wieder lachten sie.

»Woran denkst du, wenn du an deine Kindheit denkst?«

»An Schnee. Meine frühesten Erinnerungen spielen im Schnee.«

Sein Blick war der gleiche wie in der Lobby, als er sie zum ersten Mal wahrgenommen hatte; aufmerksam und ein bisschen erstaunt. Es war, als würde er etwas wiedererkennen, als kehrte ein vergessener Gedanke zurück.

»Kein russischer Schnee, nehme ich mal an.«

»Nein. Wieso?«

Leonides winkte ab. »Ein dummer Reflex. Wo bist du aufgewachsen?«

»Das würde dir nichts sagen.«

»Verstehe«, sagte Leonides, »dass *du* es mir nicht sagen willst.«

Sein Blick traf sie, als würde Strom durch dünne Drähte in ihrem Körper gejagt.

»Im Riesengebirge«, sagte sie nach kurzem Zögern.

»Das ist in Polen, nicht wahr?«

Sie schwieg.

»Jedenfalls weißt du, worauf ich hinauswill. Eine Kultur der Angst und eine Kultur der Kälte«, sagte Leonides. »Im Osten Angst. Im Westen Kälte. Beides ist nicht schön. Aber es sind doch zwei völlig verschiedene Kulturen.«

»Ich bin auf der tschechischen Seite des Riesengebirges aufgewachsen«, gab sie schließlich zu. »Aber ich war zu klein. Bei der Samtenen Revolution war ich erst fünf.«

»Kinder sind gute Beobachter.«

»Nicht unbedingt.«

»Nein?«

»Wäre ich älter gewesen, wüsste ich heute mehr.«

»Das kann nur jemand sagen, der sich nie arrangieren musste.«

»Davon weißt du nichts.«

Leonides zuckte mit den Schultern. »Der Mensch gewöhnt sich an alles. Man denkt immer, mörderische Systeme werden von Hass, Missgunst oder Bosheit begünstigt. Viel öfter jedoch begünstigt sie das menschliche Talent, sich zu arrangieren. Noch an die Angst gewöhnt sich der Mensch so schnell, dass er sie für einen natürlichen Zustand hält und nicht mehr rebelliert.« Mit gesenkter Stimme fuhr er fort: »Die Angst, nachts abgeholt und auf die Straße getrieben zu werden, jederzeit, im Schlafanzug, wenn man am wehrlosesten ist, ist aber

kein natürlicher Zustand. Auch dass sie dir ins Gesicht schießen oder die Brustwarzen abschneiden, bevor sie dich ver-
schleppen, hat nichts Gewöhnliches an sich.«

Birkenschaum platzte unter dem Druck seiner Gabel. In
seinen Augen lag ein seltsamer Ausdruck, sein Gesicht war
wie leergefegt.

»Nichts für ungut.« Leonides nahm sein Lächeln wieder auf.
»In Sachen Unabhängigkeit haben Tschechen und Esten zwar
ähnliche Erfahrungen gemacht. Aber mit uns Balten sind die
Sowjets gnadenloser umgegangen. Wir mögen Gorbatschow
weitaus weniger als ihr.«

Sie saß mit dem Blick zur Straße, die leer geblieben war,
seit sie hereingekommen waren. Dämmerung hatte die Häuser auf der anderen Seite erfasst, die Stuckfassaden und mes-
singbeschlagen Türen und das Ravintola gegenüber, und vielleicht war es das Fremde, die Entfernung zwischen diesem
Mann und ihr, was ihn so angenehm machte; es ermöglichte
eine gemeinsame Gegenwart, ohne einander zu nahe zu kommen.

»Meine Mutter ist stolz, dass sie beim Sturz des Systems dabei war.«

»Das sollte sie auch«, sagte er. »Unsere Leute haben Lieder
gesungen.«

»Lieder gegen Panzer?«

»Eigentlich war es der Punk. Damit fing es an. Punk hat die
Nerven der Mächtigen zerrüttet. Immer mehr junge Leute
machten ihr eigenes Chaos zum Staatschaos. Und auf einmal
durfte man wieder über Solschenizyn reden.«

Er wischte sich mit der Serviette über den Mund.

»Siebenundachtzig ging das los. Zwei Jahre später hätte ich
zur Armee gemusst. Nur war das keine Armee. Nicht, wie man
sich das vorstellt. Von uns Balten hat keiner eine Waffe gesehen. Wir waren Unterworfene. Arbeitssklaven. Niemand

wusste, wo einen die Rotarmisten hinstecken. Alle hatten Angst, als Wachposten in einem sibirischen Lager zu landen oder in Afghanistan. Es ging brutal ums Überleben. Jeder hat versucht, sich dem zu entziehen, aber man hatte so gut wie keine Chance.«

»Und du?«

»Ich hätte das nicht überlebt«, sagte er. »Ich bin zu den dreihunderttausend gegangen, die auf dem Lauluväljak unsere Hymne gesungen haben. Ich habe eine blauschwarz-weiße Flagge geschwenkt. Und dann brauchten sie junge Leute für die Regierung, und aus mir wurde einer der blauäugigsten und naivsten Diplomaten der Weltgeschichte.«

Er hob sein Glas. »Aber wer hätte gedacht, dass der Eiserne Vorhang so leicht durch einen silbernen zu ersetzen ist?«

Sie stießen an. Zwischen ihnen auf dem Tisch lag der Stick. Er hatte ihr diesen Stick geschenkt. Er hatte ihn extra für sie besorgt, und als sie ausgetrunken hatte, steckte sie ihn ein, damit er nicht verlorenging.

»Schweden, Frankreich, Deutschland«, sagte Leonides nachdenklich und faltete seine Serviette zu einem ordentlichen kleinen Paket. »Länder, die um ein Vielfaches reicher sind als wir. Und da tauchen sofort die alten Bilder wieder auf: Hoch zu Ross reitet ein deutscher Adliger, der Großherr, und neben ihm her rennt mein Urgroßvater und hält seinen Hut in der Hand. Das entstammt der familiären Rumpelkammer. Aber Geschichte«, sagte er, »wiederholt sich nicht. Sie geht, blendet man die großen Brüche aus, einfach immer so weiter.«

Später, draußen auf dem Gehweg, nach den geeisten Erdbeeren und einem Espresso, den Leonides mit Zucker trank, als sie vor dem Lokal standen, beide unschlüssig, er im langen Mantel, sie in ihrer Lederjacke, glänzend weinrot, auf Taille geschnitten und so aus der Mode, dass sie schon wieder in war, stellte sie fest, dass die Welt am Tag eins gestochen scharf aussah.

Das nasse Weiß der Birkenstämme am Straßenrand. Die Zigarettenkippen auf dem granitgrauen Asphalt. Das gelbe Laub und der Plastikstiel eines Kinderlutschers. Alles war überbelichtet. Stark konturiert. Leonides' Mantel schimmerte. Der hochgeschlagene, gefütterte Kragen stieß an sein weiches Kinn, und über ihm am Himmel spiegelte sich der Widerschein der Stadt.

Im Ravintola, in dem Lenin ein Bier getrunken hatte, war grelles Aufräumlicht an. Zwei Frauen wischten die Tische.

»Als wären sie immer noch damit beschäftigt, die Dunkelstellen der Geschichte wegzuwischen«, sagte Leonides, der ihrem Blick gefolgt war. »Jemand sollte ihnen sagen, sie müssen bei den Menschen anfangen, nicht bei den Tischen.«

»Wahrscheinlich wissen sie das. Sie wollen nur heute noch fertig werden.«

»Slawischer Zweckpessimismus?« Er schob die Hände in die Manteltaschen.

»Dunkelstellen hat jeder«, sagte sie. »So viel kann man gar nicht wischen.«

»Mag sein.« Wieder sah er sie aufmerksam an. Er hatte diesen Blick, den sie jetzt schon kannte, und diesmal schaute sie nicht weg. »Gefährlich sind die, die so tun, als hätten sie keine. Die sich grundehrlich geben. Anständig. Die für eine Tierschutzorganisation und für Ärzte ohne Grenzen spenden. Aber wenn man ihre Gespenster ans Licht holt, zeigt sich, dass sie vor den Europäischen Gerichtshof gehören.«

Sie sahen zu, wie die Frauen im Ravintola die Stühle verkehrt herum auf die gewischten Tische stellten und Eimer und Schrubber in den Tiefen des Lokals verstauten, und sie hoffte, sie würden noch eine Weile so stehen und zuschauen und schweigen und alles würde noch ein bisschen dauern. Leonides strahlte etwas aus, das sie beruhigte. Vielleicht lag es an seinem unerschütterlichen Selbstvertrauen. Anfangs hatte sie das verunsichert. Aber er hatte auch etwas Linkisches an sich, eine Unbeholfenheit, die den Eindruck des Selbstvertrauens allerdings verstärkte. Er hatte es nicht nötig, sich zu verstellen.

Er schlug vor, hinüberzugehen und sich den legendenumwobenen Tisch zeigen zu lassen, Lenins Tisch, aber sie lehnte ab. Sie wollte ihn etwas fragen. Sie hätte gern gewusst, was er mit den Dunkelstellen meinte, an wen er dabei dachte, an Politiker, Machthaber oder an ganz gewöhnliche Leute, ob er in Brüssel für solche Gespenster verantwortlich war und was mit ihnen passierte. Sie schwieg. Es sollte ein normaler Abend bleiben, ein Abend, an dem zwei Menschen zusammen essen gingen, ohne sich aufeinander einzulassen, trotz der unausgesprochenen Möglichkeit, dass mehr daraus wurde.

Sie verabschiedeten sich und gingen jeder in eine andere Richtung. An der Ecke bog sie ab und tat, als hätte sie etwas verloren. Weit und breit war immer noch kein Mensch zu sehen. Mittlerweile war es fast dunkel. Aber wenn Leonides es sich anders überlegte und nicht zur Straßenbahn ging, sondern umkehrte und ihr folgte, sollte er nicht den Eindruck haben, sie würde auf etwas warten. Leonides kam nicht, und nach zehn Minuten war sie sicher, dass er abgefahren war. Sie musste zur selben Haltestelle. Sie musste auch ins selbe Hotel. Es lag in einer ruhigen Seitenstraße, nicht weit von der Universität entfernt. Er schien davon auszugehen, dass sie sich früher oder später dort über den Weg liefen. Dass sie dort wohnte, wusste er nicht.

Sie nahm den alten Fahrstuhl an der Wendeltreppe; einen schmiedeeisernen Korb mit einer Gittertür, der sich in Bewegung setzte, als sie das Gitter mit Karacho zugezogen hatte. Das Treppenhaus mit den bunten Glasfenstern glitt an ihr vorbei, und auf halbem Weg nach oben fiel ihr ein, dass auch sie im Korb von der Treppe aus zu sehen war. Wenn Leonides sich Zeit gelassen hatte und die Treppe benutzte, konnte er sie im Fahrstuhl bemerken. Er würde wissen, dass sie an ihrem freien Tag in die siebte Etage fuhr, die nur vom Personal betreten wurde. Kein Mensch konnte einen anderen durchschauen, auch er nicht mit seinen Menschenkenntnissen aus Brüssel. Aber unter seinen kleinen, aufmerksamen Augen hätte sie sich so verkrampft, dass ihm ihr unnatürliches Verhalten sofort aufgefallen wäre.

Ungesehen erreichte sie ihr Zimmer am Ende des Gangs. Die Luft darin war abgestanden. Als Fenster diente ein Schlitz, der auf einen Heizungsschacht hinausging. Auch bei offenem Fenster kam nur wenig Luft in den halbdunklen Raum. Wäschekörbe, Putzgeräte oder Ersatzmöbel wurden in diesen Räumen aufbewahrt. Für sie hatte man eine Klappliege und einen Stuhl hineingestellt.

In einem ähnlichen Zimmer hatte sie vor Jahren einmal ein paar Nächte verbracht, helle Nächte, Sommernächte. Auch das war ein Abstellraum gewesen. Aber er hatte ein richtiges Fenster gehabt, durch das Staub hereinwehte, das Zirpen der Grillen und das Gekrächze der Raben, die vom Gipfel des Čertova hora herbeigesegelt kamen. Der Abstellraum befand sich in einem der unsanierten Häuser Harrachovs, einem ehemaligen DDR-Ferienheim. *VEB Feinwäsche »Bruno Freitag«* stand noch verwaschen auf dem Putz.

Damals hatte es einen Hitzesommer gegeben. Die Hitze hatte die Setzlinge der Fichten vertrocknen lassen und die Erde rissig gemacht. Es war der Sommer gewesen, in dem sie angefangen hatte, Lippenstift zu tragen und mit bemalten Nägeln auszugehen, wenn ihre Mutter es nicht sah. Vor der Hitze floh sie in die dunkle Kühle der Bar. Die Barkeeper waren an sie gewöhnt. Schon als Kind war sie nach der Schule aufgekreuzt. Sie mochte die Bar am Nachmittag, wenn auf den beiden Bildschirmen ohne Ton Werbung lief, den Geruch nach Scheuermitteln und nach kaltem Rauch.

In diesem Sommer war ein neuer Barkeeper da. Er trug weiße Hemden mit hochgekrempelten Ärmeln und einem silbernen Band am rechten Oberarm wie die Männer in den amerikanischen Serien, die abends auf den Bildschirmen liefen. Adina bestellte Cola. Die Zeiten, als sie noch O-Saft getrunken hatte, waren vorbei. Sie war kein Kind mehr. Sie saß auf ihrem Hocker an der Bar und betrachtete die Eiswürfel im Glas, die langsam die Farbe der Cola annahmen, und manchmal betrachtete sie den Neuen. Er war groß, mit dunklem Haar und einem Lächeln, wie es die anderen Barkeeper nie hatten. Er machte viel Wirbel um die Weinflaschen. Statt die Gläser an der Theke zu füllen, trug er die ganze Flasche an den Tisch, den Flaschenhals mit einer Serviette umwickelt. Er baute die Gläser vor den Gästen auf und goss den Wein langsam und aus großer Höhe ein. Dekantieren nannte er das. Und dann blieb er stehen, lächelnd und wartend, als wäre er auf eine Belobigung aus, und wenn die Gäste anstießen, erklärte er, dass man in Tschechien *Na zdravi* sagte.

»Mal ausprobieren?«, fragte er, als er ihr das dritte Glas Cola über den Tresen schob. Er löste den Ärmelhalter vom Hemd und legte ihn ihr um den Oberarm. Im Sommer, als sie sechzehn war. Er war nur wenig älter. Aber er kam von woanders. Er hatte eine Hotelausbildung im Westen gemacht. Jedenfalls war es das, was die anderen Barkeeper abschätzig über ihn sagten. Sie fanden ihn affig. Er lebte in Prag und blieb nur über die Wochenenden da, hauste allein in dem abrissreifen Gebäude, um Miete zu sparen. Er hatte sich eine Klappliege besorgt und eine Lampe gebastelt, und als er sagte: »Ist zwar keine schöne Bude, aber auf jeden Fall schöner zu zweit«, ging sie mit. Sie ließ ihr Mountainbike im Fahrradständer vor der Bar und lief neben ihm her zum Abrisshaus *VEB Feinwäsche*. Sie fand, sie war jetzt alt genug, um über bestimmte Dinge Bescheid zu wissen. Und der Neue hatte etwas von der Welt gesehen.

Er besaß eine Gitarre, die auf seiner Klappliege lag. Er konnte nicht besonders gut singen. Aber solange er sang, konnte sie sich an ihn gewöhnen. Er sang amerikanische Countrysongs, er sang *Take Me Home, Country Roads* und *Boat on the River* und *If you're going to San Francisco*. Sie bat ihn, etwas mit *Rio* zu singen, aber er kannte kein Lied, in dem Rio vorkam. Als ihr langweilig wurde, legte er die Gitarre weg. Seine Schultern waren glatt und kühl unter dem Hemd, und auf der Haut leuchteten ihre bemalten Nägel. Das Rot ihrer Nägel und das Weiß seiner Schultern sahen zusammen wie ein Absperrband aus, wie eines der rot-weißen Flatterbänder an Baustellen.

Nackt, wie sie war, hob er sie hoch und wollte, dass sie ihre Beine fest um seine Hüfte schlang. Er zog sie auf seinen steifen Schwanz, und ihr kam es vor, als wäre der Schwanz eine Halterung, als hockte sie auf einem Baugerüst.

Er kam auf ihrem Bauch auf der Liege, weißes sämiges Zeug, das sie sofort abwischte, mit Klopapier abrubbelte, damit es nicht in ihren Bauchnabel floss.

»Sorry«, sagte er, »beim nächsten Mal hab ich Präser.«

Beim nächsten Mal wollte er, dass sie die Pille nahm. Er sah verliebt aus, und sie wollte das auch, verliebt sein, zumal es bei ihm so einfach war, ein paar Cola, und schon hatte es geklappt. Bei ihr klappte das nicht, was daran lag, dass sie das Absperrband vor Augen hatte. Sie musste erst die Absperrung überwinden, das Flatterband zwischen sich und ihm, und nahm sich vor, sich mehr Mühe zu geben. Als Erstes besorgte sie sich die Pille. Und dann saß sie da mit den Tabletten und einer Sprite auf seiner Klappliege, im Begriff, Medizin einzunehmen, obwohl sie gar nicht krank war.

Sie machte die Schachtel auf und zog eine Palette heraus. Die Pillen klapperten in ihren Kapseln. Liebesperlen. Aber so war das nicht. Das war kein Zaubertrank, das war bloß Chemie. Wenn sie eine Pille schluckte, würde sie nicht verliebter sein als zuvor. Kein Rausch würde sie erfassen, wie es bei ihm der Fall zu sein schien, wenn er mit verhangenem Blick auf sie herabsah. Bei ihr rauschte nur eine Information in den Kopf, die im Labor produziert worden war, eine Formel aus dem Periodensystem der Elemente, die den Schleimhäuten vorgaukelte, sie wären hormonell versorgt, der Gebärmutterschleimhaut, dem Eierstock, Uterus, was mit ihrem flachen Bauch nichts zu tun zu haben schien. Auf den schematischen Abbildungen im Biologiebuch sah der Uterus aus wie der Kopf eines Rinds.

Die Tabletten erinnerten sie daran, dass sie über bestimmte Dinge hatte Bescheid wissen wollen, Dinge, die sie nun wusste. Also wurden die Tabletten zum Anlass, sich zu fragen, ob sie sonst noch etwas von ihm wollte.

Das Gekrächze der Raben setzte ein, und da stand sie auf und ging durch den schimmelig riechenden Flur hinaus an die Sonne. Sie kam am Potraviny vorbei, wo ein Metallpapierkorb an einem Laternenpfahl hing. Sie versenkte die Tabletten im Müll. Einer Naturforscherin war es nicht würdig, das Gehirn chemisch zu manipulieren. In *Rio* erwähnte sie von all dem nichts. Im Herbst, als sie sechzehn war.

Zimmer wie dieses waren ihr vertraut.

Eine Glühbirne hing an einem Kabel ausgeschaltet von der Decke. Im Halbdunkel zeichneten sich die Umrisse des Handwaschbeckens mit der abgeplatzten Emaille ab. Die Bettdecke war am Fußende der Liege auf den Boden gerutscht und auf ihre Sneakers gefallen, an denen nur die Schnürsenkel neu waren. Das Leder der schwarzen Boots war an den Kappen abgerieben und grau. Es glänzte nicht, egal, wie oft sie die Boots unter die Schuhputzmaschine in der Lobby hielt.

Wenige Etagen unter ihr saß Leonides. Sein Zimmer war groß. Sein Bett war frisch gemacht, bezogen mit gestärkten

Laken. Das Doppelfenster ging auf einen begrünten Innenhof hinaus. Neben dem Bett standen gesteppte Lederschuhe. Auf seinem Kopfkissen lag eine Praline, in seinen Augen ein tadelloser Glanz. Der Glanz konkurrierte mit dem gedimmten Licht einer Art-déco-Lampe. »Wunderbares Art déco«, hatte Leonides gesagt. »Deshalb schätze ich dieses Hotel.«

Leonides war einer, der Gespenster ans Licht holte und sie vor den Europäischen Gerichtshof brachte. Daran dachte sie, bis sie eingeschlafen war, das Gesicht in die Hand geschmiegt als wäre es die Hand eines anderen.

Dunkelstellen.

Darauf kam Leonides später zurück. Er erwähnte dieses Wort immer mal wieder. Es wurde zu einer Art Formel, die er in bestimmten Momenten gebrauchte. »Auch die Dunkelstellen sind zumutbar«, sagte er, wenn sie einer Frage auswich. Wenn sie Ausflüchte machte. »Wer andere zu kennen glaubt, kennt sich selbst am wenigsten.« Oder: »In der Liebe will man keine Transparenz.«

Sie liefen sich tatsächlich im Hotel über den Weg. Zwei oder drei Wochen später.

Eines Abends betrat er die Lobby. Sie war gerade dabei, Biergläser an der Rundbürste im Becken zu schrubben. Ihre Hände waren rot vom Abwaschen, und sie verbarg sie unter Wasser. Aber er sah nicht auf ihre Hände, sondern auf die Uhr. Er war unterwegs zu einem Termin oder zum Flieger, hatte aber die Gelegenheit ergreifen und auf einen Sprung vorbeischauen wollen. Er übernachtete nicht mehr im Hotel. Für Gastprofessoren mit langen Verträgen hielt die Universität Wohnungen bereit. »Ich bin jetzt stolzer Bewohner eines Apartments am Stadtrand.«

Sie trafen sich mehrmals in der Stadt, auf der Esplanade, am Töölönlahti vor der Oper, im Sibelius-Park. Die Orte hatte er vorgeschlagen. Sie machten lange Spaziergänge. Sie liefen am

Ufer entlang einmal um den ganzen Töölönlahti herum, an der Finlandia-Halle vorbei, über eine hölzerne Brücke dicht an der Eisenbahn, einen Felsen hinauf zu einer Villa, die Künstler bewohnten. Sie gingen zur weißen Domkirche, von dort hinunter zum Hafen und stiegen anschließend zur Uspenski-Kathedrale hinauf. Sie weiteten den Radius aus. Sie durchquerten ein Viertel mit Jugendstilhäusern, die Straßen führten hinab zum Meer. Lange gingen sie an einer steinernen Friedhofsmauer entlang, an deren Ende die Stadt in ein Gewirr hässlicher Fernstraßen zerfaserte, sie legten endlose Kilometer zurück. Sie liefen so ausdauernd durch unbekannte Straßen, als wäre es undenkbar, anzuhalten. Dann hätte etwas geschehen müssen, sie hätten sich zu etwas entschließen müssen, und es kam ihr so vor, als wären sie beide froh, dass der andere daran nicht zu denken schien.

Irgendwann war ihm das Herumgelaufe zu viel geworden. Er bekam leicht Blasen, und es regnete fast jeden Tag. Den gesamten Oktober über regnete es ununterbrochen, und um nicht immer in teure Cafés ausweichen zu müssen, lud er sie schließlich in sein Apartment ein. In seine Exilbleibe, wie er sagte, seine Wohnung auf Zeit, in die er dem Gefühl nach noch gar nicht eingezogen war.

Sie wollte absagen. Sie sah die kaum wahrnehmbaren Fäden zwischen ihnen reißen, die im Moment noch wie von allein da hingen. Seine Einladung erinnerte daran, dass jeder dieser Fäden fest mit ihrem Leben verknüpft war, mit Dingen wie Geld und Alter und mit etwas, das man Erfahrungsschatz und etwas, das man Angstgedächtnis nannte.

Die Wege waren schlammig, als sie zu ihm fuhr. Der geschmolzene Nachtfrost verwandelte die Schlaglöcher in tiefe Pfützen.

Am Hauptbahnhof stieg sie in einen Zug in die Vororte. Birken säumten die Gleise. Das abgefallene Laub gab der Erde einen urinfarbenen Anstrich. Sie suchte sich einen Platz am Fenster und schaute hinaus auf die wässrige, nebelgraue Stadt, auf den Schotter, der ringsum aufgeschüttet war, um das Wasser zurückzuhalten. Sie stemmte sich der Fahrtrichtung entgegen, als könnte sie sich so doch noch von ihrem Vorhaben abbringen.

Aber sie hatte sich das Wasser zum Vorbild genommen. Wasser kam immer durch. Nichts hielt es auf.

Ein Sandweg, den Holzhäuser flankierten, führte zu einem Garten, an dem das Tor offen stand. Leonides war schon an der Tür. Umständlich nahm er ihr die Jacke ab. Der Aufhänger an der Jacke war schon lange abgerissen, und er fummelte eine Weile mit einem Bügel herum.

»Komm rein. Du musst durchgefroren sein.«

Er lotste sie durch den Flur, als handelte es sich um ein schwieriges Manöver. Es war ein weißer Flur, alles war weiß, die Wände, die Lampen, die Kommode. Die Dielen glänzten. Sie wollte sich bücken, um die Boots auszuziehen. Ihre Mutter hätte es nie erlaubt, mit Straßenschuhen durch die Wohnung zu gehen. Aber der Flur bot keinen Abstellplatz für Schuhe. Die Dielen machten nicht den Eindruck, als wären sie jemals in etwas so Ordinärem wie Straßenschuhen betreten worden. Straßenschuhe kamen in diesem Universum nicht vor.

Leonides trug weiche, schwarze Mokassins. Er machte keine Anstalten, sich um ihre Schuhe zu kümmern, also behielt sie sie an. Am Ende des Flurs hing ein Plakat, das mit dem Gemälde einer Heuernte für eine Ausstellung nationaler Kunst im Ateneum warb. Außer dem Plakat und seinem Mantel an der Garderobe gab es nichts Persönliches, keinen Hinweis auf den, der hier wohnte. Seine Weltläufigkeit schien für Privates keinen Platz zu lassen. Trotzdem schaute sie sich um auf der Suche nach einem Foto, einem Familienbild, nach der Aufnahme von einer Frau und Kindern dieses Professors aus Tartu, das bewies, dass sie falsch lag.

Leonides war stehen geblieben. »Das Knarren ist der Hausdämon. Er bittet dich herein.« Er deutete eine ironische Verbeugung an. »Majahaldijas ist der beliebteste Dämon der estnischen Mythologie. Er kann nur knackend oder knarzend kommunizieren. Deshalb begegnet man ihm ausschließlich in Holzhäusern. Glücklicherweise hat die finnische Architektur die Holzbauweise wiederentdeckt. Wofür die Alten keinen Sinn mehr haben, darauf besinnen sich die Jungen. Und wenn ihren Entwürfen ein Baum oder ein Felsen im Weg sind, bauen sie das Haus darum herum. Verstehst du? Sie passen das Haus der Landschaft an, nicht die Landschaft dem Haus.«

Es war warm in der Wohnung, ihre Finger tauten auf.

»Ich wäre gern in einem Holzhaus aufgewachsen.«

Am Ende des Flurs lag ein großes helles Zimmer. Dort brannte ein Feuer im Kamin. Durch die Fenster fiel die Nachmittagssonne, der Himmel hatte aufgeklart. Birken standen davor. Ganze Streifen Wald waren anwohnerfreundlich zwischen den Häusern stehen gelassen worden. Anwohnerfreundlich oder aus Freundlichkeit gegenüber den Bäumen.

»Aber die Familie meines Vaters hauste in einem Loch in Narva«, fuhr Leonides fort. »Die Sowjets hatten die Stadt komplett zerschossen. Dann bekamen er und meine Mutter ein Zimmer von seinem Betrieb zugewiesen. Später hatten sie zwei Zimmer. Ofen und fließend Wasser, da war man schon glücklich.«

Er sah sie nicht an, sondern schaute hinaus, und es war, als hätte er sich das ausgedacht. Er hatte sich das für ihren Besuch zurechtgelegt, damit sie sich besser fühlte, damit sie nicht so verloren durch dieses mit Glas, Holz und Chrom gestaltete, anonyme Apartment lief, in dem seine Weltläufigkeit noch übermächtiger zu werden schien. Es war eine zurechtgebogene Kindheit, eine, die zu dem, was er ausstrahlte, in krassem Gegensatz stand.

»Gefällt es dir? Im Winter kannst du vom Kamin aus den Schnee sehen. Du bleibst doch den Winter über?« Zeitungen lagen verstreut auf dem Parkett, auf die der Schein des Feuers fiel. »Du hast es mir sicher schon gesagt, aber wie viele Auslandssemester bleibst du in Helsinki?«

Sie hatte ihm nichts dergleichen gesagt. Sie hatte ihm nicht einmal gesagt, dass sie an der Uni war. Sie hatte auf den langen Spaziergängen nicht über Privates gesprochen, und sie hatte ihn nicht danach gefragt. Vor der Oper und an den Stahlpfeifen des Sibelius-Monuments, schlanken, ziselierten Röhren, hatte er über Musik geredet, über Jean Sibelius und Arvo Pärt, Komponisten, die zu wichtigen Symbolfiguren für den Unabhängigkeitskampf ihrer Länder geworden waren. Sie hatten über das Monument gesprochen, das leicht wie eine Federwolke über dem Felsen zu schweben schien. Den Hunderten silbernen Pfeifen waren die harte körperliche Arbeit und die Gase nicht anzusehen, die bei der Formung des rostfreien Stahls freigesetzt worden waren und die Künstlerin über der Erschaffung ihres gewaltigen Werks vergiftet hatten. Sie hatten sich über die finnische Mentalität unterhalten, über diese raue Art, die eruptiven Wechsel zwischen Stummheit und Erregung, die der estnischen Mentalität nicht unähnlich war. Sie war davon ausgegangen, dass Leonides alles, was ihm naheging, ebenso aufmerksam aussparte wie sie.

Er schob die Zeitungen mit dem Fuß zur Seite. »Seltsam, dass wir uns nie auf dem Campus begegnet sind.«

Er schien einfach davon auszugehen, dass sie an der Uni war, dass er sie zu sich einlud, war ihm Bestätigung genug, denn er hatte eine Holzvilla mit vier Zimmern und dem Plakat einer wichtigen Ausstellung an der Wand, und sie hatte bloß Glück. Glück, dass jemand wie er sie zu sich nach Hause bat, jemand wie Leonides, der Upgrades bekam und sich wegen schlammbespritzter Straßenschuhe auf abgezogenen Dielen keine Sorgen machen musste, weil die Wohnung bezahlt und gereinigt wurde von der Universität.

»Eine Kollegin bei Erasmus erzählte mir, dass für die Sprachwissenschaften die Fördermittel aufgestockt wurden. Da stehen jetzt alle Möglichkeiten offen.«

Sie war es, die Straßenschuhe trug. Sie lief angespannt durch eine fremde Wohnung. Sie hatte seinen Namen gegoogelt, um sicherzugehen, dass es ihn gab, diesen Professor aus Tartu, Abgeordneter des Europaparlaments. Auch seine Adresse hatte sie eingegeben, um sich das Viertel anzuschauen, die Entfernung zum nächsten Haus, den kürzesten Weg zum Bahnhof. Die Häuser waren gepflegt. Birkenwälder wuchsen ins Viertel hinein, zurückgedrängt durch gläserne Bürotürme dort, wo ein Geschäftsviertel begann.

Sie war es, die an diesen abgelegenen Ort gefahren war an einem granitgrauen Tag, ohne jemandem Bescheid sagen zu können.

»Ich bin nicht hergekommen, um über die Uni zu reden.«

Sie waren in die Küche gelangt. Sie standen sich gegenüber, er auf der einen Seite des grünen Küchenblocks, sie auf der anderen. An ihren Handflächen spürte sie den kühlen Stein.

»Bloß, weil du Professor bist.«

Er schwieg. Und da fiel ihr auf, dass dieser Mann bisher ununterbrochen geredet hatte. Es war, als existierte er nur redend. In der Lobby, beim Essen, auf den Spaziergängen. Sie hörte zu, er sprach. Was, wie sie jetzt feststellte, den Eindruck erweckt haben musste, sie wäre des Englischen nicht wirklich mächtig.

»Ich bin nicht gekommen, um mich von dir ausfragen zu lassen.«

»Entschuldige.«

»Niemand lässt sich gern ausfragen.«

An der Dunstabzugshaube brannte indirektes Licht. Sie waren auf einer Lichtinsel. Sie waren gestrandet, mitten im Raum.

»Aber du hast recht. Ich wünschte, ich könnte viele Sprachen. Dann könntest du mich in jeder von ihnen ausfragen.«

»Es sollte nur Smalltalk –.« Er schaute nach unten, und sein Gesicht wurde im Widerschein des Marmors blank. »Ich bin nicht der Geschickteste, was diese Art der Kommunikation angeht.«

»Wegen mir nicht«, sagte sie. »Ich meine Smalltalk. Das musst du wegen mir nicht machen.«

Er nickte.

»Ich bin kein Smalltalk-Mensch.«

»Da sind wir uns ähnlich.«

»Glaubst du.«

»Wir Esten sind schweigsame Leute. Und die Sowjets haben uns noch den letzten Spaß am Smalltalk ausgetrieben. Uns und euch auch. Seither ringen wir doch alle darum, vor unseren westlichen Freunden nicht wie Idioten dazustehen.«

»Vergiss mal deine Sowjets«, sagte sie. »Du und ich werden uns nie ähnlich sein.«

Leonides legte die Hände auf den Küchenblock. Er strich über den Marmor, als gäbe es da etwas glattzustreichen, als würde der Stein Falten werfen.

»Wir werden uns nie ähnlich sein«, sagte sie, »aber daran kann man sich gewöhnen.«

Vor dem Fenster bewegten sich die Wipfel der Birken lautlos im Wind. Sie schwiegen. Sein Gesicht war offen, die Augen waren weich in diesem Schweigen, für das es viel Mut brauchte, und als er sie ansah, war es, als hätten sie eine Verabredung getroffen.

»Möchtest du was trinken?«, fragte er unvermittelt. »Tee? Wein?« Er drehte sich um, öffnete einen Hängeschrank und nahm eine Büchse heraus. »Ich weiß nicht einmal, was du um diese Uhrzeit gerne hättest.«

Leonides stand mit dem Rücken zu ihr. Deshalb sah er nicht, wie ihr die Tränen kamen. Es geschah ohne Vorwarnung. Die Tränen stiegen einfach über den Rand und liefen ihr über die Wangen.

In der Küche war es warm. Das gedimmte Licht. Der eindunkelnde Himmel vor dem Fenster. Die Schale mit Obst auf der Anrichte. Die Behutsamkeit, mit der er die Teebüchse in der Hand hielt. Die Behutsamkeit drang durch wie das Wasser auf den Wegen draußen. Dabei hatte er nur eine einfache Frage gestellt. Und sie wollte nichts lieber, als in dieser Küche zu sein. Um diese Uhrzeit oder eine andere.

Am Abend vor ihrer ersten gemeinsamen Nacht.

Leo, mein Le, im lindgrünen Pullover, der im Umdrehen zu ihr sagte: »Für Cognac finde ich es noch etwas früh.«

Die blaue Frau wartet auf mich bei den Booten. Die Farbe des Abendhimmels hat die Wasseroberfläche erfasst und wirft einen Abglanz auf ihr Gesicht.

Sie lehnt an den Planken einer Jolle, die noch nicht mit einer Plastikplane verzurrt wurde, und sieht über den Strand.

Speichertürme und Hochhäuser säumen das gegenüberliegende Ufer.

Sie gehört nicht zum Segelverein, ihr gehört keines der Boote.

Ich sage, dass es mich freue, sie zu sehen.

Sie hält das für möglich.

Die Wärme vom Schnaps hat nachgelassen.

»Wegen der paar Tränen, Sala, wird kein Mensch gleich die Nerven verlieren!« Außer ihr ist aber auch kein Mensch in der Küche.

Leonides. Der tat, als wäre sie wie durch ein Wunder vom Himmel gefallen. Ausgerechnet ihm vor die Füße, Leonides Siilmann, stark kurzsichtig, knappe vierzig und aus einem gebeutelten Schwellenland.

Jetzt wird er so tun müssen, als hätte sie wie durch ein Wunder der Erdboden verschluckt. Und weil es zum Wesen von Wundern gehört, dass sie unzuverlässig sind, wird er nicht nach ihr suchen. Es wird ihn davon abhalten, Nachforschungen anzustellen.

Was willst du denn mit mir, hatte er manchmal gefragt, *was willst du mit mir altem Mann?*, wenn er in einer grüblerischen Stimmung war und im Begriff, ihr Dinge zu gestehen, die sich in den Filmen, die sie miteinander sahen, Teenager gestanden. Allein die Scheu vor Pathos hielt ihn zurück. Stattdessen redete er vom Gleichklang ihrer Seelen. Er sagte, ihm komme es vor, als würden sie sich aus einem früheren Leben kennen.

Ins Kino ging sie gern mit ihm. Sein Lachen im Dunkeln, sein verlässlicher Körper im Sitz neben ihr, auf der Zunge die sauren Drops, die er am Einlass kaufte. Später auf der Rückfahrt im Volvo, wenn er die Heizung anstellte und sie über den Film redeten, falls es etwas zu reden gab, fischte sie die letzten Drops aus der Tüte und steckte sie ihm in den Mund. Das grüne Holzhaus tauchte im Licht der Scheinwerfer auf. Friedlich und fremd wirkte es wie das Zuhause der Menschen im Film.

Wenn sie den Flur betrat und sich das Flurlicht eingeschaltet hatte, stellte sie ihre Straßenschuhe in einen in die Wand eingelassenen Schrank. Sie wusste jetzt, wo die Schuhe hinkamen. Die Vorhänge in den Zimmern waren geschlossen. Auch das erledigte eine Automatik bei Einbruch der Dunkelheit. Sie legte sich aufs Sofa und hörte ihn hantieren, den Mantel ausziehen, die Zeitungen aufsammeln, die er am Nachmittag achtlos liegengelassen hatte, ins Bad und in die Küche gehen. Nach einer Weile duftete es nach schwarzem Tee.

Er brachte eine Decke mit und schlug das Ende sorgfältig um ihre Füße. *Unser kleines Leben rundet Schlaf ab,* flüsterte er, einer seiner Lieblingssätze von Shakespeare, die er gern und oft wiederholte.

Er drängte sie nicht, zu gar nichts. Nur einmal kam er auf die Idee, mit ihr nach Estland zu fahren. Seine Mutter lebte nicht mehr. Der Vater und ein jüngerer Bruder wohnten in der Gegend von Tallinn. Er wollte ihr Tallinn zeigen, *außer Tartu die einzige nennenswerte Stadt, die Estland zu bieten hat.* Und er wollte mit ihr an die Küste fahren, in den kleinen Ort, wo er als Kind einige Sommer verbracht hatte. Im Herbst tauchten dort unzählige Ebereschen die Küste ins prächtige Rot ihrer Beeren. Große Findlinge lagen am Ufer, auf die er als Kind geklettert war. In schaukelnden Booten hatte er vergilbte Bibliotheksbücher gelesen, die ihm die Bibliothekarin des Pionierlagers gab, bis er den gesamten Bestand durchgelesen hatte. Aus den Büchern erfuhr er, dass man einen Wunsch frei hatte, wenn man Steine über die Schulter ins Meer warf, und als er mit einem Jungen aus dem Ort Freundschaft geschlossen hatte, hatte er viele Steine geworfen und sich jedes Mal gewünscht, ihn besuchen zu können, wenn der Sommer vorbei war und das Pionierlager geschlossen. Aber der Ort lag im Sperrgebiet, und an sowjetischen Grenzsoldaten prallte sogar die Zauberkraft von Steinen ab.

Sie war gerade erst eingezogen. Sie hatte ihre Sachen verstaut, die Zahnbürste auf die Konsole im Bad gestellt, in ein Glas, wie ihre Mutter das machte, Bürste und Nagelfeile in eine Schublade gelegt und sich noch nicht gemerkt, dass der Lichtschalter nicht rechts, sondern links neben der Badezimmertür war. Sie musste sich auf dieses Leben erst einstellen, auf dieses Zuzweitsein.

Nachts stand sie auf, weil sie nicht schlafen konnte, und legte sich aufs Sofa. Weckte er sie morgens, schrak sie hoch. Aber an Tagen, an denen sie gemeinsam frühstückten, gelang es ihr, den Kühlschrank zu öffnen und Milch und Eier herauszunehmen, die Leonides am liebsten kross gebraten aß.

Sie wollte nirgendwohin. Sich an ihn zu gewöhnen verlangte ihre ganze Energie.

Das zog er nicht in Betracht.

Das musste er auch nicht, Leo, mein Le, der jedem Impuls, jeder Eingebung folgen konnte. Er ging verschwenderisch mit seinen Wünschen um, und wenn er mit ihr nach Estland fahren wollte, würde er das tun. Aber dann hätten sie auch nach Harrachov und Tanvald und Jablonec fahren müssen wegen des Gleichgewichts. Sonst schlug das Pendel immer nur zugunsten des einen aus. Was er nicht auf dem Schirm hatte. Was ihm nie eingefallen wäre. Dass man nicht einfach so zu seiner Mutter fuhr, obwohl sie lebte, wäre ihm nie in den Sinn gekommen.

Das war ungerecht. Da hätte Leonides nicht widersprochen. Er hätte das logisch gefunden. Hätte sie nur ein Wort über Harrachov verloren, über die heimlichen Pfade am Fluss, den Kammweg im Schnee und die Labská bouda, hätte er darauf gedrängt, ihre Mutter zu besuchen.

»Ich möchte nirgendwo hin.«

»Nein?« Er kniete vor ihr am Sofa. »Legen Frauen nicht Wert darauf?« Seine Augen hinter den starken Gläsern sahen wie Wacholderbeeren aus. »Auf Familie und solche Dinge?«

»Da fragst du die Falsche.«

»Es wäre nur ein Katzensprung über die Ostsee.«

Sie legte ihm sanft eine Hand an die Wange.

»Du findest mich altmodisch«, protestierte Leonides, für den Kindheit ein besseres Wort für Heimat war, auch wenn sich diese Kindheit in einem okkupierten Land ereignet hatte.

»Sei mir nicht böse, Leo.«

»Mein Vater kann kein Englisch«, sagte er. »Und Russisch weigert er sich zu sprechen. Ihr würdet euch prima verstehen, weil ihr euch die ganze Zeit nur anlächeln würdet.«

Sie schüttelte den Kopf, und er machte noch einen letzten Versuch.

»Hättest du nicht weniger Sorge, mich zu verlieren? Meinen Vater zu kennen gäbe dir Sicherheit.«

»Weil du es deinem Vater schuldig wärst, bei mir zu bleiben?«

»Manchmal bist du unerbittlich.«

Sie musste lächeln und nahm ihm die Brille ab. Ohne das Glas waren seine Augen viel größer.

»Um bei dir zu bleiben«, sagte sie leise, »brauche ich nur dich.«

Leonides nahm ihr die Brille aus der Hand und erhob sich.

»Wenn ich dich nicht sehe«, sagte er gereizt und setzte die Brille wieder auf, »vergesse ich noch, wer da spricht.«

Ihre Weigerung verletzte ihn. Und doch schien er erleichtert, wie sie hinterher feststellte, an den Tagen, die dem Gespräch folgten. Es war, als wäre ihm eine Last von den Schultern genommen worden. Vielleicht hielt er es für einen Akt der Höflichkeit, ihr seine Familie vorzustellen. Dabei genierte er sich. Er genierte sich vor seinem Vater. Eine ausländische Aushilfskraft, die kaum wusste, wo Estland lag, musste unter dem Niveau des erfolgreichen Sohnes sein, Professor der Politikwissenschaft, Gesandter einer jungen Republik. Leonides.

Für dessen widersprüchliche Reaktion sie keine andere Erklärung fand. Und weil sie zu erschöpft war, um das Thema noch einmal anzusprechen, begnügte sie sich damit, wieder an etwas gerührt zu haben, an etwas Tiefes, wofür er, wie er sagte, trotz Weltläufigkeit keine Worte fand. Seine Mechanismen griffen bei ihr nicht. Was ihr nur bewies, dass in ihrem ungleichen Verhältnis nicht er, sondern sie das Fremde war.

Sie machte keine Nachtschichten mehr. Sie fuhr tagsüber ins Hotel. Wenn sie das Haus verließ, gab sie vor, an die Uni zu fahren, arbeitete stattdessen aber weiter schwarz. Manchmal fuhr sie in die Gegend der Uni. Sie besorgte sich einen Bibliotheksausweis. In einer Abteilung mit Weltkarten und Atlanten fand sie eine Landkarte von Estland. Estland war klein, kaum halb so groß wie Tschechien. Das überraschte sie. Lange trödelte sie beim Regal mit den topographischen Karten herum. Schon als Kind hatte sie sich stundenlang in ein Gelände vertiefen können, in Schichtenlinien und Schummerung, die die Höhenunterschiede zwischen Berg und Tal durch Schattierung räumlich vorstellbar machten. Nun tauchte sie in die Verläufe estnischer Gewässer ein, in Erhebungen und Küstenlinien und folgte mit dem Finger den Bahnstrecken zwischen den Nationalparks Lahemaa und Soomaa, zwischen Peipussee und Haanja-Park. Ihr war, als befände sie sich auf Expedition.

Beim Lesen hatte sie Schwierigkeiten. Im Oberlicht, das die Räume durchflutete, fingen die Buchstaben an zu flackern. Sie konnte sich nicht konzentrieren. Also lieh sie sich die Bücher aus. In der kleinen Abteilung für tschechische Literatur entdeckte sie einen Roman, den sie aus Schulzeiten kannte. Später stieß sie unter den englischsprachigen Titeln auf ein Buch, das sie am liebsten behalten hätte. Mehrfach verlängerte sie die Ausleihfrist. Es ging um eine Zwölfjährige namens Frankie, die in einem Hitzesommer durch die staubigen Straßen einer amerikanischen Kleinstadt streunte. Frankies Sommer war leer und einsam, unterbrochen nur vom Kartenspiel mit einer schwarzen Haushälterin. Aber er war auch voller Verheißung, eine Verheißung, die Adina gut kannte, und sie hatte Angst um Frankie und legte sich in schlaflosen Nächten mit dem Roman aufs Sofa und las.

Wenn Leonides nicht auf Reisen war, kochte er, machte exotische Salate oder schob einen Fisch in den Ofen. Manchmal sah sie ihn am Küchenfenster stehen und warten. Er nahm ihr den Rucksack ab, schaute hinein, kommentierte aber nie, was sie las. Seit ihrem ersten Gespräch in der Küche verlor er über die Uni kein Wort mehr.

Sie kannte den Weg schnell auswendig. Sie kannte die wechselnden Farben der Häuser, die Schlaglöcher, die Nachbarn, die Katzen, sie kannte alles so gut, dass sie keine Notiz mehr davon zu nehmen brauchte. Gedankenverloren ging sie auf ihre feste Adresse zu, denn sie hatte eine Adresse, auch wenn er nicht da war, sondern in Brüssel, auf Konferenzen oder Meetings mit Abgeordneten, russischen Menschenrechtsaktivisten oder NGOs.

Sie richtete sich in diesem Gefühl nie ein. Es wurde nicht selbstverständlich. Was nicht daran lag, dass auch Leonides nur vorübergehend in Helsinki wohnte, in diesem Apartment der Universität, und eine eigene Wohnung in Tartu besaß.

Insgeheim ahnte sie, dass Leonides nicht von Dauer war.

Die Wochen und Monate mit ihm waren nur ein Durchatmen, ein Luftholen. Luft zu holen ist lebenswichtig und damit aufzuhören beinahe unmöglich.

Also hörte sie vorerst nicht auf.

Wenn die blaue Frau auftaucht, sind wir allein. Auf der Bank am Ufer, im Schatten der Bäume gibt es nur sie und mich.

Ich gehe jetzt jeden Tag durch die Unterführung. Am Wissenschaftskolleg war ich lange nicht.

Manchmal liegt vor den Bootsschuppen noch Werkzeug herum. Lacke stehen auf dem Boden. Zwischen den Eimern wurzelt das frisch mit Korrosionsschutz lackierte Gras.

Ein Kofferradio läuft. Jemand hat vergessen, es auszustellen. Aus den Boxen dringt finnischer Pop. Bierbüchsen liegen zertreten im Schotter; Zeichen dafür, dass an der Slipanlage viel Betrieb herrschen kann.

Die Schnapsflasche ist zu einem Viertel geleert. *Viru Valge* steht in weißer Schrift auf blauem Grund. Darunter streckt die Frau, die ins Signalhorn stößt, das Horn in die Höhe, in Richtung Flaschenhals.

Das ist der Himmel.

Der Schnaps in der Flasche ist farblos, astreiner estnischer Wodka, *cleansing*, hat Leonides gesagt, *wenn du ihn wie Medizin einnimmst.* Jetzt ist er dunkel wie die Küche, beinahe schwarz. Sie trinkt noch einen Schluck. Er kann ihr nichts anhaben. Draußen ist Nacht, und *Viru* ist unübersetzbar, ein Eigenname von der gleichen Transparenz wie die Flüssigkeit, und wenn sie diese Flüssigkeit trinkt und der Schnaps durch ihre Adern rinnt, wird sie ebenfalls transparent. Sie wird durchsichtig werden.

Durchsichtig ist eine Form des Unsichtbarseins.

In der Stadtmauer von Tallinn, hat Leonides gesagt, gibt es ein Tor, das *Viru* heißt. Das Tor hat zwei runde Türme, die ein Bogen verbindet, und *valge* bedeutet weiß. Durch dieses weiße Tor mussten früher alle gehen, die in die Stadt hinein oder wieder hinaus wollten. Die Frau auf dem Label gibt das Signal zum Aufbruch, und das Tor öffnet sich.

Sie trinkt.

Das ist die Nahrung.

Beim Zuschrauben der Flasche greift das Gewinde nicht. Der Deckel springt ihr aus der Hand. Auf das Flachdach gegenüber trommelt Regen. Schwarze, lautlose Rinnsale spült das Licht der Peitschenlampen die Tapete hinab. Sie kann sich nicht erinnern, wann es angefangen hat. Vielleicht regnet es schon lange. Es regnet, seit sie an der Tür war. Das Klingeln an der Tür muss das Geräusch des einsetzenden Regens übertönt haben.

Der Mann, der im Treppenhaus stand, war ein Fremder. Er war ein Nachbar, der den Hausaufgang bewacht, damit sich niemand belästigt fühlt, keiner gestört wird in diesem Plattenbau, in den die Menschen nach Büroschluss zurückkehren, um ihren Feierabend ungestört auf den paar Quadratmetern zu verbringen, die sie sich leisten können. Die Stimme auf der Treppe war die eines Unbekannten. Es war nicht die Stimme des Mannes, der Leonides angesprochen hatte auf dem Empfang im Schloss. Es war nicht der, der zu Leonides gesagt hatte: »Mein Freund, Sie haben ganz Russland gegen sich.«

Dieser Empfang, der in einem prächtigen Saal mit Kronleuchtern und Ölgemälden und langen reichgedeckten Tafeln stattfand. Anfang September. Als überall Buketts aus frischen Blumen standen. An einem Abend vor kaum einer Woche.

Nicht einmal eine Woche ist es her, seit sie Leonides verlassen hat.

»Sag das nicht, Sala. Wie kannst du so was einfach so sagen?«

»Warum fragst du nicht, wie ich so was tun kann?«

Sie hebt den Deckel vom Boden auf und drückt ihn mit Kraft auf den Flaschenhals. Sie dreht ihn in die richtige Richtung, aber er rutscht weg. Vornübergebeugt steht sie da. Kein Geräusch fällt mehr in die Stille der Küche. Die Menschen im Wohnblock sind schlafen gegangen.

Vom Fenster schaut niemand zurück. Rinnsale laufen die Scheibe hinab, strömender Regen. Das Geäst der Bäume schimmert im Dunkeln, das Gefieder des Ahorns, die zerflatterte Linde und das durchscheinende Spinnengeflecht der Birken. *Viru Valge*, komm zur Ruhe.

Eine schwarze Limousine hatte sie abgeholt. Sie hatte vor dem Haus gehalten, und ein Nachbar kam auf die Straße gerannt, den Rasierschaum noch am Kinn, um das prachtvolle Auto aus der Nähe zu sehen. Der Chauffeur, der ausgestiegen war, trug eine elegante Uniform, Sonne glänzte auf dem schwarzen Lack seiner Schuhe. Hatte geglänzt, Plusquamperfekt. Vollendete Zeit. Vollendet, aber nicht makellos. Die Zeit hat sich bloß erledigt. Sie ist abgeschlossen, für immer vorbei. Dabei ist es nicht lange her. Ein paar Tage. Der September fing gerade erst an. Er hatte noch die volle sommerliche Kraft, der September dieses Jahres, nicht des letzten, ein Septemberanfang, der jetzt in eine menschenleere Monatsmitte übergegangen ist, in der es nur sie gibt und die Spinnen im Balkonregal.

Leonides hätte das nie zugelassen. Er hätte das nicht erlaubt. Wäre es nach ihm gegangen, wäre sie immer noch dort, im Apartment, das bezahlt wird von der Universität. Sie säße am Kamin oder an der Kücheninsel aus Marmor, wo sie besonders gern am Morgen, im ersten Licht gesessen hat.

Aber es geht nicht länger nach ihm.

Die Limousine hatte sie zum Rathaus gebracht in diesem schon verlöschenden Sommer. Das Leder der Sitze war kühl, der Motor kaum hörbar. Auf der Fahrt hatte Leonides ein paar Scheine aus dem Portemonnaie genommen und in einen Briefumschlag gesteckt. Auf dem Empfang wurde für wohltätige Zwecke gesammelt. Auch sie hatte er um fünf Euro gebeten, denn Großzügigkeit, fand er, sollte mehr sein als etwas, das man sich leisten kann. »Eine Spende kommt nicht nur den Bedürftigen zugute«, hatte er gesagt, »sondern auch der Spenderin. Geben sollte ein Menschenrecht sein. Nimmt man uns die Möglichkeit zu geben, verlieren wir unser Selbstwertgefühl, die Anerkennung Gleicher unter Gleichen, und alles kehrt sich um in Ablehnung und Hass.«

Das Rathaus befand sich in der Nähe des Bahnhofs. Zwei steinerne Kolosse bewachten den wuchtigen Palast. Der Wind hatte schon einen eisigen Kern, aber auf der Freitreppe wärmte die Sonne, die Kleider leuchteten, Sprachen schwirrten um sie herum, und Leonides zu Ehren trug sie ebenfalls ein Kleid, ihr einziges aus einem Secondhand, das von einer berühmten Designerin stammte.

Die Teilnehmer der Tagung kamen aus ganz Europa. Leonides sollte in seiner Sektion die *keynote speech* halten, aber erst am nächsten Tag. Der Empfang war eine Gelegenheit, zusammen auszugehen. Vielleicht würde nach dem Essen sogar getanzt, hatte er zu ihr gesagt, weil er bis zum Schluss fürchtete, sie könnte doch noch einen Rückzieher machen.

»Nationalromantik«, flüsterte Leonides ihr auf der Freitreppe zu. »Diese architektonische Geschmacksverirrung heißt im Volksmund das Schloss.«

Leo, mein Le. Mit seiner Strahlkraft und einem Selbstvertrauen, das von einer bruchlosen Karriere kam. Er war der Gesandte einer jungen Republik, was ihn zusätzlich beflügelte, und da ging auch sie beschwingt die Stufen hinauf.

In der Schlange vor der Garderobe tauchte eine Aktivistin auf, eine von vielen, mit denen Leonides ständig über Telefon oder E-Mail in Kontakt stand. Sie war lebhaft, sprach schnell und mit Nachdruck, warf beim Lachen den Kopf zurück und schien sich als Einzige nicht an den Dresscode zu halten. Statt Abendgarderobe trug sie Jeans und ein enganliegendes weißes Hemd, unter dem gebräunte Haut zu sehen war.

»Da sind sie wieder alle, die Retter der Welt, jeder mit dem erhebenden Gefühl, der Wichtigste zu sein. Was für ein Jahrmarkt der Eitelkeiten.«

»Ich freue mich auch, dich zu sehen, Kristina!«

Im Gedränge war Adina einen Schritt zurückgeblieben, und er drehte sich zu ihr um. »Mit Kristina habe ich mal jede Menge in Gang gesetzt.«

»Wir haben uns bemüht«, sagte Kristina. »Wir haben viele

Stempel auf viele Dokumente geknallt. Wir haben einiges abgestempelt.«

»In der Tat. Nur Russland und die EU schenken einem Stempel noch Vertrauen, dem wohl fälschungsanfälligsten Mittel der Beglaubigung. Ich halte das nach wie vor für eine aufschlussreiche Gemeinsamkeit.«

»Und was kommt dabei heraus?«, fragte Kristina und wich einigen Dränglern aus, die es besonders eilig hatten. »Abende wie dieser. Ein Schaulaufen, für das sich alle wahnsinnig aufbrezeln.«

»Du hast auch nicht am Spiegel vorbeigeschaut.«

»Typisch. Macht die schlechtesten Komplimente und kriegt trotzdem die schönsten Frauen.«

Leonides lachte. »Seit sich deine Interessen verlagert haben, Kristina, gibt es niemanden mehr, der mich auf meine Fehler aufmerksam macht.«

Kristina schien eine der Frauen zu sein, die ihm gefielen. Was nicht schlimm war, dachte Adina. Sie gefiel ihr auch.

»Das glaub ich nicht«, sagte Kristina und warf ihr einen aufmerksamen, intensiven Blick zu.

»Entschuldigt. Das ist Sala.«

Sie fühlte sich leicht. Der Empfang ähnelte den Empfängen im Hotel, nur waren viel mehr Menschen da, und diesmal war nicht sie es, die den Wein ausschenkte. Das Lachen, die Flirts, die Gespräche, auch das Verstummen des Lachens, das Abrutschen des Lächelns, die Verlorenheit mitten im Satz, wenn jemand stehen gelassen wurde, weil jemand Wichtigeres auftaucht war, die Müdigkeit, die dann blitzartig auf den Gesichtern erschien, würden die gleichen sein. Leonides hielt ihr manchmal vor, dass sie Menschen gegenüber argwöhnisch war. Aber diesmal wäre sie nicht argwöhnisch. Diesmal gäbe es eine Insel, eine Insel aus Leonides, dieser Kristina und ihr.

»Wie ich dich kenne, musst du ganz viele Leute treffen.«

»Natürlich«, sagte Leonides. »Und du hast davon profitiert!«

»Wenn ich glauben könnte, das wäre von Nutzen, würde ich weiter mit dir Dokumente wälzen«, gab Kristina zur Antwort. »Nur leider führt das nicht zu einem Happy End. Es braucht klare Ansagen, wenn die, die ihre jahrhundertealte Meinungshoheit verlieren, diesen Verlust zum Ende der Meinungsfreiheit erklären.«

»Wie kommt es, dass uns die Vergangenheit oft besser erscheint?«

»Die Vergangenheit ist besser«, sagte Kristina, »denn sie ist vorbei.«

Jemand drängte sich dazwischen. Sie hatte sagen wollen, dass es eine wahre, aber auch eine falsche Aussage war, denn für eine gute Gegenwart galt sie nicht, kam aber nicht mehr dazu.

»Sie hat mich zur Politik zurückgebracht«, sagte Leonides, als Kristina in der Menge verschwunden war. »Sie ist eine gnadenlose Aktivistin. Eine, die auf Barrikaden geht. Was man ihr nicht ansieht. Aber sie ist garantiert da, wo die Erde brennt.« Er lachte. »Rock 'n' Roll-Kristina haben wir sie manchmal genannt. Sie kann sehr vereinnahmend sein.«

»Wegen mir musst du das nicht sagen.«

»Ich sag es nur, damit du nicht beunruhigt bist.«

»Ich bin nicht beunruhigt.«

»Dann geht's dir gut?«

»Mach dir keine Sorgen.«

Im Rathaussaal mit hohen Decken und holzgetäfelten Wänden waren lange Tafeln mit silbernen Pfannen und Schüsseln voller Obst und Tiramisu aufgestellt. Teller und Besteck befanden sich auf einem extra Tisch, und jeder Teller war mit einem angeklammerten Plastikring bestückt, in den man ein Glas hängen konnte.

Sie ließ sich das Glas von einem der vielen Kellner füllen, und kaum hatte sie es in die Plastikklammer gehängt, raunte Leonides ihr zu: »Entschuldige mich kurz, ja? Ich muss jemanden begrüßen.«

»Entschuldige mich kurz«, sagt sie in der Stille der Küche. Sie hebt die Schnapsflasche hoch zum Salut. »Ich muss jemanden begrüßen.«

Sie reißt die Kühlschranktür auf. Aus der Kälte schlagen ihr grelles Licht und Zwiebelgeruch entgegen.

»Schön, Sie zu sehen«, sagt sie, als käme aus dem Kühlschrank jemand auf sie zu, als käme der Mann auf sie zu, der sich hinter ihrem Rücken genähert und irgendwo dort Leonides die Hand geschüttelt hatte. »Sie haben gut hergefunden?«

»Siilmann, *old chap!*«, ruft der Mann in ihrem Rücken. »Ich dachte, Sie beehren uns mal im Zentrum in Berlin?«

»Wie Sie sehen, kämpfe ich stattdessen mit den Hürden der finnischen Sprache.«

»Für Sie als Este doch ein Klacks! Gibt es nicht eine enge Verwandtschaft mit Ihrer Muttersprache?«

»Das Verstehen gelingt. Vom Beherrschen kann aber nicht die Rede sein«, hört sie Leonides sagen. »Trinken wir ein Glas?«

»So gern, so gern.«

»Anfangs hatte ich sogar Probleme, mir die finnischen Straßennamen zu merken. Unser Gedächtnis setzt erst ein, wenn uns die Aussprache der Worte vertraut ist.«

Sie stellt die Flasche in den Kühlschrank. Die Kälte kracht auf ihren Handrücken, trifft auf den Schmerz im Gelenk, schlägt über ihr zusammen. Sie weiß, dass sie jetzt stillhalten muss, standhalten, dass sie sich auf keinen Fall umdrehen darf.

»Gewöhnlich erinnern wir uns an das, was uns nützt«, sagt Leonides. »Wir meiden den Schmerz. Der Schmerz sinkt ins Dunkel, wird zu Dunkelstellen der Geschichte. Oder wie

Lennart Meri, unser erster Präsident, nach Abzug der Sowjets so treffend sagte: Alle reden vom Tod des Kommunismus, aber keiner hat seine Leiche gesehen.«

»Sie haben sich nicht verändert«, sagt der Mann in ihrem Rücken. »Noch immer derselbe kluge Kopf. Ihre Empfehlung, mein lieber Siilmann, ist für unser Exilprogramm von unschätzbarer Bedeutung.«

»Ach, ich bitte Sie«, sagt Leonides. »Eines haben Sie aber übersehen.«

»Ihren Mut. Natürlich, mein Freund, Sie sind mutiger geworden. Ganz Russland ist gegen Sie.«

Der Mann in ihrem Rücken räuspert sich. Und das ist es, dieses Räuspern, an dem sie ihn erkennt. Das Räuspern würde sie immer wiedererkennen. Die Erde brennt. Aber die Frau, die da ist, wo die Erde brennt, stößt nicht ins Signalhorn, sie ist nirgendwo zu sehen.

»Ihre Forderung, die Resolution vierzehn-acht-eins des Europarats zu erweitern, trifft nicht überall auf Zustimmung. Ein europäischer Tag des Erinnerns an die Opfer von Stalinismus *und* Faschismus? Das kriegen Sie nicht durch, Siilmann.«

Leonides lacht. Es ist sein gelöstes, vertrautes Lachen. »Russland in so einem Fall gegen sich zu haben ist keine Schande.«

»Ganz recht, ganz recht. Aber der Gegenwind aus Moskau und von unseren Ultralinken ist eisig. Sie sind der Mann, der die glorreiche Rolle der Kommunisten im Kampf gegen den Faschismus in den Schmutz zieht. Ganz abgesehen von der Relativierung des Holocaust.«

»Mein Lieber«, sagt Leonides. »Wie lange wollen wir noch mit zweierlei Maß messen? Wurden die Naziverbrecher nicht bei den Nürnberger Prozessen vor Gericht gestellt? Erklären Sie mal den Zentral- und Osteuropäern, warum es im menschenrechtsbewussten Europa kein sowjetisches Nürnberg gibt! Warum werden die Verbrechen der kommunistischen Diktaturen nicht in einem Prozess dokumentiert, die Täter nicht beim Namen genannt? Die Millionen Menschen, die bei uns deportiert, gefoltert und ermordet wurden, während bei euch die Rosinenbomber landeten; ich kann Ihnen sagen, im ganzen Baltikum finden Sie niemanden, dessen Familie verschont blieb. Die internationale Gemeinschaft muss eine Aufarbeitung fordern. Auch von Putin.«

Sie hält die Kühlschranktür fest. Sie umklammert die Tür, die die Tischkante ist, die der Tisch mit dem makellos weißen Tuch und den Tellern und den Plastikklammern und das Tischende ist, das ihre Hände ertasteten, um sie von dort hineinzustoßen in den Saal, den sie schwankend durchquerte, in einer Richtung, in der die Stimmen leiser wurden.

»Sie sind Idealist, mein lieber Siilmann. Das gefällt mir.«

Eine Richtung, die gut war, in die sie gehen konnte, die sie beibehalten musste, denn sie führte von diesem Deutschen weg.

»Lassen wir die Politik«, hörte sie Leonides in der Ferne sagen. »Kommen Sie. Ich möchte Ihnen jemanden vorstellen.«

Sie ging weiter, immer am Schwanken entlang, im Hals das Schlagen, das ihr die Luftröhre verschloss, sie hörte nicht auf zu gehen, die Schultern angezogen in der Erwartung, dieser Mann würde jeden Moment vor sie hintreten, ganz höfliches Interesse, dann aber würde das Erkennen sein Gesicht durchzucken, ein abschätziges Lächeln, ein ironischer Blick zu Leonides, dessen Gesicht noch immer gleich war. Es zeigte nur dieses Leuchten, das entstand, wenn er sich gut fühlte, wenn alles gut lief, ein Leuchten, das jetzt noch stärker geworden war, weil er soeben ein Geständnis gemacht hatte, sich bekannt hatte zu ihr, diesem Deutschen gegenüber, ausgerechnet ihm.

Leonides war weit weg. Aber dann lag seine Hand an ihrer

Taille. Er stand hinter ihr. Sie war an eines der großen Fenster geraten, und vor dem Portal unten kamen immer noch Gäste an. Sie drängten ins Schloss.

Sie spürte seine Hand, ihren leichten Druck, und schaffte es nicht, den Kopf zu heben.

»Sala«, sagte Leonides leise. »Nicht jetzt. Er ist ein wichtiger Multiplikator.«

Das ist das letzte Wort, das sie ihn sagen hört: Multiplikator.

Wenn die blaue Frau auftaucht, ist immer Zeit. Es ist Zeit, das trockene Schilf zu betrachten, die raschelnden Halme, die Blütenrispen wie Standarten in den Wind gestellt, und den Blasentang, der mit den Wellen herantreibt. Der Wind bläst den Tang in Richtung Strand.

Sie hat es nicht eilig.

Als die Sonne in flachen Strahlen durch die Wolken bricht, legt sie schützend eine Hand über die Augen.

Es ist, als wäre sie schon lange hier. Als wäre sie schon da gewesen, bevor es die Boote und den Hafen gegeben hat.

Ich sage ihr, wie ungewöhnlich unsere Begegnungen für mich sind.

Die blaue Frau nimmt die Hand herunter. An den Fingern trägt sie keinen Schmuck.

Sie möchte wissen, was *gewöhnlich* für mich bedeutet.

In der Wohnung fehlt Licht. Es ist vollkommen dunkel, seit sie die Kühlschranktür zugeschlagen hat.

Es ist so dunkel, als sei ihr plötzlich ein schwarzer Schal vor die Augen gebunden worden. Dahinter müssen die Küchenschränke sein, das Fenster, die Postkarten. Aber in diesem Dunkel weiß sie nicht, in welcher Richtung sich das Fenster befindet oder der Lichtschalter oder der Laptop, auf dem sie den Entwurf des Briefes gespeichert hat. Sie wohnt erst einige Tage hier. Sie hat die Wohnung noch nicht auswendig gelernt. Sie hat im Internet eine Liste angeklickt und nach den billigsten Angeboten gesucht. Sie hat sich den Grundriss der Wohnung nicht angesehen oder die Anordnung der Zimmer, sie hat nicht geprüft, wie groß die Räume sind und ob der Balkon nach Westen zeigt, aber sie hat Glück gehabt, weil es eine möblierte Wohnung ist.

Die Uhr an der Wand macht kein Geräusch. Sie reißt die Augen auf. Sie greift mit den Händen an den Kopf, um den Schal abzustreifen, aber die Hände sind nicht ihre. Es sind andere Hände, und sie fassen sie woanders an, wo genau, lässt sich in diesem Dunkel nicht sagen. Deutlich ist nur der Schwindel. Es muss das Schwindelgefühl sein, von dem ihr schwarz vor Augen ist. Sie geht in die Knie.

Das sind die Anfälle.

Während sie nah am Boden ist, eilen noch immer Leute über die Freitreppe ins Schloss.

Eilten, denkt sie. Präteritum.

Die Leute eilten die Freitreppe hinauf, sie strömten zum feierlichen Empfang, zur Eröffnung einer Tagung, in der es um Europa ging, um das gerechte Erinnern an eine Vergangenheit, an der sie nicht beteiligt war. Sie musste die Party vorzeitig verlassen.

»Ich bin gleich wieder da, Leo. Ich geh nur kurz verschwinden.« Und so machte sie das. Sie verschwand.

Sie lief durch die Saaltür, hinein in den Menschenstrom, der ihr entgegendrängte. Sie kämpfte sich durch ins Vestibül, wo der Bürgermeister noch immer Hände schüttelte und der Lärm wie Regen aus dem Gewölbe fiel.

Neben der Garderobe stand Kristina. Sie war die Frau, die ins Signalhorn stieß, wenn die Erde brannte. Kristina lehnte lässig an der Wand. Ein riesiger Bauer warf eine Garbe Heu auf sie herab. Es war dasselbe Gemälde wie auf dem Plakat in Leonides' Apartment.

Kristina hatte alles im Blick, die sie umringenden Männer, den Bauern im Heu, und dann bemerkte Kristina auch sie, die sich ungesehen vorbeischleichen wollte.

»Gehst du eine rauchen? Warte, ich komm mit! Ich hol nur schnell meine Zigaretten.«

Sie war schneller als Kristina. Sie ließ die Jacke an der Garderobe. Die Garderobenmarke hatte sie nicht, die hatte Leonides. Leonides hatte alles, sogar ihren Lippenstift. Er verwahrte ihn, wenn sie ausgingen, in seinem Jackett, weil sie nie eine Handtasche mitnahm, weil sie Handtaschen nicht mochte, und er wusste das, Leo, der Gesandte einer jungen Republik, der einen wichtigen Multiplikator traf.

Es war gut, die Jacke an der Garderobe zu lassen, dachte sie draußen am Taxistand. Wenn Leonides nach ihr suchen würde, würde er die Jacke finden. Er würde die Jacke am Haken sehen und davon ausgehen, dass sie noch im Saal war. Er würde sie nicht vermissen.

Das Taxi fuhr an, und durch die Rückscheibe sah sie Kristina am Fußende der Treppe stehen, eine Zigarette unangezündet im Mund.

Das Herz setzt schnelle Schläge in ihre Flucht. Sie hockt in der Küche. Ihre Handflächen auf dem Linoleum sind die einzige Verbindung zwischen ihr und der ins Dunkel gefallenen Welt.

Die blaue Frau ist spät aufgetaucht. Erst am Nachmittag steht sie bei den Felsen, jenseits der Birken, am Ende der Bucht. Blaubeersträucher wachsen auf dem Stein. Die Wurzeln haben sich in Risse und Spalten gegraben.

Ich sage, dass auf der anderen Seite der Unterführung vieles gewöhnlich sei. Die Erwartungen, die wir aneinander haben, und wie schnell wir voneinander enttäuscht sind. Die Angewohnheit, einander auf der Waage von Willkür und Vorurteilen zu bewerten. Wie wir der abwegigen Logik glauben, nicht der naheliegenden, wenn es für uns von Vorteil ist.

Die blaue Frau nickt. Sie hält sich nicht ohne Grund jenseits der Plattenbauten auf. Sie meidet die andere Seite.

Sie kann nicht mehr in Gesichter sehen, die unter der Haut mit Stahltüren verschlossen sind.

Der Küchenboden ist kalt. Aber langsam rücken die Wände wieder an ihren Platz. Über der Spüle fahren Taxis durch New York. Das Gelb der Autos leuchtet.

»Geh schlafen, Sala!«

Das ist Leonides. Seine Stimme klingt zärtlich. Weil es logisch ist. Weil er möchte, dass sie jetzt schläft. Zu schlafen ist um diese Uhrzeit ihr gutes Recht.

Sie dreht den Wasserhahn auf und hält ihre Hände unter den Strahl. Das Wasser spritzt an die Kacheln. Beim Trinken hört sie Leonides. »Mach dir keine Sorgen, Sala. Es war nur ein Nachbar. Einer von denen, die ihr Haus bewachen wie ein Revier. Niemand weiß, wo du bist.«

Sie tastet sich in den Flur.

Sie geht ins Schlafzimmer, ohne Licht zu machen, sie findet zum Bett. Sie setzt sich auf die Bettkante und streift die Hosen ab. Sie schlüpft unter die Decke, sie legt sich auf die Seite und zieht die Knie an. So bleibt sie liegen, ohne den Pulli auszuziehen.

So liegt sie, bis sie eingeschlafen ist.

Als die blaue Frau zum ersten Mal jenseits der Birken erschien, sah sie mich unvermittelt an.

Sie winkte mich zu sich.

Sie wollte, dass ich mich hinsetze, neben sie, auf den Felsen. Es war, als hätte sie mich erwartet.

Das kann auch Zufall gewesen sein.

Die blaue Frau weiß, dass ihr Schweigen Anlass zu Mutmaßungen gibt.

Sie schläft. Nur einmal wird sie von einem Autoscheinwerfer geweckt, der über die Zimmerdecke streicht. Und einmal hört sie die leise Kirchenglocke der Uhr.

Sie schläft eingerollt in eine knotige Decke. Der Bezug ist rau. Wenn sie Durst hat, steht sie auf und holt sich ein Glas Wasser. Jedes Mal hört sie Leonides. Er redet in immer größerer Entfernung, er spricht nicht zu ihr. Er spricht in einem Tonfall, der deutlich macht, dass das, was er formuliert, für ihn unumstößlich ist.

Die Schrecken aller totalitären Systeme des 20. Jahrhunderts müssen als integraler Bestandteil der gemeinsamen europäischen Geschichte anerkannt werden, und es ist mir ganz egal, ob das Russland, China oder die westliche Linke irritiert.

Wenn er einen Einfall hat, notiert er ihn auf dem Rand einer Zeitung, manchmal auf dem leeren Vorsatzblatt eines Buches.

I don't care. Mne ne interessujet. Man nelabai rūpi. I don't give a flying fuck. Mam to w dupie. Ma ei ole midagi valesti teinud.

Er spricht in allen Sprachen, die er beherrscht. Und sie widerspricht ihm nicht. Leon, mein Le. Sie lächelt im Schlaf. Es ist, als könne sie nur das: schlafen.

Ob die blaue Frau meinetwegen kommt, bleibt ungewiss. Wir bewegen uns in derselben Unschärfe, in die das frühe Licht die Felsen am Ufer taucht.

Ich frage sie, ob wir uns zuvor schon einmal begegnet sein könnten, auf den Straßen im Zentrum, am Wissenschaftskolleg der Universität. Ob sie mir deshalb zugewunken habe.

Ich frage sie, ob ein Wiedererkennen denkbar sei.

Auskünfte dieser Art widerstreben ihr.

Sie dienten nur dazu, das wirbelnde Chaos der Gefühle, in dem wir treiben, auf gefällige Weise zu sortieren.

Wir brauchen eine Ausweitung des europäischen Begriffes vom Verbrechen gegen die Menschlichkeit.

Einer von Leonides' unumstößlichen Sätzen.

Sie können nicht leugnen, dass der Westen ein Verbündeter der Sowjetunion war. Der Westen hat kollaboriert mit der Diktatur nebenan, die nicht zwölf, sondern siebzig Jahre dauerte. 1968 trugen Demonstranten in Frankfurt und Paris stolz jene Köpfe auf Transparenten durch die Straßen, die dafür verantwortlich waren, dass in Prag auf Demonstranten geschossen wurde.

Manchmal vergisst er, seine Einfälle zu notieren. Er vergisst, auf welchen Zeitungsrand, welche Serviette, in welches Buch er sie geschrieben hat. In allen Zimmern liegen Kugelschreiber, sogar auf dem grünen Küchenblock. Es stört ihn, keinen Stift zur Hand zu haben, wenn er einen braucht. Es stört ihn nicht, mit Kugelschreiber in ein Buch zu schreiben. Bücher sind zum Denken da, sie sollen dem Denken auf die Sprünge helfen, und Leonides ist einer, der das wörtlich nimmt. Er argumentiert mit den Verfassern, er schreibt ihre Bücher dort weiter, wo sie zu denken aufgehört haben.

Sie hört ihn im Schlaf. Sie hört ihn aus der Ferne sprechen, an einem Rednerpult, in ein Mikro, vor einer Kamera.

Es mag Schwierigkeiten bereiten, Bündnisse mit einem Regime einzugestehen, dessen brutale Praktiken und politische Gewalt ein Negativ der Praktiken und Gewalt jenes Regimes sind, dessen Ächtung man sich seit Jahrzehnten auf die Fahne geschrieben hat. Nun. Diese Schwierigkeiten sind nicht meine.

Sie sitzt am Kamin. Ein Feuer brennt, und vom Sessel fällt der Blick hinaus auf die Birken. Im Winter sind sie kahl, und im Frühjahr verwandeln die jungen Blätter das Licht in ein silbriges Grün. Sie liebt das Aufschießen der Flammen, wenn das Holz prasselnd verbrennt. Zum Anfeuern nimmt sie Zeitungspapier. Zeitungen gibt es genug. Es gibt Nachrichten aus aller Welt, Leonides hängt von den Nachrichten ab, er liest alle Zeitungen, die er kriegen kann.

War es nicht ein russischer Gesandter, ein russisch-estnischer Professor des Völkerrechts der Universität Sankt Petersburg, der den Begriff »Verbrechen gegen die Menschlichkeit« im Rahmen der Haager Friedenskonferenz von 1899 maßgeblich prägte? Es wird Zeit, Russland an seine eigene, vorsowjetische Geschichte zu erinnern.

Wenn er spricht, fällt sie ihm nicht ins Wort. Sie informiert ihn nicht darüber, dass sie nicht mehr da ist, dass sie ihm nicht länger zuhört, denn im Traum weiß sie, dass sie erwachen würde, sobald sie ihn riefe, geweckt von ihrer eigenen Stimme.

Leon?

Erst, wenn eine Französin, wenn ein Deutscher bereit sind, zu sagen, der Gulag ist unser ureigenes Problem, so wie Auschwitz unser ureigenes Problem ist, steuern wir nicht mehr auf ein westliches, ein östliches, ein mittleres Europa, also auf den Zerfall Europas zu!

Leo!

Die blaue Frau bleibt, bis die Sonne untergegangen ist. Mit der Dämmerung wird es kalt. Das Wasser nimmt die Farbe von Asphalt an. Bevor sie geht, wendet sie sich noch einmal um.

Sie zögert.

Sie hält es für denkbar, dass Menschen ihre Energie manchmal auf etwas Ersehntes hin so ausrichten, dass es in Erscheinung tritt.

Da ist sie schon bei den Birken, am Ende der Bucht.

Durch das Fenster sind die Autos zu hören, das Rauschen der Autos auf den dreispurigen Straßen und das Rascheln der Blätter am Vogelbeerbaum. Das Fenster steht einen Spaltbreit offen.

Draußen leuchten die Vogelbeeren. Das Laub hat sich gelichtet. Seit der letzten verregneten Nacht ist auch dieser Wipfel gelb.

Die Luft im Schlafzimmer ist eisig. Dort, wo ihr Körper aufhört, ist das Laken kalt, und sie rutscht tiefer unter die Decke. Langsam verschwindet die Schläfrigkeit. Eine blasse Sonne färbt Wände und Decke und spiegelt sich im Kleiderschrank. Die Schranktür steht offen. Sie hängt schief, seit sie aus der Schiene gesprungen ist, und gibt den Blick frei auf die Plastikbügel an der Kleiderstange, rote, gelbe und grüne, wie es sie in Billigmärkten zu kaufen gibt. Die Bügel sind leer. Die meisten ihrer Sachen sind noch bei Leonides. Das Button-down-Hemd liegt in seinem Wäschekorb, falls er die Wäsche nicht inzwischen gewaschen hat. Er macht das nicht selbst. Waschen und Bügeln erledigt jemand anderes für ihn.

Das Button-down-Hemd vermisst sie am meisten. Es machte sich gut in dieser Stadt, in der sich die Menschen kleiden, als wollten sie mit dem Glanz ihres Doms konkurrieren, farbenfroh und elegant. Helsinki ist eleganter als Berlin, das ist ihr schon am Anfang aufgefallen, in der Nacht ihrer Ankunft am Hauptbahnhof, wo sie nach acht Stunden Zugfahrt ihren grünen Sweater weggeworfen hat. Die Punks sahen aus wie Darsteller aus Musikvideos.

Sie hat nichts anzuziehen, weil sie bei Leo, mein Le, alles zurückgelassen hat. Sie hat nicht einmal passende Schuhe, auch keine Gummistiefel, und bald gehen die Leute wieder in

Gummistiefeln aus dem Haus. Bei schlechtem Wetter ziehen die Helsinkier wasserdichte Stiefel an, die nicht zu ihrer eleganten Kleidung passen. Ihrer Schönheit kann das nichts anhaben. In Gummistiefeln trotzen sie dem Wasser, das allgegenwärtig ist, das der Regen mitbringt und das Meer. Das Meer klatscht an Hafenmauern und Fischerjollen und überschwemmt die Endhaltestelle der Straßenbahn. Böen krachen von den Schären her gegen die altmodischen Waggons, peitschen an die Fassaden der wuchtigen Häuser in der Prachtstraße und treiben die Leute in die teuersten Cafés, ins Strindberg oder ins Kappeli, wo der Cappuccino fünf Euro kostet und das winzige Tortenstück acht. Am Eingang wechseln die Leute das Schuhwerk. Sie ziehen High Heels oder Sneakers an, die sie aus Handtaschen und Rucksäcken holen, und lassen die Gummistiefel im Windfang stehen.

Leonides hat nie Gummistiefel getragen. Er fand sie bäuerlich. Damit ging man in die Pilze, nicht durch Helsinkis Innenstadt und schon gar nicht ins Kappeli, das beste Café am Platz. Sie saßen jedes Mal in einem Erker mit Blick auf die Prachtstraße; zwei Ausländer, die an ihren durchgeweichten Schuhen zu erkennen waren.

Das Morgenlicht ist blass im Spiegel des Kleiderschranks. Ihre Augen sitzen tief im Schädel, als hätte sie jemand gewaltsam hineingedrückt. Sie legt die Hände fest auf das Keilbein, das Tränenbein, das Jochbein und wie die Knochen der Augenhöhle noch heißen. Sie macht die Augen zu. Die Pupillen unter den geschlossenen Lidern sind hart wie Flummis. Als sie die Hände wegnimmt, tun die Augen weh.

Das ist der Kopf.

Das Haar ist getrimmt. Die Stoppeln rascheln unter den Fingern, aber das kann auch Einbildung sein. Am Hinterkopf ertastet sie zwei kahle Stellen. Da hat sie mit der Küchenschere zu ruppig hantiert. Aber jetzt, wo die Haare ab sind, ist nichts mehr da, um sie festzuhalten.

Ein Bügel im Schrank ist benutzt. Dort hängt das Kleid, das sie zum Empfang im Rathaus getragen hat, ein Sommerkleid, entworfen von der berühmtesten Designerin der Stadt, mit Blüten, Blättern und Zapfen. Leuchtend hängt es vor dem dunklen Inneren des Schranks. Vielleicht hatte die Designerin so etwas im Sinn; dass man beim Tragen des Kleides in die Ruhe der Bäume gehüllt ist, bis Baumsaft durch die Adern rinnt.

Er hat das Kleid nie wirklich gemocht, Leo, mein Le, weshalb sie es nur selten angezogen hat. Das Muster war ihm zu chaotisch und die Farben zu grell, auch wenn er das nicht zugeben wollte. Geschmacksurteile fällte er nicht, das war ihm zu simpel und zu subjektiv. Außerdem, erklärte er, gehöre es zu den zivilisatorischen Errungenschaften, den Geschmack anderer Leute zu respektieren.

»Was denn für andere Leute?«

»Sei nicht so spitzfindig.«

Sie hatte ihn gedrängt. »Wie findest du es?«

»Die Farben schlucken dich«, hatte er schließlich gesagt. »*Du* gehst darin völlig unter.«

Das Kleid ist das Einzige, was sie tragen könnte, wenn sie eine Aussage macht. Es ist nur zu dünn. Schulterfreie Kleider sind so weit nördlich auf der Nordhalbkugel nicht geeignet für September. Schon auf dem Weg zum Taxi hat sie gefroren, als sie die Freitreppe ohne Jacke hinunterlief. Aber sie hatte Glück, sie musste nicht lange in der Kälte stehen. Es gab genug Taxis am Taxistand, und der Fahrer drehte beim Losfahren die Heizung auf. Im Rückfenster sah sie das Rathaus kleiner werden und vor dem Rathaus Kristina am Ende der Treppe, die Zigarette im Mund, ehe der Großstadtverkehr sie schluckte.

Sie hatte kein Geld dabei. Als ihr das einfiel, hatten sie schon vor dem grünen Haus gehalten. Der Fahrer schaltete das Kartenlesegerät ein, aber sie hatte auch keine Karte. Und weil der Fahrer kein Englisch verstand, konnte sie ihm nicht erklären, dass es im Haus Bargeld gab, geben musste, dass sie hineingehen und welches holen würde, denn bei Leonides lagen immer Scheine und Münzen herum. Der Fahrer ließ den Motor laufen. Er traute ihr nicht.

Im Knick der Regenrinne steckte ein Zweitschlüssel.

Schon im Flur schlug ihr der Geruch nach Rasierwasser und Kaffee entgegen. Es war still, stiller als sonst. Sie konnte sich nicht erinnern, dass dieses Haus jemals so still gewesen war. Immer knackte das Holz, eine Diele gab nach, oder der Kühlschrank summte. Jetzt drang kein Laut in die Stille. Es war, als wäre sie taub. Sie legte die Hände auf die Ohren, um die Stille einzudämmen, und hörte ihr eigenes Blut rauschen. Wenigstens das.

Ihr fiel ein, dass das Taxi noch draußen stand.

In einer Schublade, zwischen Gummis, Gefriertüten und Notizpapier, fand sie ein paar zerknitterte Scheine. Sie bezahlte den Fahrer, und, kaum zurück im Haus, schloss sie die Haustür hinter sich ab.

In der Küche leuchtete der Marmor im späten Licht.

Im Kamin lag die Asche von gestern. Das Bett im Schlafzimmer war ungemacht. Eile hing in den verrutschten Laken. Leonides hatte im letzten Moment seine Hose gegen eine andere getauscht, weil die Bügelfalte unscharf war. Die verschmähte Hose lag auf dem Bett. Sie lag dort, wo er gesessen hatte, vor ein oder zwei Stunden, in Unterwäsche, mit durchscheinender Haut, an den Füßen dünne, graue Schurwollsocken. Alles sollte aufeinander abgestimmt sein. Das machte er seit Brüssel so. Ein Freund im Parlament hatte ihm das beigebracht. Er hatte ihn eines Tages beiseite genommen und gesagt, seine Socken würden sich mit seinem Outfit beißen. »In Tartu hat das niemanden gejuckt. Solange die Socken nicht rot waren!« Sie lachten gemeinsam über diesen alten Witz, den er aus Schulzeiten kannte, und sie kannte ihn auch.

Abendlicht fiel durch das große Fenster. Es tauchte die Wand in goldene Farben. Über den Schrankspiegel wurden wie von unsichtbarer Hand weiße Striche gezogen, Flugzeuge, die in Helsinki-Vantaa gestartet waren. Lautlos wanderte der Schatten der Birken über das Parkett.

Die unheimliche Ruhe, mit der die Sonne unterging.

Alles war lebendig.

Vom Rathaus war ihr niemand hinterhergefahren. Sie war kurz verschwinden gegangen und kehrte nicht zurück.

Das niedrigschwellige Puckern, das seit einer Weile da war, kam aus ihrem Körper. Ihre Hände, die Unterarme, der Nacken pulsierten. Sie stand geduckt, wie ertappt, das konnte sie im Spiegel sehen. Es war ein fremdes Haus, in das sie eingedrungen war, das Haus eines Professors der Politikwissenschaft. Sie hatte sich unerlaubt Zutritt verschafft. Sie war widerrechtlich in den Besitz des Schlüssels gelangt. Sie glich bereits der Person, die sie ohne Leonides war oder sein würde. Sie gehörte nicht hierher. Die Polizei hätte allen Grund, sie festzunehmen, egal, was Leonides sagte.

Da verließ sie die Kraft.

Ihr Körperwasser sackte nach unten. Sie hatte die Vorstellung, auszulaufen, sich mit einem Mal zu entleeren, ein Schwall menschlicher Flüssigkeit, die den glänzenden Boden überschwemmte, die Ritzen der Dielen füllte, das Holz unterspülte und die Planken eine nach der anderen löste, die ankerlos, uferlos durch den Raum trieben. Und Kristina, die Aktivistin, rauchte lieber eine, als ihr Signalhorn zu benutzen. Keiner hatte sie gewarnt. Keiner war da gewesen, um sie vor dem Räuspern zu schützen, vor diesem deutschen Gespenst, das aus dem Nichts gekommen war. Das die glatte Oberfläche der Gegenwart zerrissen hatte, aufgetaucht war aus den Untiefen der Zeit, das seinen hässlichen Weg ins Schloss gefunden hatte, ins verwunschene Schloss hinter dem Meer, hinter drei

Grenzen, drei Sprachen, hinter einem ganzen Kontinent, aber wenn sie Märchen erzählte, hatte er gesagt, fand er sie überall. Und Leonides, statt diesen Mann vor den Europäischen Gerichtshof zu bringen, fiel auf ihn herein.

Leonides. Der gesagt hatte: *Die Duldung von Menschenrechtsverletzungen frisst Europa von innen her auf. Sie öffnet das Tor für eine neue, globale, kapitalistische Diktatur.*

Sie war kraftlos vor Wut.

Sie stieß die Tür zum Kleiderschrank auf. Lichter sprangen an. Sie beleuchteten das sortierte Innere, die Anzüge, die Socken, das ganze verschwenderische Kleiderlager, das angewachsen war in dem knappen Jahr, in dem sie hier gewohnt hatte, sich hier hineinmanövriert hatte in der Hoffnung – Wut auf die Hoffnung! –, einen Ausweg zu haben, eine bessere Alternative. Sie hatte den Zeitstrahl auf null stellen wollen, um *vor unserer Zeit* auszuradieren, ohne zu ahnen, dass *in unserer Zeit*, die mit gekühltem Muscadet und einer Schale Obst auf einem finnischen Küchenblock begann, begonnen hatte, Plusquamperfekt, in ein Verhältnis zu einem Mann führen würde, der mit gespaltener Zunge sprach.

Die linke Schrankhälfte hatte Leonides für sie freigeräumt am Tag, als sie eingezogen war. Was für eine Übertreibung. Sie hatte mit nichts als einem Rucksack in der Tür gestanden. Er aber hatte Schubladen und Fächer für sie geleert, in denen sich ihre wenigen Sachen verloren. »Großartig«, hatte Leonides gesagt, »ein leerer Schrank macht Lust, die Garderobe aufzustocken.«

Sein lindgrüner Pulli lag obenauf. Im Schuhfach standen die weichen, schwarzen Mokassins des Gesandten einer jungen Republik. Handgemachte Nähte. Schuhe, die Leonides in Tallinn bei einem alten Schumacher fertigen ließ.

Sie hatte Lust, die Mokassins aufzuschlitzen. *Mach schon, kleiner Mohikaner!*

Ihr kraftloser Körper war ein Körper im Widerstand.

Wahllos suchte sie ein paar Sachen zusammen. Der Laptop stand auf dem Sofatisch, aber das Stromkabel fehlte. Es war nicht da. Es hing nicht wie sonst in der Steckdose an der Wand. Es war auch nicht in seinem Arbeitszimmer oder neben dem Sessel, in dem sie gesessen hatte, an diesem Kamin mit Aussicht auf Schnee. Ohne Kabel war der Laptop nichts wert.

»Dafür kriegst du keine Ersatzteile mehr«, hatte der Azubi gesagt, ein pickliger Typ, der die halbe Nacht im Angestelltenzimmer des Hotels an seiner Playstation mit dem Töten digitaler Feinde verbrachte. Er war kaum älter als sie, aber legal, Lehrling im zweiten Jahr. Er hatte kein Problem damit, ihr seine Arbeit aufzuhalsen, vor allem die Drecksarbeit, das Sortieren der Schmutzwäsche, das Abkratzen von Essensresten, harte Kloßreste, getrockneter Spinat, so dass sie es manchmal kaum schaffte, rechtzeitig im Untergeschoss für das Frühstück der Busreisenden einzudecken. Russen, Niederländer, Bulgaren, vierzig, fünfzig Leute, die im Rudel auftauchten und über das Büfett herfielen. Und er kam reingeschlendert mit seinem schlaksigen Gang und fing noch an, die Teller zu kritisieren. Eines Nachts, als er sich bückte, um ein Red Bull aus dem Kühlfach an der Bar zu nehmen, hatte sie seinen Kopf gepackt und hinunter ins Kühlfach gedrückt trotz seines Schreis. Sie hatte nicht losgelassen, den Kopf zwischen Aquavit-, Korn- und Wasserflaschen, und seinen alten Laptop verlangt dafür, dass sie die Klappe hielt und seine Spielsucht deckte.

Das Kabel steckte in der Dose neben dem Bett. Neben ihrer Betthälfte, wie Leonides dazu gesagt hatte. Mit einem Rucksack war sie gekommen und hatte es zu einem halben Bett gebracht. Das sagte sie nicht laut, auch jetzt nicht, um ihn nicht zu kränken, Leon, mein Le.

Auf dem Marmor der Rücheninsel lag seine Monatskarte der Bahn. Die steckte sie ein.

Die blaue Frau erscheint am Nachmittag. Das Licht ist klar. Es treibt scharfkantige Schatten aus.

Ein Boot wurde an Land gezogen und auf Pallhölzer gesetzt. Vom Heck rinnt noch Wasser. In der Luft hängt der Geruch nach Holzfeuer und Terpentin.

Ich bedaure, dass sie mich nicht schon früher angesprochen hat. So viele verlorene Tage.

Die blaue Frau geht ans Ufer. Sie taucht ihre Hände ins Meer. Ihre Augen werden vom Licht auf dem Wasser erfasst, und als sie die Hände hebt, sieht es aus, als würde sie sich ihr Spiegelbild vom Gesicht waschen. Langsam sinkt es auf den Grund. Die Augen werden blasser unter den Wassermassen, die in wenigen Wochen zu meterdickem Eis gefrieren werden.

Ein verlorener Tag, sagt sie, ist einer, an dem man nicht schwimmen kann.

Der ausgefahrene Sandweg vor dem grünen Haus mündet in eine Hauptverkehrsstraße, die ein Streifen Asphalt säumt, den sich Fußgänger und Radfahrer teilen. Der erste Abzweig führt zu einem Parkplatz. Hinter dem Parkplatz liegt eine Wiese, und am Rand der Wiese gibt es ein paar Felsen und einen kleinen Strand. Dort ist das Meer.

Auch im September ist Helsinki voller Touristen. Am Töölönlahti, auf der Insel Seurasaari und am Pitkäjärvi lagern sie zum Picknick auf den schönsten Plätzen. Im Freien zu übernachten ist nicht ungewöhnlich. Es ist auch nicht verboten. Eine junge Frau, die zwei Nächte im Windschutz der Felsen verbringt, erregt kein Aufsehen.

Bequem war es nicht. Zum Schlafen schob sie den Rucksack unter den Kopf. Die Geldscheine steckten in der Unterhose. Es waren ziemlich viele Scheine, aber sie traute sich nicht, sie über Nacht in den Rucksack zu tun. Sie schlief besser, wenn das Papier ihre Körperwärme besaß. Sein Geld. Euroscheine, die Leonides in Schubfächern und in der Obstschale vergaß oder als Lesezeichen benutzte. Wenn er es eilig hatte und keinen Zettel zur Hand, steckte er einen Schein zwischen die Buchseiten, um eine wichtige Stelle zu markieren. Es gab viele solcher Stellen. *Modernity in Crisis. The European Journal of Political Research.* Es hatte ihr leid getan, die Scheine herauszunehmen, aber nicht wegen des Geldes. Leonides zählte nie nach, weil immer rechtzeitig neues kam. Es hatte ihr leid getan, die wichtigen Stellen zu löschen.

Am Morgen wurde sie von Stimmen wach. Zwei junge Männer stellten ihre Fahrräder in der Nähe ihres Schlafplatzes ab und zogen sich bis auf die Badehosen aus. Als sie zum Wasser gingen, ließen sie Anzüge und Aktentaschen unbesorgt am Lenker hängen. Es schien ihnen nicht in den Sinn zu kommen, dass die junge Frau im zerknitterten Kleid, die im Freien campiert hatte, ihre Wertsachen stehlen könnte.

Einer hatte Haare wie Leonides. Er hatte das gleiche blasse, muskelarme Fleisch von Leuten, die selten draußen waren. Leonides ging nie schwimmen. Es wäre ihm nicht eingefallen, auf dem Weg zur Arbeit anzuhalten, um ein paar Bahnen zu ziehen, nicht einmal im sommerwärmsten Wasser. Ihm war das Wasser immer zu kalt. Oder es war ihm zu nass und das An- und Ausziehen zu mühsam. Die Körpergeräusche, die Tiefe, die Krebse im Schlamm. Dafür war er nicht gemacht. Die Begeisterung der Finnen, auch im Winter ins Wasser zu gehen, war ihm fremd. Er leide nicht an innerer Hitze, hatte er gesagt, bei seiner Konstitution käme das einer Selbstentleibung gleich.

Im letzten Winter. Vor einem halben Jahr. Als die Abende vor Kälte klirrten, die Sterne hoch und eisig am Himmel standen und sie im Dunkeln an ein Ufer gelangt waren, an dem Menschen bei minus zwanzig Grad ins Meer stiegen. Leonides war nur ein einziger Grund eingefallen, sich einer solchen Qual auszusetzen. Wenn sie in Gefahr wäre. Wenn sie in Gefahr wäre, hatte er versprochen, würde er sie retten.

Es hatte stark geschneit. Der Volvo war nicht angesprungen, weshalb sie den Linienbus genommen hatten. In einem Satellitenviertel im Osten der Stadt sollte es eine Rauchsauna geben. Sie war im Internet darauf gestoßen. Rauchsaunas, hatte sie gelesen, waren die ursprünglichen finnischen Saunas, deren steinerne Öfen mit Holz beheizt wurden. Anstelle eines Rauchrohrs oder Schornsteins hatten sie Entlüftungsklappen an der Decke, durch die die giftigen Gase abzogen, ohne die Hitze entweichen zu lassen. Früher waren solche Rauchsaunas der Mittelpunkt des öffentlichen Lebens gewesen, so wichtig

116

wie Kirche und Kneipe, eine sakrale Stätte, an der Menschen und Wäsche gereinigt, Tote gewaschen und Kinder zur Welt gekommen waren. Und immer noch galt die Gluthitze als Kur, als reinigend und erneuernd, man tauchte ein in den Rauch, und heraus kam man wie neugeboren.

Leonides hielt eine Geburt im Leben für völlig ausreichend. Er kannte Rauchsaunas aus dem Südosten von Estland, hatte aber noch nie das Bedürfnis gehabt, eine zu besuchen. Ihre Neugier amüsierte ihn, und er kam mit, wenn auch widerstrebend. Der Bus setzte sie an einem Naherholungsgebiet ab, in dem es Trimm-dich-Strecken, beleuchtete Loipen und einen Schnellimbiss gab. Zwei rußgeschwärzte Blockhütten standen in der Nähe des Ufers. Qualm trat zwischen den Balken aus. Sobald sich eine der Hüttentüren öffnete, schossen Rauchbälle in die gefrorene Luft, und Menschen stolperten mit glasigem Blick ins Freie. Sie schlugen sich klatschend auf die nasse Haut, ehe sie zum Ufer liefen und über eine Leiter in ein Loch in der Eisdecke stiegen, wo ein motorbetriebener Propeller das Wasser am Zufrieren hinderte.

Sie hatten ihre Sachen in der Umkleide gelassen, die sich in einem Flachbau befand. Ein Pfad führte durch den Schnee zu den Hütten, und weil sie vergessen hatten, Latschen mitzubringen und die Schuhe in der Umkleide lassen mussten, liefen sie barfuß, nichts als ein Handtuch am Leib. Leonides fluchte. Sie rannten durch eine Kälte, die kälter war als die Winter in Harrachov. Vor den Hütten saß ein Mann auf einem Baumstamm. Er war nackt bis auf den Filzhut auf dem Kopf und lachte, weil sie solche Anfänger waren und statt Badehose und Bikini Handtücher trugen.

Die Luft in der Hütte glühte. Beim Öffnen der Tür schlug ihnen die Hitze wie rasendes Feuer entgegen. Wasser verzischte auf den heißen Steinen eines riesigen Ofens, das von irgendwoher aus dem Dunkel angeflogen kam. Eine ausgemergelte Frau in den Tiefen des Raums hielt einen Eimer zwischen den Beinen, aus dem sie unermüdlich mit einem Schöpflöffel Wasser schöpfte, das sie am ledrigen Arm durch die Rauchschwaden schleuderte. Eine einzige Lampe brannte. Leonides, nah vor ihr, hatte den Kopf zwischen die Schultern gezogen, und als der Rauch dichter wurde und die Umrisse seines Körpers verschwammen, hielt sie sich an die leuchtende Rose auf seinem Leihhandtuch. Dann verschwand auch die Rose, und das war der Moment, in dem sie die Orientierung verlor.

Rauch klebte unter den Lidern und im Mund, die Augen brannten. Aber der Rauch war nicht das Problem. Der Rauch war weich, fast schön jetzt, als er sie einhüllte. Menschen schälten sich aus den Schwaden. Sie saßen aufgereiht nebeneinander, ihre Schatten zittrig an die Decke verlängert. Hände griffen nach ihr, schoben sie weiter, reichten sie durch und zwängten sie zwischen heiße Körper. Sie kam auf einer glitschigen Bank zu sitzen, einer Bretterbank, auf der eine Decke lag; warme, klitschnasse Wolle. Von den Leibern troff Nässe. Auch ihr rann der Schweiß, tropfte von den Unterarmen, floss zwischen den Brüsten hinab, und so, in die glitschige Schraubzwinge geklemmt, fing plötzlich ihr Herztick wieder an. Sie versuchte, an kühle Baumschatten zu denken, an von einer Birke perlendes Licht, und begann trotz der Hitze zu zittern. Ihr Hals verschloss sich unter einer Welle von Angst. Ihre Kehle schien voll Wasser zu laufen. Das Wasser stieg in Rachen und Mund hoch, gurgelnd holte sie Luft und schluckte und schluckte, aber der Schluckreflex funktionierte nicht, weil keine Luft da war, kein Sauerstoff, nur das Wasser, das die Luftröhre verschloss.

Jemand räusperte sich.

Das Räuspern kam nicht vom Rauch. Es kam nicht von einem der Saunagänger. Es war kein sanftes Räuspern, nicht eines, mit dem sich ein Mensch höflich bemerkbar macht. Es war kein Räuspern, das um Aufmerksamkeit heischt, kein Räuspern der Missbilligung, ihm fehlte die gespielte Entrüstung ihrer Mutter, wenn sie entdeckte, dass Adina spätnachts noch in *Rio* war. Es war überhaupt nicht die Art Räuspern, mit der man etwas ausdrückte.

Das Räuspern war schütter und leise. Ein trockener Automatismus aus einer Kehle ohne Fleisch.

Ein Geräusch, das vom Tod kam.

D ie blaue Frau redet vom Wasser. Im Anrollen der Wellen
werfen die Schaumkämme Schatten voraus.

Indem sie vom Wasser erzählt, spricht sie vom Durst.

Sie komme in den Hafen am Ende der Bucht, um den Durst zu
vergessen. Der Anblick des Meeres lösche die Erinnerung an
den Durst jedes Mal aus.

Wir sitzen auf der Bank, die nah am Ufer steht. Ich frage nicht
nach. Zwischenfragen verbieten sich, jetzt, da die blaue Frau
zum ersten Mal länger spricht.

Der Durst müsse nicht auf Wassermangel beruhen. Vielmehr
könne der Anblick von Wasser den Durst sogar steigern. Und
manchmal, sagt die blaue Frau, kopple sich die Bedürftigkeit
vom tatsächlichen Bedarf völlig ab.

Eine mit der Angst vor dem Durst aufgepeitschte Masse spalte
sich schnell in die, die es schaffen, ihre Bedürftigkeit zu behaupten, und in jene, die nicht die Mittel dazu haben oder die
Kraft, und fortan selbst als wässrig gelten, als gezeitenhaft, als
abhängig vom Mond. Man dichte ihnen Eigenschaften an, sage
ihnen nach, wechselhaft zu sein wie ein Fluss, trügerisch wie
die See. Sie werden zu Wasserhexen oder Nymphen verklärt,
die schlüpfrig, sumpfig und verschlingend sind wie das nasse
Moor. Denn wer wie das Wasser sei, brauche kein Wasser. Wer
wie das Wasser sei, halte es auch ohne zu trinken aus, verdurste
nicht oder nicht so schnell.

Auf dieser Behauptung gründe der Anspruch der einen, so viel und so lange zu trinken, wie sie wollen, und sich die anderen als Wasserspender gefügig zu machen, ihnen die Körpersäfte aus den Poren zu pressen, so selbstverständlich, als wäre das Auspressen eines Menschen ein Menschenrecht.

Nur Trinkende verstünden etwas vom Wasser, das werde ehernes Gesetz. Das mache die einen zu Wissenden, zu den Hütern der Quellen. Dass die anderen Zugang zu den Quellen haben, verhindern die Hüter mit Gewalt. Denn im Falle einer Dürre gelte es, überflüssige Trinker schnell zu dezimieren; ein Durstender vertrage keine Konkurrenz.

Kein natürlicher Wassermangel sei das Schicksal der bedrängten Masse, Durst nicht genetisch bedingt. Er werde immer aufs Neue durch Bilder und Worte geweckt. Vorstellungen des Mangels halten ihn lebendig.

Das zu entlarven, sagt die blaue Frau, sei der Mühe des Schreibens wert.

Ich mag Menschen nicht, die mir erklären, was der Mühe des Schreibens wert ist.

Bei der blauen Frau ist das anders.

Draußen fiel Schnee.

Der Schnee fiel in großen Flocken. Es schneite auf das klitschnasse Leihhandtuch. Die Flocken legten sich auf ihr Gesicht. Es schneite auf ihre Hände. Der Schnee setzte sich auf ihre Schultern, auf Wangen und Augenlider. Sie klappte das Handtuch auf. Sie hielt die Zipfel mit ausgebreiteten Armen vom Körper weg. Schnee trieb auf die nackte Haut. Wind stach in die Nase, und am Ufer stiegen Nackte ins eisige Meer.

Leonides war auf einmal neben ihr. Sie spürte ihn, sah ihn aber nicht an. In die Handtücher gewickelt standen sie nebeneinander. Wieder brach der Nackte in sein Lachen aus. Er saß noch auf demselben Stamm. Er lachte und sagte, das wäre die beste Methode, um sich abzuhärten. Beim nächsten Mal sollten sie Filzhüte mitbringen. Mit einem Filzhut würden sie sich nicht die Ohren verbrennen. Sie fasste an ihren Kopf. Er schien kein Gewicht zu haben. Es war, als wäre er oben offen, als wäre die Hirnschale aufgeklappt, als hätte das Kohlenmonoxid die Schädeldecke weggebrannt.

»Wenn ich im Eis einbrechen würde«, sagte sie zu Leonides und spürte seine erhitzte Hand an ihrer. »Wenn ich ertrinke«, sagte sie zitternd, »wenn ich ersaufen würde wie ein Hund, was würdest du machen?«

»Dich retten.«

»Wie?«, fragte sie nach einer Weile.

»Keine Ahnung. Mit einer Leiter?«

»Falls du eine dabei hast.«

»Die Eisbader haben eine, am Ufer.«

»Weißt du, wie man das macht, mit einer Leiter?«

»In Estland lernen die Kinder das in der Schule.«

122

»Und du?«

»Wenn es drauf ankommt, weiß man immer, was zu tun ist«, sagte er. »Intuitiv.«

»Die Feuerwehr rufen?«

»Ja.«

»Mit einem Handy, das im Mantel in der Umkleide steckt?«

Der Schnee fiel dicht und lautlos.

»Bis die Feuerwehr da ist, müsstest du zusehen, wie mich das Eiswasser nach unten drückt. Wie ich in der Tiefe verschwinde. Die Haare wären das Letzte, was nach unten sinkt.«

»Hast du nicht gehört, Sala?«

»Ich könnte nicht mal schreien.«

»Ich sagte, ich würde dich retten.«

»Du würdest hinterherspringen?«

»Ja«, sagte er genervt. »Wenn nötig, auch das.«

Aber das hatte er nicht getan. Als es darauf ankam, war er nicht gesprungen.

Die Schwimmer radelten davon. In der schattigen Bucht war es immer noch kühl. Es war immer noch Morgen, ein Septembermorgen. Der September schien nicht zu vergehen. Es war ein September, der einfach nicht aufhörte.

Sie ging ans Ufer. Vorsichtig balancierte sie über algenbewachsene Steine, bis sie eine Stelle fand, wo das Wasser tief und klar war. Sie ging in die Hocke. Sie beugte sich vor, und auf der Wasseroberfläche, die das Morgenlicht färbte, sah sie ihr Gesicht; die in die Stirn fallenden Haare, der unbeherrschte Blick, ein Dreckstreifen am Kinn. Sie rubbelte den Dreck ab, und im Wasser, das ihre Hände wellten, sah es aus, als würde sie sich ihr Spiegelbild vom Gesicht waschen. Sie sah zu, wie es langsam auf den Grund sank. Sie sah ihre Augen, die zu ihr heraufschauten, blasser werden unter den Massen von Wasser, das in wenigen Monaten zufrieren würde.

Auch das war eine Methode, um sich abzuhärten.

Die blaue Frau wartet am Ausgang der Unterführung. Sie steht dort, wo das Dunkel des Tunnels jäh ins Helle umschlägt. Hinter ihr ist der Weg gesäumt mit Planken und Booten.

Im Tunnel hängt ein feuchter Geruch. Manchmal steht Grundwasser in der in den Fels gesprengten Röhre.

Der Hall meiner Schritte ist mir voraus.

Ich sage ihr, dass mich unsere Begegnungen verändern.

Sie lacht. An ihren Augenwinkeln bilden sich Strahlen.

Sie hält es nicht für wahrscheinlich, dass sich etwas ändert, nur weil man eine Straße unterquert.

Die Wohnung ist still. Die Menschen im Block sind zur Arbeit gegangen. Sie arbeiten in gläsernen Bürotürmen, wie sie im Rohbau auch jenseits der dreispurigen Straßen stehen. Dort ragen Baukräne auf. Sie stehen in einem Erschließungsgebiet, das sich bis zu den höher gelegenen Mooren erstreckt.

»Was ist, Sala? Was ist los?«

Leonides mit seiner Zärtlichkeit, seiner zärtlichen Autorität. Der sich freut, dass sie kein Morgenmuffel ist, dass sie vom Aufwachen keine schlechte Laune bekommt, nicht wortkarg wird, sondern hellwach und übergangslos vom Tiefschlaf in den Morgen hinein wechseln kann, geweckt vom Kaffeegeruch, vom Duft nach frisch gemahlenen Bohnen.

»Du machst mir Sorgen. Immer noch im Bett? Das sieht dir nicht ähnlich.«

Manchmal wollte er, dass sie im Bett blieb. Sie sollte liegen bleiben, wenn er in die Küche ging und den Schrank aufmachte, wo der Kaffee stand. Er stellte den Wasserkocher an, schüttete Bohnen in die kleine elektrische Mahlmaschine, und nach dem Häckselgeräusch der Maschine blieb es eine Weile still. Sie wusste, dass er am Küchenblock die Zeitung las, während er darauf wartete, dass der Kaffee, den er in der French Press aufgegossen hatte, exakte acht Minuten zog.

An jenen seltenen Morgen, an denen er nicht ins Seminar musste, kein Sitzungen hatte und niemand aus Brüssel anrief, kam er mit weißen iittala-Tassen und Toast auf dem Tablett ins Schlafzimmer zurück.

Leonides.

Bei all den Zeitungen, die er kauft, bei all den Büchern, die er liest, bei all den Gemälden, mit denen er sich umgibt, hätte er ein Gespür haben müssen. Er hätte ihr etwas anmerken müssen.

Sie stellte sich schlafend. Er setzte das Tablett ab, legte die Brille daneben und beugte sich über sie. Er küsste ihre Augenlider. Er schob ihr ein Stück Toast in den Mund. Behutsam flößte er ihr Kaffee ein, bis sie blinzeln musste. »Lass sie zu«, flüsterte er, denn die Augen durfte sie nicht aufmachen und bewegen durfte sie sich nicht, ehe er die Tasse zurück auf den Nachttisch gestellt hatte, zu ihr unter die Decke gekommen und mit dem Kopf zu ihren Brüsten, ihrem Bauchnabel getaucht war, in den er die Zungenspitze stieß.

Bei seinem Einfühlungsvermögen, das für ganz Europa reicht, hätte ihm auffallen müssen, dass etwas nicht stimmte mit ihrer Haut, ihrem Zurückzucken im Bett, etwas, das in Ordnung gebracht werden musste. *Körperliches Wohlbefinden*, hatte er einmal gesagt, *diese Basis zum Glücklichsein ist bei allen Menschen gleich.*

»Leo.«

»Ja?«

»Ich glaube, es hat mit der Geschwindigkeit zu tun.«

»Bin ich zu schnell?«

Sie lagen eine Weile schweigend in der gestärkten Bettwäsche mit dem Logo der Universität.

»Können wir noch ein bisschen so bleiben?«

»Wenn du willst.«

»Ich muss mich ordnen.«

»Bist du durcheinander?«

»Manchmal ist alles durcheinander.«

»Du könntest in Betracht ziehen, dass so ein Durcheinander auch befreiend sein kann.«

»Leo, bitte.«

»Musst du immer genau wissen, was los ist?«

»Ja«, sagte sie, »das muss ich.«

Vielleicht war ihm etwas aufgefallen, und er hatte bloß nie eine Bemerkung darüber gemacht. Er hielt sie nicht fest, wenn sie abrückte. Er sagte nichts, wenn sie seine Hand nahm und sie neben seinen Kopf legte, erst die eine, dann die andere Hand, so dass beide Hände mit den Handrücken nach unten lagen und sie sich aufstützen konnte auf seine Handteller, die rot wurden von ihrem Gewicht. Sie presste seine Hände ins Laken, während sie miteinander schliefen. Sie gab die Hände nicht frei. Auch das kommentierte er nicht. Vielleicht hat er dieses Überwältigtwerden geliebt, jedes Mal, wenn ihr Körper sie beide umfing, schützend wie das Laubwerk der Bäume.

»Ich will, dass alles verschwindet.«

»Auch ich?«

»Alles außer dir und mir.«

»Hilft dir das, dich zu ordnen?«

»Es hilft mir, nicht zu vergessen, wo ich bin.«

Leonides. Mit seinem weichen Blick und seiner Rücksichtnahme. Er hätte nie von jemandem verlangt, ihm Rede und Antwort zu stehen. Auch von ihr nicht. Er hätte sie nie zur Rede gestellt. Er wollte, dass sie anfing zu sprechen.

Und genau das war ausgeschlossen. Oberstes Gesetz im ansonsten gesetzlosen Raum ihrer Zuneigung.

Er hätte ihr nicht geglaubt.

Mit flachen Handflächen strich sie über seine Haut. Sie öffnete den Hosenbund und schob ihre Hände langsam hinein.

»Das ist Quälerei. Das kannst du mir nicht antun.«

»Sch.«

Sie schlief nur mit ihren Händen mit ihm. Sie liebte ihn auf eine Weise, die er nicht kannte. In ihrem Nachthemd hing der Duft eines Parfüms, das er mochte, und mit jeder ihrer Bewegungen hüllte sie seinen Körper in diesen Duft wie in eine zweite Haut.

»Das ist unerträglich.«

Sie achtete darauf, dass er nicht in sie eindrang, kein einziges Mal.

»Wenn du so weitermachst«, flüsterte er, »bringst du mich um.«

»Davon stirbt man nicht.«

»Machst du Witze?«

»Schscht.«

Er hätte ihr etwas anmerken müssen.

Davon stirbt man nicht?

Irgendwo im Haus geht eine Spülung. Sie hört das abrupte, schwere Plumpsen, mit dem das Abwasser in der Wand hinter ihrem Kopf durch die Rohre sackt. Sie muss die E-Mail beenden. Sie muss dort weiterschreiben, wo sie gestern vom Klingeln an der Tür unterbrochen wurde. Sie muss sich bei der Organisation endlich melden, weil sie sonst nie eine Aussage macht.

Das ist die Aufgabe.

Vorher braucht sie ein Messer. Am Rand der Plattenbausiedlung, wo der Bahnhof die Neubaublöcke von den Einfamilienhäusern trennt, gibt es ein Einkaufszentrum. In einem Mehrzweckbau sind ein Friseur, eine Apotheke, die Post, ein Lebensmittelmarkt und ein Heimwerkerladen untergebracht. Im Obergeschoss gibt es Ärzte und eine Bibliothek. Der Schnellimbiss am Bahnhof verkauft süße Würste. Züge fahren von dort in die Innenstadt.

Sie hat immer ein Messer gehabt. Am Anfang war es nur die stumpfe Klinge eines ausrangierten Obstmessers. Später hatte sie ein richtiges Messer mit einem Holzgriff zum Pilzeputzen oder um die Lindenruten für den Hefeteig zu schälen, wenn sie im Sommer über dem Lagerfeuer Knüppelkuchen machten. Zum achtzehnten Geburtstag bekam sie ein Schweizer Messer geschenkt mit Feile, Nagelhautschieber, einer kleinen

Säge, einem Korkenzieher und fünf Klingen. Keines der Messer war je für eine Notsituation gedacht.

Um ein Messer zu kaufen, muss sie die Wohnung verlassen. Um die Wohnung zu verlassen, muss sie duschen und etwas zum Anziehen finden.

Das sind die Bedürfnisse.

Falls sie es schafft, aufzustehen.

Krähen landen im Vogelbeerbaum und bringen die Äste zum Wippen. Sie fressen sich mit Beeren voll und scheiden die Samen jenseits der Schnellstraßen aus, die sich verkapseln und auf der harten Erde überwintern. Bis zu fünf Jahren können solche Samen ruhen. Erst unter günstigen Bedingungen gehen sie auf.

»Komm, Sala.«

Falls sie nicht fünf Jahre so liegen bleibt, verkapselt in dieser fremden Stadt an der Ostsee.

»Steh auf!«

Die Ostsee, die jenseits der Plattenbauten liegt. An der alle Straßen enden. Wenn man lange genug läuft, gelangt man immer ans Wasser, das wegen der Schären, die vor dem Festland liegen, und wegen der Untiefen nicht wie ein Meer aussieht, sondern wie ein großer See.

Ich heiße Adina Schejbal und bin dankbar. Ich bin Ihnen sehr dankbar. Ich bin unendlich und von ganzem Herzen dankbar und bekunde hiermit meine große Dankbarkeit.

Die Organisation lebt von Spenden. Sie hängt von ihren Spendern ab. Sie wird von wohlhabenden, gutmeinenden, mitfühlenden Menschen unterstützt, Menschen, denen sie rechenschaftspflichtig ist.

Jemand wie sie, die in einer Holzvilla gewohnt, touristische Ausflüge gemacht, am Meer campiert und in namenlosen Ravintolas mehrsprachige Menüs gegessen hat, bedarf des Mitgefühls wohlhabender Menschen nicht.

Wann die blaue Frau zum letzten Mal durch die Unterführung ging, lässt sich nicht sagen. Die Saison ist
vorüber. Nachts ist es einsam zwischen den Booten. Der Hafen
wird nicht bewacht. Auch ich gehe abends durch die Unterführung zurück.

Ich frage sie, wie lange sie nicht mehr auf der anderen Seite
war.

Die blaue Frau verweigert die Auskunft. Ereignisse, die vor
unserer Begegnung geschehen sind, interessieren sie nicht. Es
gibt keine Verpflichtung, davon zu berichten, keinen Pakt.

Im Gespräch, sagt sie, zähle nur die Gegenwart. Ich sei es, die
täglich durch die Unterführung gehe. Damit sei ein Anfang
gemacht.

Sie wickelt sich aus der Decke und steht auf. Sie geht ins Bad. Sie betätigt Lichtschalter und Wasserhahn, benutzt Toilette und Handtuch, auch die Handtücher gehören ihr nicht. Sie gehören zur Einrichtung, für die sie laut Mietvertrag haftet.

Wenn sie den Brief an die Organisation nicht beendet, wenn sie es nicht schafft, wird sie nie herausfinden, ob man ihr glaubt.

Beim Abtrocknen ist sie vorsichtig, als könnte der Frottee in ihren Händen zerfallen.

»Entscheidend ist nicht, wie du in der Zwischenzeit gelebt hast, Sala. Entscheidend ist, dass du dich bemerkbar machst.«

Taxis fahren auf der Karte in der Küche durch New York. In der Ferne ragt am Horizont der Sendemast auf. Kaffeesatz ist neben den Mülleimer gefallen, und sie nimmt den Lappen und wischt die Krümel auf. Jetzt, wo die Sonne da ist, ist ihr nicht mehr kalt.

An klaren Tagen steigt die Sonne am Sendemast hoch und trifft zuerst die Blumentöpfe, dann den Fensterrahmen mit der Spinne, die sich dort eingewebt hat, später den Tisch. Manchmal rückt sie den Tisch, solange es geht, mit der Sonne mit.

Auf der finnischen Internetseite flackert die britische Fahne. Mechanisch weht sie im digitalen Wind. Hinter der Fahne verbirgt sich ein Slogan: *Women in Need – Vision – Mission – Who We Help*. Sie klickt die britische Fahne nicht an. Manchmal ist es schön, kein Wort zu verstehen. *En voi pettää itseäni, näen unta.* Die Finnen gehen verschwenderisch mit ihren Vokalen um. Viele sind doppelt, als hätte sich die Sprache ein Kind ausgedacht. Kinder sind gute Beobachter. Nur den Sinn

131

der Worte nehmen sie wörtlich. Sie glauben, was man ihnen erzählt. Aber Leonides hat recht; solange unklar ist, wo ein Wort aufhört und ein anderes beginnt, bleibt eine Sprache unzugänglich. Man findet sich nicht zurecht.

Ich heiße Adina Schejbal. Ich spreche kein Finnisch. Ich bin keine finnische Staatsbürgerin, aber hier bin ich sicher.

Sie löscht, dass sie hier sicher ist. Hinter drei Grenzen, drei Sprachen, hinter einem ganzen Kontinent.

Ich habe Angst, die Erinnerung löscht mich aus. Aber ich will es versuchen. Ich will versuchen, den Mut zu haben, Ihnen zu erzählen, wie es begann. In einem Gutshaus. In einem Gutshaus an der Oder, auf der deutschen Seite der Oder, nördlich von Schwedt.

Pasewalk, Anklam, Stralsund. In Stralsund gibt es einen Hafen. Fähren fahren von dort nach Norden. Das wusste sie nicht. Sie hatte sich nichts überlegt. Sie hatte sich nicht vorgenommen, nach Norden zu gehen, sich keine Marschroute ausgedacht. Sie war losgegangen, einen Schritt nach dem anderen. Im Norden war der Himmel am dunkelsten. Dunkel war gut. Sie wollte so lange auf dieses Dunkel zugehen, wie es der Kontinent erlaubte, in den allerhöchsten Norden, dorthin, wo es keine Stadt mehr gab und keine Siedlung, wo das Land verwunschen war, weil kein Zug dorthin fuhr, keine Fähre und kein Bus.

Das war keine Reise, wird sie sagen, falls die Organisation Fragen hat. Auf einer Reise schaut man sich die Landschaft an, Bäume, Seen, den Horizont. Eine Reise, wird sie sagen, macht man, weil man hinterher davon erzählen kann. Man kann erzählen, was so eine Reise mit einem macht.

Für eine Flucht wie diese ist selbst ein ganzer Kontinent zu klein.

Einmal mit Interrail quer durch Europa. Das hat sie zu Leonides gesagt.

»Allein?«

»Zuerst nach Berlin.«

»Alle wollen nach Berlin.«

»Achja?«

»Und dann?«

»Dann habe ich mich in den nächstbesten Zug gesetzt.«

»Das ist abenteuerlich.«

»Interrail?«

»Du bist genauso blauäugig in die Welt gerannt wie ich. Da stellt sich die Frage: Ist unsere Abenteuerlust ein Resultat der gesetzlosen Jahre nach Ende der Sowjetära, oder sind wir bloß ein bisschen verwahrlost aufgewachsen?«

»Du weißt nicht, wie ich aufgewachsen bin.«

»Stimmt. Ich hätte so eine Reise auch nicht ohne einen Freund unternommen.«

»Dazu musst du erst mal einen haben. Einen Freund, meine ich.«

»Mit Anfang zwanzig?«

»Man gewöhnt sich dran, keinen zu haben.«

»Trotzdem«, sagte er. »Nicht jeder fährt alleine durch Europa.«

»Was meinst du, wie sehr ich darauf gewartet habe.«

»Hattest du keine Angst?«

»Doch.«

Leonides. Den sie jetzt nicht hören will. Den sie nicht gebrauchen kann mit seinen Weisheiten über eine Welt, die nie so schlicht ist wie in seiner Vorstellung. Seine Vorstellung würde er nie in Frage stellen. Und wenn ihm doch auffiele, dass die Welt und seine Vorstellung nicht zusammenpassen, würde er es immer der Welt anlasten. Er käme nicht drauf, dass etwas mit seiner Vorstellung falsch sein könnte. Er müsste sonst annehmen, selbst in dieser Welt falsch zu sein, und das wäre kein angenehmer Gedanke.

Nur wenn wir den Überlebenden aller totalitären Regime Gehör verschaffen, kommen wir zu einer europäischen Verständigung.

»Warum rufst du nicht an, Sala? Die Organisation kann dir helfen. Mach es nicht so kompliziert.«

»Wegen dir ist es kompliziert.«

»Ruf an! Oder schämst du dich?«

Sie kann sich kein Gehör verschaffen. Am Telefon brächte sie kein Wort heraus.

Um ein Überleben, denkt sie, handelt es sich aber doch.

Die blaue Frau schweigt, während sie aufs Wasser schaut, zum Schilfrohr, das im Verlandungsmoor in der Ferne durch die zerfließenden Schichten einer Nebelbank gleitet. Abends fallen die Temperaturen unter zehn Grad.

Sie interessiere mich über den Anfang hinaus, sage ich zu ihr. Ich würde gern mehr von ihr wissen. Mich interessiere, was es auf sich habe mit dem Durst. Mit ihrem Faible für Sprachen.

Ich möchte sie nach ihrem Namen fragen, aber es kommt mir vor, als hätte ich den Zeitpunkt dafür lange verpasst.

Der Hafen liegt unwirtlich in der Dämmerung. Planen schlagen lose gegen Jollen, deren Rumpf rostige Stahlträger stützen.

Die blaue Frau sagt, dass das für sie kein unwirtlicher Hafen sei.

Sie sei nicht der Mensch, den ich suche.

Ich heiße Adina Schejbal. Wenn ich Ihnen nicht schreibe, komme ich um.

Der Cursor blinkt.

»Erzähl schon, kleiner Mohikaner! Was ist los? Was ist passiert? Wieso hast du so lange nichts von dir hören lassen?«

Das sind die Fragen.

Motion Eye, das Auge der Kamera, starrt sie an.

Sie sieht fest zurück. In *Rio* wäre es einfach. In *Rio* hat immer jemand zugehört. In *Rio* wäre niemand auf die Idee gekommen, sie könnte sich schämen. In *Rio* hatten sie kein Problem damit, ihr zu glauben, denn alle wussten, wer sie war. Ein Name durfte das Geheimnis des einen Lebens im anderen aussprechen. *Kleiner Mohikaner.*

Jetzt weiß sie nicht einmal, unter welchem Namen sie die E-Mail abschicken soll. Nina. Oder Adina.

»Sala!«

»Was meinst du, wie sehr ich darauf gewartet habe.«

Das hat sie zu Leonides gesagt, und auch wenn nicht alles stimmte, was sie ihm sagte, weil sie manches ausließ oder ausschmückte; dieser Satz war ungelogen.

Sie hatte auf den Morgen ihres Aufbruchs gewartet, seit sie zwölf Jahre alt gewesen war. Schon damals hatte sie losgehen wollen, die Straße nach Tanvald hinunter und weiter, und auch wenn es zuerst nur eine unbestimmte Sehnsucht gewesen war, hatte sie überdauert. Sie war jung und neugierig auf das, was sich in der diesigen Ferne hinter den Gipfeln verbarg, dort, wohin alle verschwanden, der Partisan, die Skifahrer, die Abendsonne und die beiden jungen Frauen, die eines Tages in einem blauen Škoda durch Harrachov gefahren waren; eine betriebsame, aufregende Welt, die man entdecken und erobern und sich zunutze machen konnte, bis man so randvoll mit Leben war wie ein prall gefüllter Rucksack.

»Red schon, kleiner Mohikaner!«

Der Škoda war durch Harrachov gefahren, was nichts Besonderes war. Jeden Tag fuhren Škodas durch Harrachov. Aber dieser hatte neben ihr gehalten. Er hatte silberne Kotflügel und sah aus wie ein sich plusternder Schwan.

»Spann uns nicht auf die Folter!«

Sie war auf dem Weg zur Post, als der blaue Škoda neben ihr hielt. Zwei Frauen in Skiklamotten saßen darin, die eine so blond, dass man ihre Haare kaum sah. Es war ein kalter Winter mit viel Schnee, und der Atem stand beim Sprechen vor ihren Mündern, als sie sich nach dem Weg erkundigten. Sie sprachen Deutsch. Sie benutzten fremde Vokabeln und sagten Dinge, die Adina nicht verstand. Lachend versuchten sie es mit einem Handwörterbuch.

»Ich habe euch gesehen!«, schrieb Adina am Abend, in ihrem Zimmer unterm Dach an ihre Freunde in *Rio*. »Ihr seid in Harrachov!«

Adina konnte nur ein bisschen Schuldeutsch. Die Verneinungsformen kein, nein und nicht. Als die Frauen fragten, ob sie einsteigen wollte, um ein Stück mitzufahren, wendete sie keine dieser Formen an.

»Ihr habt ein blaues Auto, das aussieht wie ein Schwan!«

Die Frauen konnten sich gut leiden, das war vom Rücksitz aus zu sehen. Die Augen der Fahrerin blitzten, und beim Losfahren trafen sich ihre Hände über dem Knüppel der Gangschaltung.

»Du weißt doch, du kannst uns nicht sehen, kleiner Mohikaner«, schrieben die Freunde aus *Rio* zurück.

Adina wusste, das *Rio* und Harrachov zwei verschiedene Orte waren. Dass man nur entweder Adina oder der letzte

Mohikaner sein konnte. Die jungen Frauen im Škoda waren Urlauber wie alle anderen auch. Sie hatten sich verfahren. Aber als Adina im Auto auf der Rückbank saß, um ihnen den Weg zu ihrer Pension zu zeigen, hatte sie das Gefühl, an beiden Orten gleichzeitig zu sein, als wäre sie auch in Harrachov der kleine Mohikaner.

Sie ließ die Frauen einen Umweg fahren. Wegen der Glätte auf den engen Dorfstraßen kamen sie nur langsam voran, und die Fahrerin erzählte von den Pisten, die sie ausprobiert hatten, und von einem Unfall auf dem Kamm, als ein Schneesturm sie überraschte. Sie war in eines der metertiefen Löcher gestürzt, die sich neben den Schneestangen bildeten, und allein nicht wieder herausgekommen. Erst nach Stunden fand man sie. Eingeschlossen im Eis, in der dunklen Kälte war sie nach einer Weile eins geworden mit dem Schnee. Sie hatte die Kontrolle verloren und war jede Verantwortung los. Ein schwarzes Nichts, das sich angefühlt hatte wie Glück.

Adina versuchte, sich das vorzustellen. Das Nichts. Es musste so ähnlich sein wie im Bus, wenn sie den Kopf einzog. Der Schulbus hatte dreißig leere Plätze und fuhr nur noch wegen ihr nach Harrachov. Sie setzte sich immer ganz nach hinten und machte sich klein. Dann war im Bus niemand mehr, auch von ihr war nichts mehr zu sehen. Aber sie war trotzdem noch da, und solange sie noch da war, war es nicht das Nichts, was im Bus war, auch wenn es den Anschein hatte, und glücklich machte es nicht.

»Wisst ihr, was das Nichts ist?«

»Du stellst Fragen! Also sagen wir mal: *Rio*. Wenn du den Laptop ausschaltest, ist *Rio* nichts. Sobald du aufhörst, mit uns zu sprechen, sind wir nichts. Aber es ist nur vorübergehend nichts und nur für dich. Das darfst du nicht vergessen. Es schalten nie alle gleichzeitig ihren Laptop aus. Aber du wolltest deine Geschichte erzählen.«

Glück ist nicht schwarz, hatte die Frau auf dem Beifahrersitz nach einer Weile gesagt und Adina im Rückspiegel zugeblinzelt. Da hatte sie den Mut gefasst, von ihren Expeditionen zu erzählen, von den geheimen Pfaden abseits der Wege, die sie als Forscherin beging, geleitet vom Blinken der Stirnlampe im geisterhaften Wald. Die Frauen lachten und sagten, dass es in Deutschland Stipendien für junge Forscherinnen gab, Forscherinnen wie sie, in München oder in Berlin, und sie versprachen, einen Prospekt mitzubringen, das nächste Mal, im nächsten Winter, im kommenden Jahr, wenn sie wiederkamen.

Adina war an diesem Nachmittag nicht gleich nach Hause gegangen. Sie hatte nach dem Abschied so getan, war aber an den Sprungschanzen umgekehrt und zur Pension zurückgelaufen. In einem der unteren Fenster brannte jetzt Licht, denn es fing an, dunkel zu werden. An der Giebelseite hatte der Wind Schnee auf einen Holzstapel geweht. Adina kletterte auf den Schneewall und schob sich nah an den Fenstersims, eine Hand über dem Mund, damit ihr Atem sie nicht verriet. Und weil das Fenster gekippt war, wehte die Gardine ein Stück heraus. Dahinter zeigte sich ein Schatten. Ein zweiter Schatten kam hinzu, und bevor die Schatten miteinander verschmolzen, schloss Adina die Augen.

»Ich bin ein Stück bei euch mitgefahren.«

»Aber Mohikaner, wieso steigst du in ein fremdes Auto?«

»Um länger bei euch zu sein.«

Am nächsten Tag ging sie noch einmal zur Pension. Diesmal zog sie Skiunterwäsche drunter, um nicht zu frieren, wenn sie in der Kälte am Fenster stand. Sie kletterte auf den Holzstapel und richtete sich langsam auf, zittrig wie die Stecknadeln im Physikunterricht, wenn die elektromagnetische Wechselwirkung sie an den Magneten saugte.

Die Gardine am Fenster war aufgezogen. Eine Stehlampe

brannte. Die beiden jungen Frauen saßen auf dem Sofa, die Arme umeinander gelegt. Als sie sich küssten, spürte Adina das im ganzen Körper, bis zu den Härchen. Es war, als wäre sie eingeschlossen in diesem Kuss, als wäre sie darin aufgehoben, als wären die beiden auf sie zugekommen, hätten sie an der Hand genommen und sie hätte nicht fragen müssen, wohin es geht.

»Pass auf, kleiner Mohikaner. Wir kommen nicht bei dir vorbei. Das weißt du doch. Wozu haben wir *Rio*?«

Die Freunde in *Rio* verstanden nicht immer alles. Beispielsweise verstanden sie nicht, dass *Rio* noch da war, auch wenn sie den Laptop längst ausgeschaltet hatte.

»Mach keine Dummheiten, ja? Und lass bald wieder was von dir hören. Gute Nacht, kleiner Mohikaner.«

Im nächsten Winter stand sie jedes Wochenende am Ortsausgangsschild. Sie schaute die Straße nach Tanvald hinab. Stundenlang stand sie dort im Schutz der Fichten, im Januar, im Februar, im März. Urlauber aus Deutschland und den Niederlanden kamen diese Straße herauf. Sie kamen von der Gabelung weiter unten, wo es eine große neue Tankstelle gab. Ein Abzweig führte dort nach Süden in Richtung Vrchlabí, der andere durch Tanvald nach Jablonec, wo ihre Mutter ihr manchmal eine Hose kaufte oder neue Schuhe. Hinter Jablonec kam Liberec und hinter Liberec die Grenze.

Adina schaute jedem Auto entgegen, das aus dem Tal kam. Auch Škodas waren darunter, rote, grüne und blaue. Sie schaute jedem Urlauberauto entgegen, bis es im Schneetreiben alle Farbe verlor, nur noch ein Schatten war unter den Schatten der Fichten auf dem frischen Weiß. Mitte März begann es zu tauen. Da verließ Adina ihren Posten am Ortsausgangsschild. Sie ging an der Benzinpumpe mit den verwaisten Tanksäulen vorbei zur Pension. Die Pension lag neben einer Piste. Es war ein kleines, an den Hang geducktes Haus. Auf der

Rückseite berührte das Dach den Berg. Wenn viel Schnee lag, fuhren Skifahrer über das Dach. Sie bogen von der Piste ab, fuhren zum Dachfirst und holten am Schornstein neuen Schwung.

Jetzt war kein Skifahrer mehr da. Das Haus war dunkel. Den Holzstapel an der Giebelseite gab es noch, aber das Fenster war geschlossen. Es waren keine Stimmen zu hören. Nichts war zu hören bis auf das leise Tropfen, mit dem die Nässe von den Bäumen fiel. Adina bückte sich. Mit bloßen Fingern kratzte sie ein großes Stück aus der harten Schneedecke. Es regnete seit Tagen, und die Nässe hatte Löcher mit scharfen Rändern ins Eis geschmolzen. Sie rieb sich das Gesicht mit dem Schnee ein, bis es weh tat.

»Sala?«

Beim Aufrichten streifte die milde Märzluft ihre rohe Haut.

»Sala? Hörst du mich?«

A bendsonne hat die Bootsschuppen, das Wasser und die algenüberspülten Steine erfasst.

Blätter liegen im Sand, gelb durchsprenkeltes Grün der Birken. Die Stämme sind nass, die Flechten schattig von Feuchtigkeit.

Die blaue Frau kommt vom Ufer herauf. Als die Röte nachlässt, bleibt ein Schimmer auf ihrem Gesicht zurück, verschiebt es, richtet es neu ein. Die Haut wie die Faltungen des Sandes. Sie erinnert mich an jemanden.

Ich erwähne das Verlustgefühl, das mich manchmal überfällt. In jedem meiner Bücher gab es Figuren, die ich liebgewonnen hatte. Von so vielen habe ich mich im Laufe der Jahre getrennt, so viele sind verschwunden. So viele Abschiede, mehr, als ein einzelner Mensch normalerweise verkraften muss. Manchmal stellt sich mir die Frage, was aus ihnen geworden ist. Was aus ihnen geworden sein könnte. Wo sie jetzt sind.

Die blaue Frau sagt lange nichts.

Ob ich nicht wisse, dass das Leben und das Erzählte verschiedene Dinge seien. Eine Figur gebe bestenfalls Auskunft über ihre Urheberin. Über die, die sie erfunden habe. Nur wenn ich wissen wolle, was es bedeutet habe, ich zu sein, ergebe meine Frage Sinn.

Sie hat keine Besitzansprüche gegenüber dem Leben. Sie findet nur, dass es manchmal vor dem Erzählen zu schützen ist.

Teil 2 *(Rickies Laden)*

Was ich benennen kann, vermag mich
nicht eigentlich zu bestechen.
Roland Barthes

Am Morgen, auf den sie so lange gewartet hatte, bestieg sie einen Reisebus. Der Bus war voll, aber sie fand einen Fensterplatz. Draußen in der Haltebucht stand ihre Mutter.

Es war ein grauer Morgen, ein Morgen ohne Sonne, Regen oder Wind, und Adina wunderte sich, dass etwas so heiß Ersehntes so unspektakulär vor sich ging.

Die Fahrt führte zwanzig Minuten durch Niemandsland. Ein Stahlzaun säumte die Straße. Er begann im Nichts, begrenzte nichts und führte ins Nichts. Schließlich hörte er einfach auf. Später sah sie ein blaues Schild mit gelben Sternen, auf dem Bundesrepublik Deutschland stand. Die Landschaft vor den Fenstern wurde wieder eine Landschaft. Es gab Sträucher, Wiesen, irgendwann den ersten Baum. Sonne brach durch die Wolken. In Dresden machte der Bus Station, bevor er ohne Pause zum Zentralen Omnibusbahnhof am Berliner Funkturm fuhr. Der Funkturm, der aussah wie ein Turm in Paris.

»Wo bist du, Sala?«

Auf der Autobahn zwischen Dresden und Berlin rollte sie ihren Pullover zusammen, den grünen aus Wolle, den sie schon als Kind getragen hatte. Sie legte ihn als Kissen an die Fensterscheibe, kuschelte sich an und übte im Stillen die Sprache, die in dem Land, durch das sie fuhr, gesprochen wurde. Auf Deutsch endeten die Bezeichnungen für alle anderen Sprachen – ob Tschechisch, Slowakisch, Polnisch, Französisch, Englisch, Indisch oder Russisch – auf der Silbe *isch*. Deutschländisch oder Deutschisch sagte man nicht. Menschen, die ihrer eigenen Sprache einen so besonderen Platz einräumten, mussten besondere Menschen sein, dachte

Adina, während sie hinaus in den vorbeifliegenden Wald schaute, der heller war als der Wald in Harrachov, lichte, in Reih und Glied gepflanzte, spargelstangendünne Kiefern, deren wenige Äste so weit oben saßen, dass sie aussahen wie die Topfpalmen am Eingang des Zlatá Vyhlídka.

»Lauf nicht weg!«

Nach Sonnenuntergang wird es kalt. Eine Positionslampe schärft die einbrechende Dunkelheit.

Ich frage die blaue Frau, ob es sich nicht umgekehrt verhalte. Ob nicht das Erzählen vor dem Leben geschützt werden müsse, vor dem Gewöhnlichen, dem Vergessen, dem Vergehen der Zeit.

Die blaue Frau ordnet ihr Tuch.

Jeden Abend kehre ich durch die Unterführung zurück. Jeden Abend überlagert der Hall meiner Schritte den Klang des Gesagten.

Die blaue Frau schaut mich an.

Sie verweigere das Erzählen nicht, um mir Auskünfte vorzuenthalten. Das Erzählen ordne die Geschehnisse zu einer Geschichte, die sie zu einer Fremden mache. Nur dem Fremden werde seine Geschichte abverlangt. Hier aber gehe es um sie und mich. Nicht von ungefähr treffe sie mich in einem Hafen.

Im Unerkundbaren, sagt sie, kommen wir einander nah.

Das Wort einer Dichterin. Welche, ist ihr entfallen.

Es war ein Montag, als Adina den Busbahnhof von Liberec in einem Reisebus in Richtung Deutschland verließ. Montag, der 18. September 2006. In Deutschlands 135-jähriger Geschichte stand zum ersten Mal eine Frau an der Spitze der Regierung. Das wusste Adina aus dem Radio. Und sie hätte der ersten deutschen Bundeskanzlerin leidenschaftlich zugestimmt, die in ihrer Antrittsrede vor dem Deutschen Bundestag selbstbewusst gesagt hatte: »Lassen Sie uns verzichten auf die eingeübten Rituale, auf die reflexhaften Aufschreie, wenn wir etwas verändern wollen. Niemand kann uns daran hindern, neue Wege zu gehen.« Aber Adina kannte diese Rede nicht. Die Antrittsrede der frisch gekürten Kanzlerin war im tschechischen Rundfunk nicht gesendet worden. Nur Angela Merkels Stimme war in den folgenden Wochen und Monaten immer mal wieder zu hören gewesen.

Adina war einundzwanzig Jahre alt. Sie saß in einem Reisebus, der in die richtige Richtung fuhr, und hatte eine Gürteltasche voller Geld. Im Gepäcknetz über ihr lag der 50-Liter-Rucksack. An den Füßen trug sie ihre Lieblingsboots, und im Bus war es warm. Es war der Anfang eines neuen Jahrtausends.

Eine halbe Stunde hinter Dresden durchfuhr sie der Schreck. Aber das Geld war noch da, knackige Euros, ohne Knick, der Beweis, dass das alles keine Täuschung war, kein Trugbild des langen Wartens. Die Scheine rochen stechend wie frostige Luft. Sie waren verlässlicher als das weiche, labbrige Papier, das sie zum Tauschen auf die Bank gebracht hatte; Flaschengeld, Gespartes vom Glühweinverkauf, ein Zuschuss von ihrer Mutter. Schon die Labbrigkeit der Scheine hatte gezeigt, wie wertlos sie waren; sie hatte viel mehr davon hinlegen müssen und bekam viel weniger zurück, als die Schalterdame mit angelecktem Finger die Euroscheine auf den Counter geblättert hatte.

Eine Mitschülerin hatte zum Abitur ein Interrail-Ticket geschenkt bekommen. Ein anderer eine Reise nach Rom. Sie hatte nach dem Schulabschluss viel Zeit verloren. Sie war arbeiten gegangen. Sie hatte in der Küche des Zlatá Vyhlídka ausgeholfen, im Wellnessbereich und an der Bar. Manchmal hatte sie Bier zapfen dürfen. Meistens spülte sie Gläser oder tauschte die verschwitzten Saunatücher gegen frische aus in einer Saunalandschaft, die aussah wie im Westen. Die Gäste in den Ruhesesseln sprachen meistens Russisch. Die Russen waren andere als früher. Früher hatten sie die Armeeuniformen der Sowjets getragen und in den Bergen gehaust, in der Špindlerova bouda, die zuerst ein deutsches Lager für sowjetische Kriegsgefangene und später ein Stützpunkt der Roten Armee gewesen war. Nach Abzug der Sowjets wurde aus der Špindlerova bouda wieder ein Ausflugshotel mit Billard, Tischtennis und Panoramarestaurant.

Die Russen, die jetzt kamen, waren keine Sowjets, hatten aber die gleichen geschorenen Köpfe wie die Soldaten. Sie trugen knielange Boxershorts, die sie nach dem Schwimmen nicht auszogen. Klatschnass fläzten sie damit auf den trockenen Holzbänken der Sauna und hinterließen dunkle Wasserflecken. Ihre Autos waren zu groß für die Dorfstraßen. Ihre Frauen in Bikinis, die zu klein für ihre Busen waren, standen von den Ruheliegen nur auf, um sich von der Vietnamesin eine Thaimassage geben zu lassen. Die Vietnamesin betrieb einen Asia-Potraviny im Ort. Sie benutzte teure Öle, die die Russinnen nach der Massage sofort in die Dusche trugen, wo eine schlierige Schicht auf den Kacheln zurückblieb. Wenn die Russen kamen, musste Adina danach jedes Mal saubermachen.

»Geh denen bloß aus dem Weg«, hatte ihre Mutter gesagt, überzeugt, dass sie ihr Geld mit kriminellen Sachen verdienten, mit Waffenhandel, Frauenhandel, Drogen. »Auf legale Weise wird niemand so reich.«

Einmal hatte einer sein nasses Laken in den Sammelkorb geschmissen, als Adina den Korb gerade leeren wollte. Ein Zipfel war ihr ins Gesicht geklatscht, und sein Kumpel im Pool hatte gelacht, die tätowierten, fleischigen Arme auf dem Beckenrand. Das unterirdische Poollicht hatte sein Gesicht in eine Fratze verwandelt. Als er sich schwer aus dem Wasser hievte, waren an seiner haarigen Wirbelsäule hellblaue Streifen zu sehen. Das physiotherapeutische Tape hatte die ganze böse Aufmachung mit einem Schlag zunichte gemacht.

Adina schämte sich für ihre Mutter. Sie schämte sich nicht wegen des verwaschenen Nachthemds, in dem ihre Mutter, grau im Gesicht, mittags aus dem Schlafzimmer kam, oder weil sie aufgehört hatte, zur Kosmetik zu gehen, um Strom und Heizung bezahlen zu können. Adina schämte sich, dass sie wütend auf sie war, obwohl sie wusste, wie schwer ihrer Mutter die Nachtschichten fielen, acht Stunden an der Rezeption des Zlatá Vyhlídka, um Zimmerschlüssel auszuhändigen und Skischuhe zu beheizen. Früher war ihre Mutter gut gelaunt von der Arbeit gekommen. Sie war nie grau im Gesicht gewesen. Sie hatte gut verdient und hätte sich niemals vor den Russen geduckt. Früher hätte sie ihrer Tochter zum Schulabschluss einen Sprachkurs geschenkt. Sie hätte Adina die Reise nach Deutschland finanziert, so wie die Eltern ihrer Mitschüler.

»Anderthalb Monate«, hatte ihre Mutter am Abend vor der Abreise am Küchentisch gesagt, »nichts Weltbewegendes«, als wollte sie sich selbst überzeugen, dass es in Ordnung war, Adina fahren zu lassen, allein in eine fremde Großstadt. »Im Handumdrehen bist du wieder da!«

150

Ihre Mutter war so aufgeregt, als wäre sie es, die fuhr. Sie kochte Tee und füllte ihn in die Thermoskanne, die sie auf die Wanderungen zur Elbfallbaude mitgenommen hatten, jedes Frühjahr nach der Schneeschmelze, ein ritueller Marsch, bei dem sie in der Baude übernachteten, die düster wie ein Raumschiff aus den Felsen oberhalb der Quelle ragte.

»Wenn deine Oma das wüsste!« Ihre Mutter belegte Brote mit Leberwurst und Käse und viertelte zwei Äpfel, die sie in eine Plastiktüte tat, wo sie braun und schlierig werden würden. »Deine Oma wäre stolz auf dich.«

Die Apfelstückchen hatten Adina die ganze Kindheit begleitet. Auf den Wanderungen waren sie dabei gewesen, klein geschnitten in einer Plastiktüte, sonntags gab es sie zum Frühstück, und in der Brotbüchse weichten sie die Leberwurstbrote auf. Jetzt würde sie in einem Reisebus durch die ersten Sonnenstrahlen davonfahren, in dem es keine Mutter gab, die darauf achtete, dass sie die angelaufenen Äpfel auch aß, die immer ein bisschen nach Hautcreme schmeckten.

Kurz vor Schönefeld hatte sie die Tüte mit den Apfelstücken im Netz des Vordersitzes versenkt.

Berlin war riesig. In einer so großen Stadt war sie noch nie gewesen. Die Gipfel, die Schluchten, die Täler, der Fluss, alles war aus Beton. Auch Pflanzen und Bäume waren einbetoniert. Kebab war das erste Wort, das sie las. Unter dem Kebab-Schild bellten zwei Pudel. Ringsum ragten Häuser mit grauen Fassaden auf, hinter denen es noch mehr Häuser und Fassaden gab, noch mehr Beton. Ampeln und Reklametafeln wechselten die Farben, die U-Bahnen waren gelb, im Tunnel spielte ein Mann Mundharmonika. Sie fuhr lange durch unterirdisches Dunkel, in einem Waggon, der nach Metall und Knoblauch roch. Sie fuhr an gekachelten Stationen vorbei und an anderen mit bunter Bemalung. Ihre Station tauchte nicht auf, und nach einer Weile fürchtete sie, sie verpasst zu haben und längst wieder außerhalb der Stadt zu sein oder in einer anderen Stadt. Aber als sie in Lichtenberg die Treppe hochstieg und ans Tageslicht kam, war die Stadt dieselbe, immer noch Häuser, Kebab, Ampeln, Beton. Nur der Turm, den sie von hier aus sah, war ein anderer.

Rickie war die Erste, die sie ansprach. Rickie unter einer Blutbuche, auf einem Platz mit Holztischen und roten Stühlen, die zu einem Café auf der anderen Straßenseite gehörten. Auf den Tischen standen Papierlaternen, bunte Lichter, die ein Wind sofort gelöscht hätte. Aber es ging kein Wind. Die Buchenblätter wurden von einer leichten Brise bewegt, und Rickie spendierte ihr einen Chai Latte. »Was bringt dich nach Lichtenberg?«

Die Krone des Baums überwölbte den Platz. Sein rostrotes Dach reichte bis zu den am Straßenrand parkenden Autos. Flackernde Schatten fielen auf das kleine Café, und später, als es anfing zu regnen und sie feststellte, dass sie ihre Regenjacke im Hostel gelassen hatte, bot das Blätterdach Schutz.

Jeden Morgen kam sie auf ihrem Weg zur U-Bahn an dieser Blutbuche vorbei. Das Hostel lag ganz in der Nähe. Es war ein dreistöckiger schmuckloser Bau. In der Lounge wurden auf einem Schwarzen Brett Veranstaltungen angekündigt; ein BBQ-Abend, Pizza-Nights und eine Flatrate-Wine-Hour; das Programm für die letzte Augustwoche. Der August war lange vorbei. Vor dem Eingang des Hostels gab es einen Hof mit Fahrradständern und Müllcontainern, und wenn sie durch das große Tor auf die Straße trat, stand sie vor einem italienischen Lieferservice. Dahinter lag ein Coffeeshop, vor dem die Sonnenschirme früh am Morgen noch zusammengefaltet waren. Bevor sie die Station der U5 erreichte, kam sie über den Platz mit der Buche und blieb jedes Mal kurz stehen, um das Vibrieren der Stadt zu spüren, nicht immer unter den Füßen, aber immer in der Phantasie. Menschen eilten vorüber. Sie hatten ein Ziel. Aber auch sie hatte ein Ziel. Sie steuerte jeden Tag ein hohes, modernes Gebäude in Mitte an. Dort saß sie in einem nüchternen Zimmer über der rauschenden Stadt und dachte über die Modi des Verbs und über Partizipien nach, während durch die gekippten Fenster Straßenbahnklingeln und an- und abschwellender Autolärm drangen. Die Partizipien gefielen ihr. Es waren Wörter, die sich nicht entscheiden mussten. Sie konnten Verb und Adjektiv gleichzeitig sein.

Die anderen Kursteilnehmer waren älter als sie. Sie hatten Jobs in ihren Heimatländern oder Jobs gehabt und aufgegeben. In den Pausen standen sie meistens mit denen zusammen, die aus ihrem Sprachraum kamen, die Syrer mit dem Libyer, die Chinesin mit dem Taiwanesen, die Ingenieure aus Georgien mit der ukrainischen Professorin. Anfangs traute sich Adina nicht, im Unterricht den Mund aufzumachen, obwohl sie die Vokabeln kannte.

Am Sonntag, ihrem ersten in Berlin, steckte sie die Hausaufgaben und das Grammatikbuch in ihren Rucksack und ging los, um auf dem Platz mit der Blutbuche zu lernen. Das schöne Wetter trieb die Menschen auf die Straßen. Im Café war es voll. Aber am Rand gab es noch einen freien Tisch, dicht am Bordstein, so dass sie aufpassen musste, mit den Stuhlbeinen nicht von der Kante zu rutschen. Kinder spielten Hüpfspiele. Eltern lasen Zeitungen, die in lange Holzlatten geklemmt waren, und tranken Kaffee aus großen Schalen unter dem Baum, der luftige Schatten warf. Eine leichte Brise bewegte die Blätter, aber der Straßenverkehr übertönte ihr Rascheln.

Sie wusste nicht, ob jemand zum Bedienen an die Tische kam.

Statt einer Bedienung kam Rickie.

»Was lernst du da?« Rickie setzte sich umstandslos auf den Stuhl ihr gegenüber.

»Deutsch.« Adina hatte gerade ihr Buch aufgeschlagen. Im Schutz dieses Baumes wollte sie üben, Dinge im Konjunktiv zu sagen.

»Du bist neu hier, hab ich recht? Wohnst du drüben im Hostel?«

Rickie sah ungewöhnlich aus. Jedenfalls ähnelte sie auf den ersten Blick nicht den Frauen, die Adina kannte. Ihre sparsamen, entschiedenen Bewegungen wirkten geradlinig und irgendwie konkret. Ihre Stimme war tief, aber weicher als bei einem Mann und passte nicht zu ihrem dünnen, flachen Körper, der in der Kleidung verschwand. Sie trug buntbestickte Hosen, ein schwarzes Hemd mit aufgekrempelten Ärmeln und darüber eine weiche offene Lederweste, alles ein bisschen groß.

»Du scheinst mir nicht der Schnapsrail-Typ zu sein. Nicht die typische Backpackerin.«

In der Sonne funkelten die Spiegelsteine an Rickies orientalischer Kappe.

»Und dir hat auch noch niemand die richtigen Läden gezeigt.« Mit dem Kinn wies Rickie auf die Leute ringsum. »Schwäbischer Wohlstand, was man an den Kuchenpreisen merkt.«

Um ihre Handgelenke schlang sich ein Flechtwerk von Armbändern, das sich bei näherem Hinsehen als unter die Haut gestochene Farbe zu erkennen gab.

»Vor kurzem war das hier noch ein Arbeiterviertel. Mit Kneipen, die man sich leisten konnte.« Auch um den Hals trug Rickie Schmuck. An einer dünnen Gliederkette glitzerten die blaugrünen Flügel eines Schmetterlings. »Das erkennst du an den vielen Mietskasernen. Die Arbeiterviertel lagen alle überwiegend im Osten.«

»Warum?«

»Warum?« Rickie lachte. »Weil der Wind, der für Frischluft

sorgt, aus dem Westen kommt. Und was bringt dich nach Lichtenberg?«

»Ich möchte studieren«, sagte Adina.

»Sieh an.«

»Geowissenschaften. Geophysik, Geologie –«

Vor Rickie lag ein Päckchen Tabak. Sie rollte das Papier fest zusammen, leckte es der Länge nach ab und steckte sich die dünne, filterlose Zigarette hinters Ohr, als wollte sie einen Vorrat anlegen.

»Du bist ehrgeizig, was?«

Adina zuckte die Schultern. Innerlich stimmte sie Rickie allerdings zu.

»Na, ich seh schon«, sagte Rickie. »Berlin als Nabel der Welt ist genau der richtige Anfang.« Sie grinste, und Adina wusste nicht, ob das als Witz gemeint war. Eigentlich hätte sie dem ebenfalls zugestimmt.

Da streckte Rickie eine Hand über den Tisch. »Lass dich von mir nicht verunsichern. Du wirst es weit bringen. Glaub mir, ich seh das. Ich bin Fotografin. Deine *peergroup* gibt sich mit Feiern zufrieden. Die bleiben zwei, drei Tage, und wenn sie den Checkpoint Charlie gesehen haben, glauben sie, sie hätten den Kalten Krieg verstanden. Und du sitzt hier und lernst. Was du brauchst, ist ein bisschen Aufmunterung.«

Die Hand verschwand, Rickie lehnte sich zurück.

»Schon mal mit Kunst in Berührung gekommen?«

Adina schüttelte den Kopf.

»Dachte ich mir«, sagte Rickie. »Schau mich mal an. Komm, schau mich an.«

Adina schaute in ein klares Gesicht mit einer kantigen Stirn, die sich in drei weiche regelmäßige Falten legte.

»Pass auf«, sagte sie dann. »Ich hab eine Idee. Ich bin grad mitten in einer großen Sache, da könntest du mir helfen. Wie wär's mit ein paar Testaufnahmen? Bisschen Abwechslung von deiner Lernerei.«

Entspannt saß Rickie mit ihrer Zigarette hinterm Ohr auf dem alten Gartenstuhl.

»Dass dir meine Sachen gefallen, daran habe ich keinen Zweifel. Androgyne Ästhetik, das meine ich ganz körperlich. Ich gebe der Welt die Schönheit zurück. Keine Hungerhaken. Hungerhaken wirst du bei mir nicht finden. Mir geht es um Körper, die die Grenze sind und sie zugleich überschreiten. *Lagom*, falls das bei dir was triggert.«

Rickie war schnell, überwältigend, zu viel. Taff, aber tapfer, das war ihr Motto, und sie brachte es im Gespräch immer mal wieder irgendwo unter. In den Spiegelsteinen auf ihrer Kappe funkelte die Stadt.

»Wie wär's? *You and I*? Mein Studio ist gleich um die Ecke.«

Sie ging nicht in Rickies Studio. Vielleicht war es zu viel für den ersten Tag. Oder es lag an dem Gefühl, dass Rickie nicht ganz echt war. Sie war wie dieses Funkeln. Nicht dass sie glaubte, Rickie würde ihr etwas vormachen. Es ging nur alles ein bisschen schnell, und es war ein bisschen verwirrend. Aber auch *Rio* war nicht ganz echt gewesen, wenn man die strengen Regeln der Grammatik anwandte. *Rio* war eine Möglichkeitsform. Und dann dachte sie, dass eine Möglichkeit nicht weniger echt war, sie beschrieb nur eine in der Zukunft liegende Wirklichkeit. Sie nahm die Zukunft vorweg.

»Kein Mensch hat es verdient, in einem verpissten Hostel zu wohnen«, sagte Rickie, und der Himmel zog sich zu. »Mal ehrlich. Bloß, weil du aus Osteuropa kommst?«

»Ostmitteleuropa.«

»Eben!«

Unvermittelt brach der Sommerregen los, platzte auf das Blätterdach der Buche.

Abends legte Adina den grünen Wollpullover wie ein Kopfkissen aufs Bett, auf das rechte obere der beiden Doppelstockbetten. Das Zimmer hatte sie für sich allein. Die Interrail-Saison war vorüber, das Hostel halb leer. Als der Mann am Counter ihre Enttäuschung bemerkt hatte, hatte er versucht, sie aufzumuntern; keine fiesen Gerüche, kein Schnarchen, niemand kam nachts besoffen ins Zimmer und belästigte sie mit seinem Seelenquark. Sie sah das ein bisschen anders. Aber nach einer Weile stellte sie fest, dass es nicht so schlimm war. Trotz der Stille und der Kärglichkeit des weiß getünchten Raums mit den Spuren toter Mücken an der Decke war es schön. Vor dem Fenster lag Berlin. Die Stadt funkelte. Sie war zum Greifen nah. Also machte sie es sich bequem, den Kopf auf dem Pullover, um in Ruhe nachzudenken, und dachte an Rickie. Der Pullover war alt. Es war ihr liebster, ein Abenteuerpulli, der Pullover einer Naturforscherin. Sie hatte ihn auf all ihren Expeditionen getragen. Er war mitgewachsen. Ihre Mutter hatte ihn längst wegwerfen wollen, aber auf dem schmalen Neunzigzentimeterbett im Hostel war er genau richtig.

Jeden Morgen, bevor Adina zur Sprachschule fuhr, drehte sie eine Runde. Sie stand zeitig auf. Sie hatte sich überlegt, dass man sich eine Stadt genauso erschließen können musste wie einen Wald oder ein Gebirge; indem man Expeditionen zu Fuß unternahm.

Sie ging nicht zum Platz mit der Blutbuche, sondern in die entgegengesetzte Richtung. Sie lief an den Gleisen der Straßenbahn entlang. Sie sah in die Schaufenster der Läden, die noch geschlossen hatten, in die Cafés, die gerade öffneten, und an den Häuserfronten hinauf, die sie von allen Seiten umgaben, und versuchte, sich als das zu fühlen, was sie war, ein privilegierter junger Mensch, der es aus einem Gebirgsdorf in die Großstadt geschafft hatte. Nicht in irgendeine Stadt, dachte Adina. Berlin war die Hauptstadt Europas.

Dass so viele Menschen hier wohnten, war ihr nicht klar gewesen. Sie wusste, dass es viele waren. Sie hatte die Einwohnerzahl im Internet nachgeschaut. Aber als sie zu Fuß unterwegs war, wurde ihr bewusst, dass sie nie so weit würde gehen können, wie die Stadt reichte, sie würde sie nie ganz durchqueren, denn so weit sie auch ginge, tauchte hinter jedem Haus noch ein Haus auf, hinter jedem Wohnblock ein nächster. Jede Straße mündete in eine neue, gabelte sich, um sich zu verdoppeln, zu verdreifachen und schließlich von vielen weiteren Straßen gekreuzt zu werden, Straßen, die in andere Stadtviertel führten und in neue Straßen mündeten, an denen wiederum zahllose Wohnblöcke und mehrstöckige Häuser standen, die einen Hinterhof mit Seitengebäuden und Hinterhäusern besaßen, der auf weitere Höfe mit noch mehr Hinterhäusern führte, alle mit fünf Etagen und mehr, auf denen es jeweils nicht nur eine, sondern drei oder vier Wohnungen gab, in denen mindestens ein Mensch, meistens aber mehrere wohnten.

Alle diese Menschen konnte sie kennenlernen. Von diesem Gedanken wurde ihr schwindlig. Sie hatte zu wenig Zeit. Sechs Wochen reichten nicht für eine so riesige Stadt. Außerdem war es möglich, genauso viele Menschen zu verpassen, sie nicht kennenzulernen, obwohl es vielleicht wichtige Menschen waren, Menschen, die sie unbedingt kennenlernen musste, weil sie ihr etwas bedeuten könnten, und daraus ergab sich die Frage, wie sie überhaupt entscheiden sollte, wer wichtig und wer nicht so wichtig war.

Jeden Tag gestaltete Adina ihre Expeditionen durch Lichtenberg ein bisschen anders. Aber jedes Mal kam sie an einem Brunnen vorbei, in dem ein bronzener Mann kniete, mit einem bronzenen, erstickenden Fisch in der erhobenen Faust, und dann war es Zeit umzukehren. Manchmal betrat sie am Ende ihrer Wanderung einen Coffeeshop. Sie leistete sich einen Coffee-to-go und eines der Croissants, die warm und duftend auf einer Platte lagen. Und wenn ihr die jungen Frauen mit Schirmkappen auf Deutsch antworteten und nicht auf Englisch, nahm ihr das Glück fast die Luft. Sie merkten nicht, dass Adina keine Einheimische war. Für sie gehörte Adina dazu. Sie setzte sich unter die jetzt aufgespannten Sonnenschirme vor der Tür und trank den Kaffee so langsam, wie man nur trinkt, wenn es sich um das kostbarste Getränk der Welt handelt. Um ihre Beine strich der kühle Straßenwind. Es stank nach Zigarettenasche, verbrannter Milch und alter Luft aus den Gullis, und wenn ein Lkw vorbeifuhr, bebte der Asphalt. Es war laut und schön.

Da sah sie Rickie. Sie tauchte zwischen den Sonnenschirmen auf. Es war ein flüchtiger Moment, kurz wie ein Gewitterblitz, der über den Himmel zuckte. Aber die Stelle, an der er gewesen war, leuchtete nach. Rickies Gesicht stand ihr so deutlich vor Augen wie das von Božena Němcová auf dem Fünfhundertkronenschein.

Auch in der U5, auf dem Weg zur Sprachschule, glaubte sie mehrmals, Rickie zu sehen, Rickie mit ihrer Spiegelkappe und den bunten Hosen zwischen den Fahrgästen. Auf den Plastikbänken saßen Fremde, Taschen und Rucksäcke zwischen den Beinen, die Ohren verstöpselt. Aber sobald Adina wieder ins Vokabelheft sah, kam es ihr vor, als beobachtete Rickie sie aus den Tiefen des Waggons. Sie wollte das nicht. Etwas daran war ihr unheimlich.

Eines Nachmittags stand Rickie wirklich da. Sie stand am oberen Ende der Treppe, die vom U-Bahnsteig ans Tageslicht führte. Es war nichts Besonderes, dass sie dort stand. Rickie wohnte in Lichtenberg. Ihr Fotostudio lag ganz in der Nähe. Dass sie ausgerechnet jetzt dort stand, im hellen Nachmittagslicht, machte allerdings den Eindruck, als würde sie warten. Es war, als hätten sie Rickie aus *Rio* geschickt, als hätten sie sie dort extra abkommandiert nach Berlin, und nun war sie hier, um auf sie zu warten.

Zwei Backpacker drängelten sich grob vorbei.

Rickie stand immer noch da. Die Sonne fiel ihr ins Gesicht, weshalb sie nicht gut sehen konnte. Adina sah sie umso besser, angestrahlt von der Helligkeit ringsum. Es schien noch heller zu werden, als Adina das Ende der Treppe erreichte, als hätten sich die letzten Federwolken aufgelöst. Der Himmel war von einem übertrieben kosmischen Blau.

»Na«, sagte Rickie, die ein Fahrrad dabeihatte, mit Farb-eimern am Lenker. »Taff, aber tapfer?«

Adina dachte zum wiederholten Mal, dass sie etwas miss-verstand. Taff, aber tapfer; da gab es nicht zwingend einen Ge-gensatz. Für Rickie schien das gerade der Witz zu sein. Beim Sprechen ging es nicht immer darum, alles richtig zu machen. Es ging darum, sich wohl zu fühlen, sich die Sprache gefügig zu machen, deren Logik nicht ihre war. In einer korrekten Sprache, hatte Rickie gesagt, kam jemand wie sie gar nicht vor.

»Schon Pläne für heute?«

Ein Eimer drohte vom Lenker zu rutschen, und Adina fing ihn auf.

»Du könntest mit in meinen Laden kommen«, sagte Rickie, und diesmal gab es keinen Grund, das Angebot auszuschla-gen. Als sie losgingen, hielt der Berliner Asphalt ihren Schrit-ten stand.

Rickies Studio lag in einer Seitenstraße. Die Haustür war vol-ler Graffiti. Früher war hier mal ein Laden gewesen für Müsli, Honig und ätherische Öle. Der Laden war nicht gut gelaufen, weil Lichtenberg damals noch Lichtenberg war, ein Arbeiter-bezirk. »Paar Bauarbeiter haben sich hier ihr Frühstück geholt«, sagte Rickie, »und die wollten Bockwurst und Bier.«

Sie hatte den Laden günstig gemietet und ein Atelier daraus gemacht. Atelier war das Wort, das Rickie benutzte. Es war ein großer, ziemlich leerer Raum im Erdgeschoss mit Fenstern, die zur Straße zeigten. Die Toilette lag auf dem Gang. Hinter einer Milchglastür gab es eine Küche, von der man auf einen Hinterhof gelangte, und weil das Küchenfenster über einem Wandvorsprung lag, ließ es sich nur mit einer langen Eisenstange öffnen. Im Atelier war Schnur gespannt. Wie eine Wäscheleine verlief sie kreuz und quer unter der Zimmerdecke und war mit Bikinis und Unterröcken, BHs und Nylonstrümpfen bestückt. Neben einer rothaarigen Perücke waren zwei lila Pumps an ihren Riemchen festgeklammert. Adina war noch nie irgendwo gewesen, wo Pumps von der Zimmerdecke hingen.

»Ist das *lagom*?«

Adina hatte sich das Wort gemerkt, weil es dunkel war und vielsagend klang und ihr überhaupt nichts gesagt hatte, wie das manchmal mit Worten war, die hängenblieben.

»Das sind die Reste eines alten Projekts. Politisch, wenn du so willst. Das hat nur kein Mensch begriffen. Aber da bin ich drüber weg«, sagte Rickie. »Das Politische begreifen sie nur, wenn es Mainstream ist. Dann geht niemand ein Risiko ein, die Künstler schon gar nicht, denen werden die Preise nur so in den Arsch geschoben. Aber«, sagte Rickie, »je preisergekrönt, desto durchergefallen.«

Sie brachte Eimer und Tüten in die Küche, und Adina hatte Zeit, sich alles anzusehen. Orangefarbene Wände. Neben der Küchentür drei abgewetzte rote Klappsitze aus einem Kino. Die Mitte des Zimmers nahm ein langer Tapeziertisch ein. Stative standen in einer Ecke, wo ein Futon auf dem Boden lag, der mit Kleidungsstücken überhäuft war. Blusen lagen dort, bestickte Hosen und noch mehr dieser orientalischen Kappen, von denen Rickie immer eine aufzuhaben schien.

»Probier ruhig was an«, sagte Rickie, als sie zurückkam. »Bisschen Verkleidung kann nicht schaden. Verschiebt den

Fokus.« Sie kramte in den Sachen auf dem Futon und zog ein dunkelblaues Hemd hervor. »Das steht dir bestimmt. Ein echtes Unikat. Hätte ich humana gar nicht zugetraut.« Sie hielt es Adina probeweise vor die Brust. »Button-down. Gefällt es dir?«

Das Hemd war seidenweich und wog fast nichts.

»Schenk ich dir. Jetzt brauchst du nur noch den richtigen *bra*.« Sie zog einen Bikini von der Wäscheleine. »Der könnte passen. Hat mal einer Freundin gehört. Oder sagen wir, ich hielt sie für eine. Für eine von uns. Hatte die richtigen Ansichten, die richtigen Texte gelesen, wollte mit dem sexistischen Machtapparat aufräumen, sprach auch öffentlich unsere Sprache. Bisschen pathetisch, bisschen politisch korrekt. Das habe ich leider zu spät bemerkt. Sie legte auch zu beflissen die moralische Haltung des Tages an den Tag mit bisschen viel Talent dafür, mit den Mächtigen zu schmusen, alten Chovis hauptsächlich.« Sie ließ den Bikinibund schnicken. »Sie hat alles getan, um sich zu promoten, bis hin zu alternativen Fakten. Als sie behauptete, das Patenkind eines hohen Tiers in der Politik zu sein, haben ihr alle geglaubt. Der Mann ist tot und konnte die Sache nicht richtigstellen, und die Ehefrau hat sie bedroht, damit die die Klappe hält. Diese falsche Patenschaft hat ihr viel Aufmerksamkeit eingebracht. Niemand zweifelte daran. So frech belogen zu werden, das hält niemand für möglich. Seit sie sich mit dieser Masche eine hohe Auszeichnung erschlichen hat, gehört sie zu den Unantastbaren.«

Auf Rickies Gesicht trat ein seltsamer Ausdruck. Dann drehte sie sich abrupt um.

»Egal. Den brauchen wir nicht.« Sie warf den Bikini achtlos auf den Klamottenberg. »Was ist?«, fragte sie mit einem ungeduldigen Blick auf das Hemd. »Probier es an!«

Adina holte tief Luft. Eben war sie noch allein aus der U-Bahn gestiegen, vor sich einen langen Abend, nachdem sie

es im Unterricht immerhin geschafft hatte, den Mund aufzumachen. Und nun stand sie in einem der mehrstöckigen Häuser, die sie bisher nur von außen kannte, und wollte auf keinen
Fall wieder gehen.

»Jetzt?«

»Klar jetzt.«

Rickie hatte einen Gemüseladen gemietet und ein Atelier
daraus gemacht. Das war ein bisschen so, wie die Vietnamesin
in Harrachov, die den alten Lebensmittelladen übernommen
und einen Asia-Shop daraus gemacht hatte. Aber die Vietnamesin hatte nur die Produkte in den Regalen ausgetauscht.
Rickie hatte den gesamten Laden verwandelt. Sie war eine
Künstlerin. Sie war jemand, die einen mit Kunst in Berührung
brachte.

»Oder hast du Angst, dass ich dir was abgucke?«

»Wie meinst du das?«

»Hast du Angst, dich vor mir auszuziehen?«

Ans Ausziehen hatte Adina gar nicht gedacht. Sie wollte
sich nur nicht verkleiden. Verkleiden hatte sie noch nie gemocht. Obwohl das nicht ganz stimmte. Denn auch wenn sie
sich nicht verkleidet hatte, war sie doch jedes Mal jemand anderes geworden, sobald sie nach *Rio* ging. Sie hatte nur keine
Klamotten dafür gebraucht.

Rickie zuliebe zog sie das Hemd an. Der Stoff war kühl und
weich, und als sie noch überlegte, ob sie es in die Hose steckten sollte, stellte Rickie zwei Stühle in die Mitte des Zimmers.
Sie setzte sich rittlings auf den einen und wollte, dass Adina
sich ihr gegenübersetzte.

»Probehalber.«

Die Bitte war nicht kompliziert. Es hätte nicht schwer sein
sollen, sich auf einen Stuhl zu setzen. Und doch war es, als
hätte sie unter Rickies Augen diesen einfachen Bewegungs-
ablauf verlernt.

Hastig ließ sie sich auf den Stuhl fallen.

»Sehr gut«, sagte Rickie. »Vergiss die Kamera. Guck einfach nur mich an.«

Bevor Rickie ernsthaft mit dem Fotografieren begann, entzündete sie Salbei in einem Tongefäß, der das Studio nach einer Weile mit einem scharfen, herben Geruch erfüllte.

Als Adina spät in ihr Zimmer im Hostel zurückkehrte, umgab sie noch immer der Salbeigeruch. Er war überall, in den Klamotten, in den Haaren, selbst auf der Haut. Sie war salbeigetränkt, als hätte sie darin gebadet.

Von nun an wollte Rickie sie jeden Tag sehen. Adina, die nachmittags in der Lobby herumgegangen, am öffentlichen Computer gesurft oder mit versprengten Backpackern immer gleiche Gespräche geführt hatte über billige Tickets und angesagte Orte und abends auf dem Bett lag und sich selbst Vokabeln abfragte, machte die Aussicht, mehr Zeit in Rickies Laden zu verbringen, froh. Schon morgens beim Aufstehen freute sie sich auf den Nachmittag.

Wenn sie vom Sprachkurs kam, setzte sie sich an ihre Hausaufgaben, übte Passivkonstruktionen und Relativsätze. *Das Kind, das sich verlaufen hat, wird von der Polizei gesucht.* Dann steckte sie die Hefte in den Rucksack und bereitete ihre Anziehsachen für den nächsten Morgen vor. Sie hängte die Hose und das Oberteil ordentlich über die Stuhllehne, wie sie es seit frühester Kindheit gewohnt war. Dann ging sie zu Rickie. Sie überquerte den Platz mit der Blutbuche, die kleiner geworden zu sein schien. Und obwohl sie es eilig hatte, hielt sie jedes Mal kurz an, um einen Blick auf die Leute an den Gartentischen zu werfen. Es waren immer dieselben, schwäbischer Wohlstand, wie sie jetzt wusste.

Rickie legte Wert darauf, vor Einbruch der Dämmerung anzufangen. Das blasser werdende Licht fiel durch die großen, schmutzigen Fenster und verschwamm mit dem Orange im

Raum, das nicht eigentlich Licht war. Es sah wie schwebende Materie aus. Rickie zog die Vorhänge zu und schaltete zwei Strahler an, die das Orange aus verschiedenen Richtungen attackierten.

Am Anfang wusste Adina nicht, wo sie hingucken sollte. Sie wusste nicht, wie sie ihren Kopf drehen oder den Arm halten sollte, bis Rickie auf sie zutrat, die oberen Hemdknöpfe öffnete und das Hemd sanft über die Schultern schob. »Lass uns deine schönen definierten Oberarme sehen.«

»Wie werden sie denn definiert?«

»Das sagt man so. Wenn kein Fettgewebe auf den Muskeln ist.«

»Ich dachte, definieren kann man nur Begriffe.«

Ihre Schultern und ihr Hals lagen frei, weil Rickie das so wollte, und als Rickies Hände einen Moment dort blieben, warm und fest, löste sich die Spannung.

»Woraus, denkst du, sind deine Oberarme denn gemacht, wenn nicht aus Begriffen?«

Kein Mensch hatte sie je so berührt. Ein leichter Druck, dann waren die Hände wieder weg. Das schwarze Hemd und ihre Lederweste hatte Rickie ausgezogen. Beim Arbeiten trug sie nur ein Rippenhemd über den bestickten Hosen und eine ihrer Spiegelkappen. Ihre Brust war flach. Sie hatte fast keinen Busen, und Adina dachte, dass Rickie die Bikinis an der Wäscheleine nie selber trug. Sie waren viel zu groß. Ein Bikini hätte an Rickie ausgesehen wie eine zu tief gerutschte Brille.

»Du glaubst mir nicht?«, fragte Rickie.

»Doch.«

»Und warum lachst du dann?«

Sie lachte, weil Rickie im Bikini komisch ausgesehen hätte.

»Du fühlst dich doch nicht ausgenutzt.«

Da lachte sie, weil es nichts gab, was an ihr auszunutzen gewesen wäre.

»Ernsthaft«, sagte Rickie. »Wieso bist du mitgekommen?«

»Weil du gesagt hast –«

»Was?«

»Ich soll dir helfen. *You and I* hast du gesagt –«

»Nein, Darling. So können wir nicht weitermachen. Das musst du schon genauer wissen.«

»Ich bin eine Forscherin«, sagte Adina bestimmt. »Eine Forscherin auf Expedition.«

»Und in mir erforschst du unbekanntes Terrain?«

»Genau. Die meisten kennen ja nur ihr eigenes Terrain.«

»Stimmt.« Rickies Miene hellte sich auf. »Und nicht einmal das.«

Adina kam es vor, als würde sie ein bisschen schweben. Lichtschwaden hüllten sie ein, und Rickies Stimme war da, die sie mal lobte, mal etwas fragte, mal ermahnte und aufforderte, bei der Sache zu bleiben, nicht zu zappeln.

»Was ist los?« Rickie kam hinter der Kamera hervor. »Stört dich was? Ich bin's bloß, entspann dich.«

»Ich hab so was noch nie gemacht.«

»Was? Modell sitzen?«

»Ja.«

Rickie hängte eine silberne Scheibe auf, die wie ein Sprung-tuch aussah. »Hättest du das gewollt?«

»Ich weiß nicht. Nein. In *Rio* wollte ich nur immer, dass sie mich sehen können.«

»Du warst schon in Brasilien?«

»Nein, am Computer, beim Chatten. Da wusste keiner, wie ich aussehe. Die meisten im Chatroom kannten nur meinen Namen, aber der war nicht richtig. Also richtig war er schon, nur in der Schule hätte mich niemand so genannt.«

»Wie hätten sie dich denn nennen sollen?«

»In *Rio* war ich der letzte Mohikaner. Aber meistens haben sie kleiner Mohikaner gesagt.«

»Süß.« Rickie schaute sie zwischen ihren erhobenen Armen hindurch an. Ihr Blick schien zu sagen: Na also! Da pulsiert doch was in diesem Gebirgskind, hinter dieser böhmischen Stirn.

»Meine Mutter wollte mir eine Kamera schenken. Aber dann hat sie ihre Arbeit verloren.«

Rickie fixierte einen Punkt hinter Adinas Kopf. »Der letzte Mohikaner? Und niemand hat ihn je gesehen?«

»Nein.«

»Das ist schade.«

»Als meine Mutter wieder Arbeit hatte, hat das Geld nicht gereicht. Es war nur ein Job im Zlatá Vyhlídka. Das heißt auf Deutsch Goldene Aussicht, ein Wellnesshotel mit Palmen am Eingang. Da sitzt sie nachts an der Rezeption. Und sie ist kein Nachtmensch«, sagte Adina. »Sie braucht das Tageslicht. Meine Mutter will es ganz hell haben beim Arbeiten. Als Designerin, da braucht sie es hell, weil sie ohne Licht nicht sieht, was sie zeichnet. Die Röcke und Blusen, die wollen die Leute ja auch im Hellen tragen. Ich meine, die müssen nach was aussehen. Aber ich finde, nachts ist es auch schön. Und es ist gar nicht dunkel, weil der Schnee leuchtet.«

Sie hatte sich verheddert. Die deutschen Worte fügten sich nicht. Statt zu sagen, was sie wollte, sagte sie das Wenige, was sie zu sagen vermochte, was aber mehr der Logik der fremden Sprache als ihren Gedanken zu folgen schien.

»Der Schnee bringt alles zum Leuchten«, fügte sie hinzu, als hätte sie genau das sagen wollen. »Und wenn man dann rausgeht, nachts, und es ist richtig kalt, dann sind die Sterne ganz nah.«

Rickie hantierte an einer Lampe.

»Dann ist das ganze große Universum um einen herum *Rio*«, sagte Adina und fasste wieder Vertrauen zu ihrem Deutsch. »Als würde man zum Leben erweckt werden. So wie jetzt.«

»Im Gegenteil.« Rickie sah auf. »Ich glaube, du musst sterben.«

»Was? Wieso sterben? Wie meinst du das? Du musst sterben?«

»*Not I*«, sagte Rickie. »*You*! Du bist gemeint.« Auf ihrem Gesicht lag nicht die Spur von Ironie.

Adina wurde heiß. »Womit gemeint?«

»Sag mal, hörst du mir nicht zu?«

»Doch.« Sie kam sich lächerlich vor. Sie hatte alles falsch verstanden. *Rio*, das Zlatá Vyhlídka, ihre Mutter. Für jemanden wie Rickie musste das albern sein. Rickie, die coole Sachen sagte, Sachen wie *taff, aber tapfer* oder *Du musst sterben*. Vielleicht sagte man das in dieser Stadt. Oder es war nur Rickie, die so redete, weil sie die Sprache verwendete, wie sie wollte, und nicht wie alle anderen.

»Soll ich's dir auf Englisch sagen?«

»Nein!«

»Darling«, sagte Rickie. »Das Problem ist, dass du dich versteckst. Und das schon viel zu lange.«

»Aber ich verstecke mich nicht.«

»Das seh ich anders.«

»Vor wem soll ich mich denn verstecken?«

»Was weiß ich!« Aufgebracht fummelte Rickie an ihrer Kamera herum. »Woher soll ich das wissen?«

»Aber du hast mich angesprochen«, sagte Adina und spürte, wie ihr der Schweiß ausbrach. »Im Café. Wenn ich mich verstecken würde, hättest du mich nicht gesehen.«

»Was spielt es für eine Rolle, vor wem ihr euch versteckt?«, sagte Rickie zu ihrer Kamera. »Die Tatsache, *dass* ihr euch versteckt, ist schlimm genug.«

Die Strahler waren heiß, und der Schweiß kitzelte unter dem Hemd. Sie hatte nichts, um ihn abzuwischen.

»Wieso muss ich sterben, wenn ich mich verstecke?«

»Weil du dein Versteck sonst nie verlässt«, sagte Rickie. »Weil du nicht mal eine Ahnung hast, dass du dich in einem Versteck befindest.« Sie machte ein Foto. »Du bist zu jung.« Um das Foto zu machen, musste sie nicht durch den Sucher sehen. Sie schaute einfach Adina an. »Wenn du nicht so jung wärst, würde dir das Sterben nicht so leicht über die Lippen gehen.«

»Du hast damit angefangen!«

»Adina-Alexina-Darling«, sagte Rickie. »Kein Mensch wird nackt geboren. Du bist schon gekleidet, bevor du überhaupt da bist. Man hat dich angezogen, bevor du dir selbst was zum Anziehen raussuchen kannst. Und so geht es weiter bis ins Grab, wo du immer noch bekleidet hinkommst. Deine Sprache ist deine Kleidung. Du bist schon in Worte *gedressed*, wenn du noch als Fisch im Teich schwimmst, sie sitzen wie angegossen, sehr gut, kaum spürbar, weil sie Flachnähte haben, also quasi deine Haut, deine Bewegungen, deine Launen sind. Nur wenn du Glück hast, irrsinniges Glück, stellst du fest, dass andere Worte, Worte, die dir eigentlich verboten sind, viel besser passen würden. Und das triggert was. Plötzlich hast du eine Ahnung, das vage Gefühl, dass es noch etwas anderes gibt, eine mannigfaltige Welt. Nur deshalb hast du mich gefunden, Adina-Alexina. Weil du eine Welt witterst, in der das Grinsen ohne die Katze herumlungert. Der gewöhnliche Mensch will das nicht. Das macht ihm Angst. Der gewöhnliche Mensch träumt lieber davon, noch einmal in den Wald zu gehen und den Nadelboden zu riechen wie als Kind. Die Sterne zum Greifen nah. Noch einmal den unschuldigen Blick. Als hätte es den je gegeben. Kein Kind hat je einen unschuldigen Blick gehabt.«

»Woher weißt du das?«

»Wer sagt, dass ich das weiß?«

»Na du.«

»Was, wenn es nicht stimmt?«

Aber Rickie wusste einfach alles.

Die Strahler brauchte sie für den Effekt. Der Effekt war stark. Das war schon auf den ersten Fotos zu sehen, die sie sich einige Tage später anschauten. Adina erkannte sich nicht wieder. Eine weiße Unschärfe, das war ihr Gesicht. Im Hemd steckte ein Körper, der bei den Aufnahmen verborgen gewesen war, jedenfalls hatte Adina das geglaubt. Der Körper sah verwaschen aus und war nicht ihrer. Das war nicht der Körper, den sie an sich oder um sich herum spürte, oder wie immer man dazu sagen sollte. Sie war es, die auf dem Stuhl vor der Kamera gesessen hatte, mit dem Körper, den sie an sich oder um sich spürte, und nun war es ein anderer. Oder vielmehr sah es aus, als wären mehrere über- und ineinandergelegt worden.

»*Lagom*«, sagte Rickie. »Da haben wir was richtig gemacht, *you and I*. Genauso wollen die das.« Damit waren die Käufer gemeint, Kunstinteressierte, Galeristen, auf die Rickie zählte und die kurz davor standen, nach Lichtenberg zu ziehen und ihre Galerien aufzumachen, oder wen immer Rickie damit meinte, bei ihr wusste man das nie so genau. »Gentrifizierung muss nicht immer nur scheiße sein.«

Als Adina den Kopf hob, saßen drei Frauen auf den Kinositzen.

Es war ein Donnerstag. Jeden Donnerstag wurden die Vokabeln kontrolliert, und Adina war gut vorbereitet gewesen und hatte bis auf eine alle gewusst. Nach dem Kurs war sie wie immer zu Rickie gegangen, nervöser als sonst, weil sie ausgemacht hatten, sich die Fotos anzuschauen. Endlich würde sie sehen, was Rickie sah. Nach den langen Sitzungen der vergangenen Tage würde sie sich mit Rickies Augen sehen. Von Zuschauern oder Gästen war nicht die Rede gewesen.

Ihr erster Impuls war es, wieder auf den Bildschirm zu schauen. Sie schaute auf ihr Foto, auf dem sie mehrfach vorhanden war. Aber die Frauen verschwanden nicht. Sie saßen wortlos auf den Kinositzen, als wären sie im Multiplex. Hatten eine Karte gekauft, waren hereingekommen und warteten darauf, dass der Film begann. Eine von ihnen trug eine große schwarze Sonnenbrille.

Alle drei Frauen schauten sie an.

Rickie schien nichts zu bemerken. Sie rief das nächste Foto auf. Sie zoomte auf zweihundert und schob die Aufnahme in starker Vergrößerung auf dem Bildschirm hin und her.

»Tja«, sagte sie. »Das trifft es noch nicht ganz. Da müssen wir noch mal ran.«

Die Frauen waren unbemerkt hereingekommen. Sie trugen ärmellose schwarze Kleider und saßen da, als gehörten sie hierher. Eine spielte mit einem Faden am Saum ihres Kleides und riss ihn dann ab. Keine sagte ein Wort.

»Schlechtes Timing«, sagte Rickie da, ohne vom Foto aufzusehen. »Hatten wir nicht gesagt, um acht? Adina und ich müssen erst eine Auswahl treffen. Stimmt doch, Darling«, sagte Rickie. »Punkt acht.«

Rickie bekam keine Antwort. Die Frauen hatten die Unterarme auf die Lehnen gelegt und saßen reglos wie die Salzsäulen. Auf Rickies Gesicht lag die Andeutung eines Lächelns. Als wüsste sie, wie Adina sich fühlte, weil von dem, was heute um acht angeblich stattfand, nie die Rede gewesen war.

Da schob die Frau in der Mitte die Sonnenbrille in ihr straff zurückgekämmtes Haar. »Ich explodiere vor Lachen«, sagte sie. »Wie lange geht das schon?«

Adina brauchte einen Moment, um zu begreifen, dass die Frau mit ihr sprach. Sie redete sehr deutlich. Sie sprach die Worte aus, als stünden sie einzeln auf einem leeren Höhenzug.

»Was?«

»Euer Tête-à-Tête.«

Adina sah zu Rickie, aber Rickie klickte ein Foto an.

»Sie meinen die Testaufnahmen?«

»Testaufnahmen!« Die Frau hatte stahlgraue Augen. »Was für eine ausgesuchte Untertreibung. Hasst du sie?«

»Wen?«

»Rickie.«

»Warum?«

»Weil Rickie mit dir macht, was sie will. Sie macht mit jedem ihrer Mädchen, was sie will.«

»Ich bin nicht ihr Mädchen.«

Jetzt lachte die Frau wirklich, sie lachte laut und unbändig, sie explodierte vor Lachen. »Dann hat sie dir also nicht gesagt, dass du das Grinsen ohne die Katze suchst?«

Auch aus den anderen brach jetzt schallendes Gelächter.

»Das reicht, Mädels«, sagte Rickie ruhig. »Ihr seid zu früh. Bis acht könnt ihr die Küche belagern. Ein Stück Decke müsste noch gestrichen werden. Wo der Kaffee steht, wisst ihr. Merlot ist auch da, falls ihr vom Lachen durstig seid.«

Die Frauen standen auf.

»Ich verurteile nicht den Kult der Lüste«, sagte die mit der Sonnenbrille hoheitsvoll beim Hinausgehen. »Ich beklage das Vulgäre.«

»Mach das.«

Rickie schloss hinter ihnen die Küchentür.

»Entschuldige. Ich hätte dich warnen sollen.« Die Kühle und Gleichgültigkeit, die Rickie vor den Frauen zur Schau gestellt hatte, waren verschwunden. Sie warf einen gespielt verzweifelten Blick an die Decke. »So sind sie, meine guten Freundinnen. Aber sie machen phantastisches Eis. Schwarze Vanille. Honig mit Safran, alles eigene Rezepturen. Sie haben eine Eismanufaktur drüben im Prenzlauer Berg. Und sie sind meine schärfsten Kritikerinnen.«

»Bleiben die hier?«

»Keine Sorge«, sagte Rickie. »Dir tun sie nichts.«

Im Laden war es dunkler geworden. Die Sonne war hinter dem Dach des gegenüberliegenden Hauses verschwunden, und die Bäume vor dem Fenster ließen das Abendlicht schattig werden. Aus der Küche war kein Ton zu hören. Es war, als wären die Frauen nie dagewesen. Adina ging zum Stuhl, auf dem ihre Jacke und der Rucksack lagen. Sie hoffte, Rickie würde ihr nachkommen und sie vom Gehen abhalten, damit sie mit den Fotos weitermachen konnten, nur sie beide, wie zuvor. Die Frauen mussten durch die Hintertür vom Hof hereingekommen sein. Durch diese Tür konnten sie auch wieder verschwinden.

Dann fiel ihr ein, dass Rickie mit denen, *die das so wollen,* die Frauen in den schwarzen Kleidern gemeint haben konnte, ihre schärfsten Kritikerinnen. Sie konnten die Fotos bestellt haben. Vielleicht wollten sie die Wände ihrer Eismanufaktur damit schmücken. Das Fotografieren wäre dann nicht länger eine Sache zwischen ihr und Rickie. Andere würden die Fotos sehen, Fremde, die sich ein Eis kauften, Honig und Safran, unzählige der Hunderttausenden Menschen in Berlin. Und obwohl sie auf den Fotos kaum erkennbar war, war sie doch auf eine Weise abgebildet, in der man sich nur geben konnte, wenn man jemandem vertraute. Sie vertraute Rickie, aber so wollte sie das nicht.

Sie drehte sich um, aber da stand Rickie schon vor ihr.

»Ich muss dir etwas gestehen.« Rickie legte ihr die Hände an die Oberarme. »Ich hätte es gleich tun sollen. Aber ich hatte Angst, dich zu erschrecken. Du siehst ja, wie ich aussehe.«

Rickie trug das Rippenshirt und die bestickten Hosen. Sie hatte dasselbe klare Gesicht wie immer, senkrechte Linien in den Wangen. Ihre Augen waren grün im Licht, das durch die Fenster fiel.

»Ich habe Sex mit Frauen.«

»Mit allen dreien?«

»Nicht mit denen. Mit Frauen, die ich fotografiere. Die Hände sehen, was die Augen nicht sehen.« Rickie hielt ihre Oberarme fest, als wollten sie sie nie wieder loslassen. »Ein Körper ist etwas Abstraktes. Ich muss ihn anfassen, um ihn aus dem Versteck zu locken.«

Vor dem Fenster standen Platanen. Ihre Stämme waren hell gemasert. Adina musste bisher so auf die graffitibesprühte Tür fixiert gewesen sein, dass sie die Platanen und das vom Laub gesiebte Licht, das auf den Gehweg fiel, nicht wahrgenommen hatte.

»*Fuck!*«, rief Rickie.

Aber Adina hatte sich schon losgemacht. Sie hatte die Hände abgeschüttelt, war darunter durchgetaucht und zum Computer gegangen. Sie war schnell. Sie erreichte den Tapeziertisch vor Rickie.

»Mach das nicht!«

Auf dem Bildschirm war noch das Foto zu sehen, das sie sich zuletzt angeschaut hatten, ihr scheu zur Seite gewandtes Gesicht.

»Willst du mir weh tun?«

Wangen, Nase und Kinn waren verschwommen, zu unscharf, um mit ihrem Gesicht, mit Adinas Gesicht in Einklang gebracht zu werden. Es sah aus, als würde sich ihr Gesicht auflösen, als wäre es verrutscht. Aber wenn es das war, wenn das die Wirklichkeit ihres Gesichts war, sein wahrer Ausdruck, ein Gesicht, das über die Ränder floss, das die Umrisse von Knochen und Haut durchbrach, dann war Rickie in der Lage, etwas zum Vorschein zu bringen, was niemand sah, nicht einmal Adina, obwohl sie es geahnt hatte.

»*Don't freak out!*«, sagte Rickie. »Mit dir ist das komplett was anderes. Du bist wie ich. Glaub mir. Wir sind uns zu ähnlich, *you and I*!«

Das Foto auf dem Bildschirm war stark vergrößert. Und nach all der Aufregung, nach dem plötzlichen Auftauchen der Eisfrauen und dem Gefühl, nicht eingeweiht worden zu sein, ausgeschlossen zu werden, wurde Adina ruhig. In aller Ruhe betrachtete sie das Bild. Es ging nicht darum, angeschaut zu werden, auch nicht darum, fotografiert zu werden. Sondern es ging darum, gesehen zu werden. Sie wusste, um wen es sich bei dem Foto auf dem Bildschirm handelte. Das war ganz deutlich. Rickie war in der Lage, hinter der Aufhängung ihres Gesichts, hinter Haut, Knochen und Schädel den letzten Mohikaner zum Vorschein zu bringen.

»Hör mal«, sagte Rickie. »Erotik funktioniert nicht über Ähnlichkeit.«

Und wenn das stimmte, wenn es wirklich so war, wenn Rickie den letzten Mohikaner tatsächlich hervorholen konnte, wenn sie ihn aus der Kindheit hinüberretten konnte, ihn hierher nach Berlin holte und zum ersten Mal überhaupt sichtbar machte und so bewies, dass er mehr als eine Vorstellung war, dann war das ein Wunder. Das war Hexerei, die man nicht mit Salbei vertreiben konnte. Dann war Rickie der wichtigste Mensch, der ihr je begegnet war.

»Ich bin nicht wie die Typen, glaub mir«, sagte Rickie. »Die meisten Frauen haben nur kein Gespür für sich. Sie reißen sich die Klamotten vom Leib, um etwas zu spüren. Aber auch ein nackter Körper ist ein maskierter Körper. Niemand begreift, dass es nicht die Klamotten sind, die es abzulegen gilt.«

Rickies Rippenshirt war hochgerutscht und gab ein Stück Bauch frei.

»Dieser Frauenscheiß ist mir egal«, sagte Adina.

»Frauenscheiß?«

»Ich muss jetzt gehen.«

»Darling.« Rickie machte einen Schritt auf sie zu.

Adina setzte ihren Rucksack auf. Sie empfand dasselbe, was sie schon ganz am Anfang empfunden hatte, unter der Blutbuche beim Chai Latte; Rickie war zu viel. Sie wollte zurück ins Hostel, in ihr Zimmer mit den zwei Doppelstockbetten. Sie hatte Sehnsucht nach ihrem grünen Pullover.

»Was soll heute um acht stattfinden?«, sagte sie an der Tür.

»Um acht?«

»Was du zu deinen Freundinnen gesagt hast.«

»Ach«, sagte Rickie. »Das können wir canceln, das muss nicht heute sein.«

»Was denn?«

»Schlaf drüber«, sagte Rickie. »Nimm dir Zeit.«

»Sag's mir.«

»Komm morgen wieder, Adina-Darling.«

»Ich gehe erst, wenn du es mir sagst.«

»Sieh an.«

Der Ausdruck in Rickies Gesicht veränderte sich. Ein Schimmer trat in ihre Augen. Ihr ganzer Körper schien zu sagen, ich weiß, du möchtest gehen, aber du kannst nicht. Einfach so, das schaffst du nicht, Adina-Darling. Du möchtest, dass ich dich in den Arm nehme. Dass ich dich festhalte. Weil du etwas Schönes gesehen hast, etwas, das uns verbindet. Nur kann ich das nicht machen, weil du sonst denkst, ich würde über dich herfallen.

Und so war es. Rickie hatte recht. Jemand wie sie besaß feine Antennen. Mit einer Art Radar fing sie Echos aus der Umgebung ein, Gefühlsechos, ehe sie den anderen überhaupt bewusst waren. In ihrem Gehirn bildete sie ein Schallbild der Wirklichkeit aus, hatte Rickie gesagt, und mit jeder Bewegung bewegte sie sich zugleich in diesem Bild. Jemand wie Rickie machte das, weil es sie sonst zu viel Zeit kosten würde, sich zu orientieren. Das Umfeld, in dem sie lebte, war nicht für sie geschaffen. In der gewöhnlichen Sprache kam sie nicht vor.

Vor allem aber machten Menschen wie Rickie das, um einander zu erkennen.

Adina versuchte, sich innerlich abzuschotten. Ich werfe kein Echo, dachte sie, wusste aber, dass es Unsinn war. Noch die kleinste seelische Regung hatte ein Echo. Adina wusste auch, dass die Seele hinter den Augen lag. Also drehte sie den Kopf weg und sah zu den Platanen.

Aus der Küche klang Gelächter.

»Hat das, was heute Abend passiert, mit dem Versteck zu tun?«, fragte sie schließlich. »Wenn es mit dem Versteck zu tun hat, bleib ich hier.«

»Gut.«

Sie schauten sich keine Fotos mehr an. Sie hörten mit dem Sichten auf. Sie fotografierten nicht mehr und beschlossen, die Bilder noch niemandem zu zeigen. Ihre Entdeckung behielt Adina für sich. Sie war zu neu und zu überraschend, und sie war sich zu unsicher und schämte sich auch ein bisschen, denn vielleicht hatte sie sich getäuscht. Es war möglich, dass Rickie etwas ganz anderes auf diesem Foto sah. Und überhaupt würde sie nur darüber sprechen können, wenn sie mit Rickie allein war.

Die Frauen brachten Rotwein aus der Küche mit. Sie öffneten die Fenster und stellten Flaschen und Gläser auf den Boden. Es waren fünf Gläser. Dann machten sie sich ans Aufräumen. Sie räumten den Tapeziertisch ab, rückten Kameras und Stative zur Seite und legten auch die Fotomappen weg. Sie stapelten die Mappen in einem Karton, bevor sie den Computer vom Tapeziertisch nahmen, auf dem das Bild des letzten Mohikaners noch zu sehen war. Aber sie klappten den Computer zu, ohne das Bild zu beachten.

Sie nahmen die Wäscheleine ab und warfen Perücke, BHs und Pumps in einen großen Korb. Sie arbeiteten routiniert, und während des Aufräumens unterhielten sie sich. Sie redeten so leidenschaftlich, wie sie vorher geschwiegen hatten. Ihr Tonfall war schroff und abweisend wie die Straßen. Aber sie waren im Begriff, Adina bei sich aufzunehmen. Das bewiesen die fünf Gläser.

Sie redeten nicht über Fotos oder die Herstellung von Speiseeis. Sie redeten über Politik und ein Buch, das kürzlich erschienen war, und dann gerieten sie in einen Streit. Bei dem Buch handelte es sich um das Manifest einer Wissenschaftlerin, die vor einem Bürgerkrieg in Europa warnte, und eine der Frauen berichtete von Protesten und Demos und Sit-ins, an denen sie teilgenommen hatte und an denen in Zukunft alle teilnehmen sollten.

»Ganz richtig«, sagte Rickie, die sich auf den Futon gesetzt hatte, als wollte sie ihre Spiegelkappen vor dem Untergang retten, »trotz ökonomischen und technologischen Fortschritts ist Deutschland immer noch Sklave eines historischen und institutionellen Sexismus.«

»Quatsch nicht, hilf lieber«, sagte die Frau mit der Sonnenbrille.

»Laut Statistik gibt es unter deutschen CEOs mehr Männer mit dem Vornamen Thomas als Frauen.«

»Sobald du in der Hierarchie ein bisschen über den Durchschnitt gehst«, sagte eine andere, die ihr Haar mit einem Lederband zurückgebunden hatte, »findest du weiße Männer mittleren Alters, denen ihre Frauen die Hausarbeit machen.«

Die Frau mit der Sonnenbrille lachte. »Und Rickie sitzt rum und benimmt sich wie ein Kerl.«

»Betonung auf ›wie‹«, sagte Rickie.

In der Mitte des Tapeziertisches wurde ein Netz gespannt.

»Mit einem Mann essen zu gehen«, sagte die Frau mit dem Lederband, »ist jedesmal eine Enttäuschung. Man kriegt garantiert das kleinere Stück Fleisch. Mit Rickie kriege ich auch das kleinere Stück, weil die Kellner auf die Haarlänge program-

miert sind. Ich sehe nicht ein, mir deswegen die Haare abzu-
schneiden. Aber ich mach jedes Mal ein Fass auf.« Sie war
zierlich und sah nicht so aus, als würde sie riesige Stücke
Fleisch verdrücken. »Und neulich im Theater traf mich der
Schlag. Immer noch dieselbe nackte Frau auf der Bühne und
zur Krönung des Abends die gute alte Vergewaltigung. Steuer-
finanzierte Frauenfeindlichkeit und das seit wie vielen Jahrzehnten?«

»Ich liebe das Theater zu sehr, um noch ins Theater zu gehen«, sagte Rickie.

Die Frau mit der Sonnenbrille hörte mit dem Räumen auf.
»Und die Bundeskanzlerin?«, fragte sie. »Ist sie nicht ein Beweis dafür, dass man nicht nur als Ossi in der westdeutschen
Politik was werden kann, sondern auch als Frau in einer Män-
nerwelt? Eine Frau, die die Quantenphysik beherrscht, behauptet sich unter lauter Chovis und konservativen Anwälten.«

»Ja, aber was macht die Führerin Europas, ach, der gesamten demokratischen Welt? Sie setzt alle Anstrengung daran, in
der Politik die Aufmerksamkeit von der Tatsache abzuziehen,
dass sie kein Mann ist.«

»Klappt nur nicht, die versuchte Blendung.«

»Davon verstehst du nichts«, fuhr die Frau mit der Sonnenbrille Rickie an, die noch immer auf dem Futon saß. »Merkel
folgt einem Pragmatismus, den nur besitzt, wer sein Leben
schon früh nicht nach Gesichtspunkten der Selbstverwirk-
lichung, sondern gegen die Angst eingerichtet hat. Sie schreibt
das Wort *ich* nicht in Großbuchstaben.«

Rickie machte eine wegwerfende Handbewegung, entgeg-
nete aber nichts.

Aus dem Tapeziertisch war eine Tischtennisplatte geworden. Drei Tischtennisschläger lagen auf der einen, zwei auf der
anderen Seite. Pickelkellen mit Gumminoppen, wie sie ihre

Mitschüler früher an der Steinplatte hinter der Schule benutzt hatten. In Rickies Laden waren diese Kellen Kult. Retro, nannten die Frauen das.

Vor den geöffneten Fenstern lief eine Gruppe Touristen vorbei. Sie würden Rickies Laden für ein Fitnessstudio oder einen Tischtennisclub halten. Für die Leute auf der Straße gehörte Adina zu diesem Club dazu.

»Wir spielen bloß Tischtennis?«

»Frag Kyrill«, sagte Rickie und zeigte auf die Frau mit der Sonnenbrille.

»Was heißt bloß?«, sagte Kyrill.

»Ich dachte, wir machen irgendetwas anderes«, sagte Adina. »Rickie hat was von einem Versteck gesagt.«

Die Frauen standen zu dritt am anderen Ende der Platte und schauten sich an.

»Normalerweise wählt Rickie ihre Mädchen mit Sorgfalt aus. Oder sie stellt sie uns lieber gar nicht erst vor«, sagte die Frau mit dem Lederband. »Aber du«, sagte sie zu Adina, »du bist ja vielleicht ein Herzchen.«

»Bisschen prosaisch«, sagte die Dritte der Frauen. »In einer Sache nur die Sache selbst zu sehen, ist prosaisch.«

»Oder sehr jung«, schlug Rickie vor und stand vom Futon auf.

»Wie alt bist du?«

»Ich bin ein Kind der Samtenen Revolution.« Darauf war Adina stolz.

Die Frauen schauten sie an.

»*West is best!* Das stand in meiner Kindheit an jeder Fassade. Vorher stand da *Für Frieden und Sozialismus!*«

Die Frauen schauten sie immer noch an, als hätten sie Schwierigkeiten, sie zu verstehen. Nur Kyrill lächelte.

»Als ich geboren wurde, gab es die ČSSR noch. Die tschechoslowakische sozialistische Republik ist untergegangen, als ich noch klein war«, erklärte Adina. »Ich wuchs im Niemandsland des Systemwechsels auf. Also bin ich ein echtes Revolutionskind.«

Das Niemandsland war nur in ihrem Kopf. Für die Revolution war sie zu klein gewesen. Aber sie erinnerte sich an den Schriftsteller, der Präsident gewesen war. Mit einem Schriftstellerpräsidenten war das Leben wie ein Buch, und in einem Buch starben die Menschen nicht wirklich. Nur eine Revolution brachte Menschenleben in Gefahr, weil Panzer durch die Fußgängerzone rollten wie am 29. Dezember auf den gelbstichigen Bildern im Fernsehen. Jedes Jahr am 29. Dezember hatte sie lange aufbleiben dürfen. Ihre Mutter hatte die Schicht getauscht und Mandarinen in der Dose gekauft, und sie hatten es sich auf dem Sofa gemütlich gemacht und dem Präsidenten zugeschaut, der in Großaufnahme ein Podest auf dem Wenzelsplatz erklomm, Sohn der Bourgeoisie, der das Land ins Herz Europas zurückführen wollte, wo es vor dem Zweiten Weltkrieg schon einmal gewesen war. In Adinas kindlicher Vorstellung war das so, als kehrten die Löwenköpfe auf magische Weise an die Stuhlbeine zurück.

Ihre Mutter war auf dem Wenzelsplatz dabei gewesen. Jedes Jahr suchte sie sich in der Menge, überzeugt, dass eine Kamera sie eingefangen hatte, und wenn ihr Finger an den Screen stieß, sah es aus, als rührte sie die Menschen auf dem Wenzelsplatz um. Die Bilder wurden jedes Jahr älter, und ihre Mutter entdeckte sich nie. Aber sie hatte mitgeholfen, Prag zurückzuerobern, die Straßen und Plätze ihrer Stadt, ohne dass sich Panzerrohre auf sie gerichtet hatten wie 1968. Gemeinsam hatten die Menschen das Regime, das diese Panzer dreißig Jahre lang befehligt hatte, innerhalb von zehn Tagen hinweggefegt. Egal, was danach passiert war, wie drogenabhängig der Schriftstellerpräsident wurde, wie groß das Gefälle zwischen dem, was ihre Mutter früher und was sie jetzt verdiente; diese Tage und Nächte schweißten alle, die sie erlebt hatten, für immer zusammen.

»Meine Mutter war dabei, als der Staat gestürzt wurde.«

»Na kiek mal einer, schau«, sagte die mit dem Lederband. »Offiziell ist sie erwachsen.«

»Bist du ganz alleine hier?«

Adina hatte das Gefühl, die Frauen missverstanden sie absichtlich.

»Und deine Eltern? Machen die sich keine Sorgen?«

Die ganze Zeit hatten sie über Politik geredet, aber die Revolution und der Umsturz und das Land, aus dem sie kam, schien sie nicht zu interessieren. Überhaupt schienen sie sich wenig zu interessieren, interessierten sich nicht dafür, was Ricki an diesem Abend vorgehabt hatte. Jedenfalls hatte das alles wenig damit zu tun, und Adina ärgerte sich, dass sie nicht gegangen war.

»Vater unbekannt«, sagte sie knapp.

»Einer von *diesen* Helden!« Die Frau mit dem Lederband ließ den Tischtennisball auf die Platte drippeln.

»Schluss mit dem Geschwalle.« Rickie griff nach einer Kelle. »Ihr habt die Angabe. Kyrill?«

Sie waren zu fünft, also mussten sie rennen. Sie rannten gegen den Uhrzeigersinn. Die Frauen waren geübt. Sie schnitten die Bälle an, setzten die Schläge präzise, holten aus und schmetterten. Adina hatte lange nicht gespielt. Sie war nicht besonders gut. Aber sie hielt mit, und ihr gelangen ein paar schnelle Bälle. Sie war nicht irgendein Mädchen. Sie war auch nicht zu jung. Sie hatte eine Revolution erlebt, sie war den Eisfrauen um eine echte Revolution voraus. Zweimal schaffte sie es bis zum Entscheidungsmatch, das sie allerdings verlor. Einmal gegen Rickie, einmal gegen Kyrill, die so betont sprach, dass alles wie eine Formel klang. Kyrill spielte aggressiv. Während Rickie weich konterte, nahm sie keine Rücksicht. Hart feuerte sie die Bälle übers Netz. Bei der Angabe ging sie leicht in die Knie und spielte den Ball so tief, dass er das Netz beinahe streifte. Und Adina, die ihn annehmen musste, flog raus.

»Der hat noch geleckt.«

»Was?«

»Der Ball hat die Platte noch gestreift.«

»Wir leben nie dort, wo wir sind. Unsere Wirklichkeit liegt außerhalb von uns«, sagte Kyrill. »Das Selbst ist wirklich. Aber das Selbst bin nicht ich. Bist nicht du.« Sie zeigte mit dem Schläger auf Adina. »Es ist ein Blinzeln, die Wahrnehmung einer Empfindung, die verfliegt.«

»Aber wer oder was nimmt wahr, wer empfindet?«, sagte die Frau mit dem Lederband.

»Ich meinte nur, dass er noch geleckt hat.«

Kyrill drehte sich zu den anderen um. »Sollten wir uns nicht ein bisschen um sie kümmern?«

»Nicht nötig!« Rickie hob abwehrend die Hände. »Das ist meine Sache. Mischt euch da nicht ein.« Sie wurde aber ignoriert, und Kyrill trat so unmissverständlich auf Adina zu, dass sie gezwungen war, rückwärts zu gehen. Sie stieß mit dem Rücken gegen die Wand. »Aufpassen!« Sie standen voreinander, die harte Frau mit der Sonnenbrille und sie, die nicht wusste, wo sie hinschauen sollte, und auf den Ausschnitt im schwarzen Kleid sah, in dem sich die Brust hob und senkte.

»Tausende wie du warten hier auf ihren großen Schicksalsmoment. Das weißt du, oder. Das weiß sie doch hoffentlich?«, sagte Kyrill streng zu Rickie. »Das hast du ihr doch klargemacht? Und du?«, fragte sie Adina. »Was willst du hier?«

Ein kleines Lächeln in ihren unnachgiebigen Zügen schien anzudeuten, dass sie es nicht ganz ernst meinte, auch das war nur ein Spiel, eine Art verlängertes Tischtennis. Sicher war das allerdings nicht.

»Ich werde Geowissenschaftlerin.«

»Ha!«, rief Kyrill, schien aber zufrieden. Doch nach kurzem Zögern fügte sie hinzu: »Hältst du das denn aus? Den Assimilationsdruck? Den inneren Druck, anzukommen, dich anpassen zu müssen, die Codes der Fremde so schnell wie möglich zu beherrschen? Es gibt Tausende wie dich, denen niemand gesagt hat, dass auch Deutsche, ein gutes Drittel von ihnen, als Migranten im eigenen Land leben und das seit zwanzig Jahren.«

Sie sprach langsam, als wäre Adina begriffsstutzig, eine begriffsstutzige Ausländerin.

»Denkst du, Rickies Mädchen haben es leichter?«

»Wieso?«

»Bist du Rickies neues Mädchen oder nicht?«

»Das habe ich Ihnen doch schon gesagt.«

»Stimmt. *Das* hast du schon gesagt. Wir leben vor dem Horizont des Wiederholungszwangs. Fällt dir nichts anderes ein?«

Niemand ging dazwischen, auch Rickie nicht. Es war, als hätte Rickie Kyrill gegenüber an Macht verloren.

»Warum soll ich mir was ausdenken, wenn es stimmt«, sagte Adina eingeschüchtert und überlegte fieberhaft, wie sie dem Gespräch entkommen konnte. »Das mit den Frauen hat Rickie mir erklärt. Aber mit uns ist das was anderes.«

»Was denn?«

Unter dem Blick der strengen grauen Augen hätte Adina gern das Richtige gesagt.

»Sprich, Mädchen!«, sagte die mit dem Lederband.

»Auf einem der Fotos hat Rickie mich –«

»Es gibt Tausende Rickies«, unterbrach Kyrill sie schroff.

Adinas Mund wurde trocken. »Ich muss los«, murmelte sie und versuchte, sich an Kyrill vorbeizuschlängeln. »Ich muss noch für meinen Sprachkurs lernen.«

Kyrill hielt sie fest. »Habt ihr gehört? Sie lernt sprechen.«

»Ich meine, für den Deutschkurs. Ich lerne Deutsch.«

»Sprechen kannst du schon?«

Hilfesuchend sah Adina an Kyrill vorbei zu Rickie. »*Umím mluvit jako Hurvínek a Spejbl.* Das würden Sie aber nicht verstehen.«

»Es ist höflich von dir, uns zu siezen«, sagte Kyrill, »aber unnötig.«

Rickie stand am Netz und ließ langsam und zärtlich eine Hand über die Platte des Tapeziertischs gleiten, der jetzt eine Tischtennisplatte war. Die Platanen vor dem Fenster rauschten. Das Rauschen war gewaltig. Adina hatte das Gefühl, darin verlorenzugehen.

Sie sah Rickies zärtliche Hand auf der Platte und kämpfte gegen das Rauschen an. Aber es wurde nur tiefer, ein Sog den sie kannte, den sie schon einmal empfunden hatte, als Kind, eines Tages an einem Strand der polnischen Ostsee. Damals war sie das erste Mal von zu Hause weg gewesen, für eine Woche, in einem Feriencamp. Und danach hatte nichts mehr gestimmt. Jede Nacht hatte ihr das Herz mit hektischen Schlägen die Luft abgedrückt. An diesem Tag an der Ostsee war sie um ihr Leben gerannt, quer über den Strand auf die Dünen zu. Sie hatte die Dünen schon erreicht, als die Häscher sie einholten. Sie warfen sie ins scharfkantige Schilf, packten sie an Hand- und Fußgelenken und schleppten sie ans Ufer zurück. Vor den Füßen des Campleiters ließen sie sie fallen. Der Campleiter trug ein Fischernetz über der behaarten Brust. Auf seinem Kopf saß eine mit Algen und Tang bestückte Krone, in der Hand hielt er einen Dreizack aus Pappe. Ein grüner Tischtennisball steckte in seinem Mund, weshalb er nicht zu verstehen war. Eine Gruppenleiterin übersetzte sein Gebrüll. Die Häscher zwangen sie vor ihm auf die Knie. Als sie sich weigerte, stellte der Campleiter ihr seinen sandigen Fuß auf den Nacken. Das Ritual ging weiter. Die Häscher fingen andere Kinder aus der Gruppe ein, Jungen und Mädchen, die Neptun die Füße küssen sollten. Die Kinder ergaben sich, jedes einzelne von ihnen. Sie riefen Neptuns Namen und küssten ihm die grünen Füße, und als der Campleiter Adina eine Alge ins Gesicht klatschte, weil sie versucht hatte, den Fuß in ihrem Nacken abzuschütteln, lachten sie. Erst ganz zum Schluss, als alle schon unter Wasser gestukt worden waren und den Sud aus Milch, Salz, Essig und Senf getrunken hatten, setzte man auch sie in die Wanne mit den lebenden Quallen. Man hielt ihr die Nase zu, um ihr den Sud einzuflößen, *schlucken!* und drückte ihren Kopf unter Wasser. Das war die Taufe, wie die anderen das nannten, die sie zu einer von Neptuns Nixen machte, ob sie wollte oder nicht.

Rickie lächelte. Sie war nicht mehr Rickie. Sie war bloß eine Frau an einer Tischtennisplatte, die Rickie ähnlich sah.

»Ich bin kein Scheißmädchen.«

»Kiek mal einer, schau«, sagte die mit dem Lederband. »Geht doch.«

»Die Sprache erzählt uns, wer wir sind«, sagte Kyrill, die jetzt einen milderen Ton anschlug. »Sie gaukelt uns vor, wir wären wirklich. Wir wären, was wir sind, woher wir kommen. Dabei sind wir nur das Blinzeln einer Empfindung, die verfliegt.«

Kyrill fixierte sie. Sie betrachtete Adina wie eine Röntgenaufnahme, als könnte sie Wut und Schmerz genau verfolgen, weil sie als rote Striche ins Röntgenbild eingezeichnet waren.

Mitten in dieses ungleiche Kräftemessen hinein sagte Rickie: »Es reicht. Adina, Darling, vergib ihr. Sie war früher in der Pionierorganisation. Da ist was schiefgelaufen, und das lässt sich nicht mehr korrigieren.«

»Darauf herumzureiten«, sagte Kyrill, ohne den Blick von Adina zu nehmen, »ist nicht im Sinne des Erfinders.«

Rickie ließ das kalt. »Man kann das Mädchen aus der Diktatur holen, aber die Diktatur nicht aus dem Mädchen.«

»Nur weil ein Zusammenhang darstellbar ist, muss es ihn nicht geben.«

186

»Nelken für den Sozialismus!«

Während dieses kurzen, scharfen Schlagabtauschs waren die anderen still.

»Die Verwurzelung des Menschen ist eine Metapher«, sagte Kyrill eindringlich zu Adina, langsam und deutlich, wie um sicherzugehen, dass Adina jedes Wort verstand. »Die einzigen Wurzeln, die wir Menschen besitzen, stecken im Mund. Wozu sind Wurzeln gut, wenn man sie nicht mitnehmen kann.«

»Kyrill hat recht«, sagte Rickie und löste sich von der Platte. »Wir verehren sie.«

Da wandte sich Kyrill abrupt ab.

»Wenn du sie wirklich ins Herz geschlossen hast, Rickie, dann behandle sie nicht länger wie eine Unmündige. Da draußen wird niemand geschont.«

Das Spiel ging weiter.

Die Frauen rannten um die Platte, schnippelten und schmetterten. Adina lehnte wie betäubt an der Wand. Die Frauen, das Spiel, der ganze Laden verschwammen ihr vor Augen. Aber Kyrill, so furchteinflößend sie war, hatte etwas gesagt, das sie gern besser verstanden hätte. Vor Aufregung hatte sie nicht richtig zugehört, und zu fragen hätte sie sich nie getraut. Worum es ging, entzog sich ihr, und Rickie war die Letzte, die irgendetwas erklären würde. Rickie mit ihrer bunten Kappe. Rickie, die aussah wie ein junger Priester. Sie spielte eine geschnippelte Rückhand. Der Ball kam knapp hinterm Netz auf, und weil Kyrill zu langsam reagierte, schied sie aus.

»Falscher Acker!«

»Vergiss es, Kyrill«, sagte Rickie. »Du bist raus.«

Für einen Moment waren nur die Autos auf der Straße zu hören.

»Raus!«, schrie Rickie plötzlich. An ihrem Hals trat eine Ader hervor. Die Stimmung war umgeschlagen.

»Raus«, schrie sie. »Raus, raus, raus, raus!«

Schweigend ging Kyrill zu den Kinositzen. Beim Hinsetzen fuhr sie sich mit einer Hand über die Augen. Obwohl sie es nicht langsam tat, lief die Bewegung wie verzögert ab.

»Jetzt weißt du, wie das ist«, sagte Rickie in die Stille.

Als Kyrill die Hand herunternahm, wirkte sie erschöpft.

»Im Gegensatz zu euch weiß ich das schon lange.«

»Ja«, sagte Rickie, »du bist uns wie immer in deinem Wissen voraus.«

»Nein, Rickie. Abgerichteten und verzwergten Tieren wie mir muss man erst mal Hauswirtschaft und Arbeitstugend beibringen.«

Rickie starrte sie an.

»Sag bloß, das weißt du nicht? Liest du keine Zeitung? Das stand in der FAZ. Ein bekannter bundesdeutscher Pädagoge empfahl diese Erziehungsmethode für alle ostdeutschen Frauen. Im Wortlaut«, sagte Kyrill. »1991. Als massenhaft ostdeutsche Frauen ihre Arbeit verloren, weil sich die Steinzeitmenschen im Westen weibliche Bauingenieure, Informatiker, Busfahrer oder Zahnärzte schlicht nicht vorstellen konnten. Also erzähl mir nichts vom Draußensein.«

Vor dem Laden manövrierte ein Auto in eine Parklücke. Das Fenster stand offen. Adina ging hinüber und beugte sich weit hinaus. Es kam ihr vor, als wäre der Sauerstoff aus dem Raum gesaugt geworden.

Draußen hing ein Kind in einem Stahlreifen, der als Klettergerüst diente. Es drehte sich, und Adina schaute zu, bis ihr schwindlig wurde. Und in dieser Unschärfe, in dieser leichten Verschwommenheit des Schwindels musste sie sich eingestehen, dass sie nicht dazugehörte. Weder zu Rickie noch zu Kyrill, sie gehörte nicht in diesen Laden.

In so kurzer Zeit in einer so riesigen Stadt einen Menschen zu finden, der wichtig war, war nicht sehr wahrscheinlich. Und wenn Rickie wirklich wichtig wäre, der wichtigste Mensch, der ihr je begegnet war, durften die, die Rickie wichtig waren, für sie nicht unwichtig oder ihr sogar unheimlich sein.

Die Frauen spielten weiter. Der Streit schien beendet, es war, als hätte er nie stattgefunden. Vielleicht machte es ihnen nichts aus, sich zu streiten, weil sie sich schon so lange kannten. Aber Kyrill schien in der DDR aufgewachsen zu sein und Rickie nicht. Sie konnten sich frühestens vor sechzehn oder siebzehn Jahren kennengelernt haben, denn so lange lag das, was Sozialismus genannt wurde, zurück. Aber auch dann entsprach es fast der Länge eines ganzen Lebens, Adinas Lebens.

Erwachsen wirkten sie nicht. Erwachsene wären nie auf die Idee gekommen, dass man nicht die sein sollte, die man war. Jeder Mensch hatte Wurzeln, kam irgendwoher. Es gab eine Mutter und einen Vater, auch wenn es ihn nicht gab, und die hatten Mütter und Väter, an denen man wie an unsichtbaren Fäden hing. Aber für Kyrill gab es Gründe, das in Zweifel zu ziehen.

Was schwerer wog, war das Foto. Außerhalb *Rios* hatte nie jemand den Mohikaner entdeckt. Es war unmöglich, Adina und Mohikaner gleichzeitig zu sein. *Rio* war der einzige Ort, an dem ein Name das Geheimnis des einen Lebens im anderen offenbarte. Rickie aber hatte den Mohikaner schon auf einem der ersten Bilder zum Vorschein gebracht. Sie hatte etwas geahnt, bevor sie es wusste, oder es nicht einmal geahnt, denn es war nicht ausgemacht, hatte keine Zeit gegeben, festzustellen, ob Rickie dasselbe auf dem Foto sah. Aber wenn Rickies Radar die Schallwellen von Gefühlen einfing, dann auch die des kleinen Mohikaners, von dem sich nicht sagen ließ, wessen Gefühle er fühlte, wer er eigentlich war, Adina und nicht Adina, außer dass er keine Einbildung war, keine muskulöse Phantasie. Er besaß Muskeln, sie waren definiert. Er hatte eine fest umrissene, spürbare Gestalt. Nur die Sprache reichte nicht dafür.

Sie hätte Rickie gern gefragt.

Aber Rickie war ins Spiel vertieft. Kyrill nahm fast jeden ihrer Bälle mit einem Schmettern an. Zu hören waren nur das Aufprallen des Balls, das Quietschen der Schuhe, und manchmal ein Schrei. Und obwohl sie spielten wie Kinder, machten sie nicht den Eindruck, je Kinder gewesen zu sein. Das konnte daran liegen, dass sie zu alt waren, mindestens dreißig. Der Abstand zur Kindheit war zu groß. Vielleicht hatten sie vergessen, woher sie kamen. Bei Adina merkte man das schon am Akzent. Sie kam von woanders. Und wenn sie sich anstrengte und es ihr gelang, ein Wort akzentfrei auszusprechen, klang es künstlich wie bei der Bahnhofsansage. Woher sie kommen sollte, wenn sie nicht von woanders kam, hatte sie sich allerdings noch nie überlegt. Und in Berlin kamen alle von woanders.

Ihre Kindheit konnte sie jederzeit in die Waagschale werfen. Eine einzige klare Ansage, und sie hätte jede Menge zu erzählen gehabt. Von *Rio*. Von einem blauen Škoda und ihren Expeditionen auf die Labská louka, dieses zugige Hochplateau, das den Namen Wiese nicht verdiente.

Ihr Deutsch hätte ausgereicht.

Es hätte gereicht, um vom Mann an der Benzinpumpe zu erzählen, der die beiden Tanksäulen bediente, immer in Latzhose, aus deren Brusttasche die roten Backen einer Gelenkzange ragten. Jahrelang hatte er ihrer Großmutter das Auto kostenlos betankt. Wegen ihm war ihre Großmutter noch Auto gefahren, als sie es schon nicht mehr gut konnte. Bevor sie den Lada den Berg hinunter zur Benzinpumpe am Ortseingang steuerte, machte sie sich die Haare und sprühte sie fest, weshalb es im Auto immer ein bisschen nach Haarspray roch. Der Mann an der Benzinpumpe redete nicht mit ihr. Er sagte nie ein Wort. Er klinkte die Zapfpistole aus der Säule, schob sie langsam in die Tanköffnung und schaute ihre Großmutter an. Meistens schaute er auf ihren ondulierten Kopf.

Ihre Großmutter glaubte, ein Knistern zu hören, wenn die eckigen Zahlen auf der Anzeige durchklackerten. Er kassierte nie ab. Ihre Großmutter hatte Umsonst-Benzin getankt, bis an der Benzinpumpe eines Tages die Werbung einer amerikanischen Zigarettenmarke hing. In stillem Einvernehmen hatten ihre Großmutter und der Mann in der Latzhose den Sozialismus ruiniert. »Vergiss das nie«, hatte ihre Mutter immer mal wieder gesagt, »der Systemwechsel geht auch auf die Kappe meiner Mutter, deiner Oma!«

Auch mit ihrem Urgroßvater hätte Adina angeben können, der Stuhlbeine absägte, um den Möbeln die Bourgeoisie auszutreiben. Oder mit Ronny, dem Snowboarder mit Borsten auf der Oberlippe, der wegen ihr an einen Liftmast geknallt war. Sie hätte erzählen können, dass sie der letzte Teenager im ganzen Dorf gewesen war; Nachfahrin eines Partisans. Das musste in dieser Großstadt so retro sein wie Pickelkellen.

»Einsatz!«, sagte Rickie.

Sie erzählte das alles nicht. Kyrill hatte Gründe, den Nutzen von Wurzeln in Zweifel zu ziehen. Und niemand der anderen fragte.

Am Ende dieses langen Abends, bevor Rickies Freundinnen den Laden verließen, steckte die Frau mit dem Lederband Rickie einen Geldschein zu. Sie tat es schnell und halb hinter der Ladentür verborgen. Es war ein großer Schein, hundert oder zweihundert Euro, die Rickie unter der flachen Hand in der Hosentasche verschwinden ließ. Beim Abschied küsste Rickie die Frau mit dem Lederband auf den Mund. Kyrill gab sie die Hand und stand dann da im schwachen Licht der Straßenlaternen. Sie nahm Adina nicht in den Arm, berührte nur flüchtig ihre Schulter, und die Stickerei auf ihren Hosen verschwamm mit dem Graffiti der Tür.

Nach diesem Abend machten sie nicht mehr so viele Fotos. Sie trafen sich auch nicht mehr jeden Nachmittag. Rickie hatte

einen großen Auftrag angenommen und nur noch am Wochenende Zeit, und als der Oktober fast vorbei war und Adina sich
auf den Multiple-Choice-Test vorbereitete, auf den Essay, den
sie auf Deutsch verfassen sollte, und für die Prüfung in verstehendem Hören lernte, hatte auch sie keine Zeit mehr. Aber
an den seltenen Tagen, an denen sie in Rickies Laden ging, war
alles wie immer. Das schwebende orangefarbene Licht, Rickies
Hände auf ihren Schultern, die inzwischen vertrauter waren,
ihre knappen Anweisungen, ihr ermunterndes Lachen. Und
statt Rickie nach all dem zu fragen, was ihr im Kopf herum-
ging, wenn sie abends unter der mit Mückenleichen übersäten
Decke in ihrem Doppelstockbett lag, ließ sie sich fallen, hinein
in Rickies schützende Anwesenheit.

»Wer oder was nimmt wahr, wer empfindet?«

Diese Frage kam ihr manchmal in den Sinn.

Auch Anfang November, in einem Fahrstuhl, schoss ihr
diese Frage durch den Kopf, als sie eine kurze, grundlose
Panik befiel, die sie nach dem Schweizer Messer in der Hosentasche greifen ließ, das dort war, sicher und warm wie ihr eigener Körper, ein rotes Klappmesser an einer Metallkette, die
mit einem Karabiner an einer Gürtelschlaufe ihrer Jeans befestigt war, nach dem sie griff, als hätte sie ein Hauch gestreift, ein
kalter Wind. Der Junge, der mit ihr im Fahrstuhl war, lächelte.
Er lächelte sie an.

»Wer empfindet?«

Der Fahrstuhl brachte sie weg aus Berlin. Sie wollte nicht
weg. Sie wollte wenigstens bis Weihnachten bleiben, bis Rickie
ein großes Fest in ihrem Laden gab. Auf diesem Fest wollten
sie die Fotos zum ersten Mal zeigen, auch das Foto mit dem
Mohikaner, das Rickie bisher noch nicht einmal ausgedruckt
hatte. Immer war etwas dazwischengekommen, und als sie
endlich in einem Copyshop in der Nähe von Rickies Laden
verabredet waren, um eine ganze Serie auf hochwertigem Papier

ausdrucken zu lassen, eine Serie, in die auch das Bild mit dem Mohikaner gehörte, hatte es wieder Streit mit Kyrill gegeben, und nach solchen Streits war Rickie tagelang nicht ansprechbar. Die Vorhänge in ihrem Laden blieben geschlossen.

An diesem Tag, an dem kein Klopfen, Rufen oder Klingeln half, war Adina alleine Eis essen gegangen in die Manufaktur, die Rickie und Kyrill gemeinsam gehört hatte und jetzt nur noch Kyrill gehörte, was Rickies Unzuverlässigkeit geschuldet war, ihrer Schlampigkeit, wie die Frau mit dem Lederband sagte, ehe sie eine extra Kugel Safraneis in Adinas Waffel drückte, und Adina keinen Grund sah, ihr zu glauben.

Der Junge lächelte ihr aufmunternd zu. Dann betätigte er einen Knopf auf der Schaltleiste, und unwiderruflich schloss sich die Tür. Die Tür eines Fahrstuhls, den sie mit einundzwanzig betrat und erst mit zweiundzwanzig und in einer anderen Region der Welt wieder verlassen hat, in einer Gegend, in der das Klima so unwirtlich ist, dass sich die Fenster nur einen Spaltbreit öffnen lassen.

In der Zwischenzeit war es dunkel. Als wäre der Fahrstuhl zwischen den Etagen hängengeblieben. Die Kabine stockt, ruckt wieder an, sackt ab und bleibt hängen, während das Licht ausgeht. So könnte es gewesen sein. Sie war weg, obwohl sie noch da war. Wie damals im Bus, der nur wegen ihr noch nach Harrachov fuhr. Sie zog den Kopf ein, und es sah aus, als hätte sie aufgehört zu existieren. Hätte. Könnte. Konjunktiv. In diesem Fahrstuhl war es eine klare schutzlose Abwesenheit.

So etwas gibt es nicht.

Ein Mensch kann nicht fünfeinhalb Monate lang nicht existieren, als wären diese Monate einfach aus dem Leben gestrichen.

Niemand ist vorübergehend tot.

Die blaue Frau ist nicht aufgetaucht. Ihr Platz bei den Birken ist seit Tagen verwaist.

Sie ist mir nichts schuldig. Woher sie kommt, wohin sie geht, darüber gibt sie keine Rechenschaft.

Der Weg durch die Unterführung endet auf einem Plateau. Von dort ist die Bucht gut zu überblicken. Im Osten säumen Speichertürme und Hochhäuser das gegenüberliegende Ufer. Im Westen wird der Hafen von einem Schrottplatz begrenzt. Ein Zaun trennt ihn von der dreispurigen Straße.

Die blaue Frau hat sich nie angekündigt, nie Versprechungen gemacht.

Es hat keinen Sinn, sie zu suchen.

Teil 3 *(Haus an der Oder)*

Leben, das uns durchlebt und zu Fremden
macht, das unser Gesicht erfindet und abträgt.
Octavio Paz

Das Gutshaus stand allein an einem Zulauf der Oder. Diesseits des Grabens war das Ufer deutsch. Die Überschwemmungswiesen auf der anderen Seite waren polnisch. Beidseitig trat der Wassergraben über die Ufer.

Säulen trugen das Dach über dem Eingang des herrschaftlichen Hauses, gekrönt von zwei Schafsköpfen. Hinter dem Haus, wo sich ein überdachter Betonplatz und eine verwitterte Scheune befanden, begannen Äcker, die lange nicht bewirtschaftet worden und von Unkraut überwuchert waren. Mäusebussarde segelten über Erlen und Haselsträucher im kalten Wind, der Adina unter die Jacke blies, als sie aus dem Barkas stieg. In der Luft hing der Geruch nach Holzfeuer. Nach einem Spätsommer und einem halben Herbst in Berlin umgab sie wieder nichts als Land.

Lustlos schulterte sie den Rucksack. Das Gras unter ihren Schritten war trocken und hart. Laub faulte am Wegrand. Es war, als wäre sie zurück zu Hause, in Harrachov, wo der Putz von den unsanierten Häusern bröckelte, schwarz von Ruß und Regen. Am Gutshaus waren große Stücke der Fassade abgebrochen. Wasser spritzte aus einer zerborstenen Regenrinne. Nur die rechte Gutshaushälfte war instand gesetzt. Dort hingen schwere Fensterläden. Ebenerdig führte ein Erker auf eine kleine Terrasse.

Das Anwesen gehörte einem von Rickies Kunden. Er stammte aus dieser Gegend. Er gehörte zu den wenigen Unternehmern, die in der grenznahen Oder-Region der Uckermark investierten. Vor einigen Jahren hatte er an einem See in der Nähe ein Ferienresort eröffnet und Rickie ein paar Kunstdrucke abgekauft, Deko, wie sie abschätzig gesagt hatte, *seich-*

tes Zeug für Leute, die ein Vermögen haben, aber nicht das Vermögen, in sich hineinzuschauen. Für das Gut bekam er Fördermittel. Die Landesregierung unterstützte den Umbau der Gebäude zu einer Kultureinrichtung; die Förderung des Kulturaustausches an der Schwelle zu Osteuropa passte zur politischen Agenda. Soviel wusste sie von Rickie.

»Wenn das mal alles ist«, hatte der Junge gesagt, mit dem sie in Berlin über das Parkdeck gelaufen und in einen alten weißen Barkas gestiegen war. »Das war mal 'n Nachwuchskader, wetten? Sohn aus einem alten, kommunistischen Geschlecht.«

Der Junge hieß Ira. Er war dünn und drahtig, und auf seinem nackenlangen Haar saß eine Baseballkappe, die ihm den Anschein von Draufgängertum gab; ein behütetes Draufgängertum. Auf dem Schirm der Kappe stand *Harte Männer essen keinen Honig. Sie kauen BIENEN!*

Der Junge hatte den Motor angelassen und das Radio eingeschaltet, und dann waren sie aus Berlin heraus und über die Autobahn gefahren und später durch Dörfer, deren Namen alle auf OW endeten. Passow, Casekow, Tantow.

»Trotzdem ein okayer Typ. Mit der Welt auf Augenhöhe.«

Auf einer Brücke standen Männer in Arbeitskleidung. Autos hielten am Straßenrand. Es waren deutsche Autos. Die Männer auf der Brücke traten an die geöffneten Wagenfenster und stiegen nach einem kurzen Wortwechsel ein.

»Das ist der Polenstrich«, sagte Ira so, wie er zuvor gesagt hatte, das ist das Untere Odertal oder das sind die Sommerdeiche. »Die Leute flicken dir das Dach oder heben einen Brunnen aus. Die sind so billig, dass du mehrere gleichzeitig beschäftigen kannst.«

»O weh!« Sie verzog das Gesicht.

Aber Ira kapierte nicht, was sie daran komisch fand. Sie war die mit der slawischen Herkunft, die osteuropäische Praktikantin, die helfen sollte beim Kulturaustausch zwischen Ost und West, von der Solidarität mit ihren Landsleuten erwartet wurde und kein dummer Kommentar.

Das Praktikum war Rickies Idee gewesen. Adina brauchte Geld, und Rickie war der Unternehmer eingefallen, der große Pläne hatte und junge Leute suchte, die tatendurstig und belastbar waren. Beim Abschied stand sie lächelnd in der Tür ihres Ladens. »Zu Weihnachten setzt du dich in einen Regionalzug und kommst uns besuchen.«

Das Honorar war nicht üppig. Aber Essen und Wohnen waren kostenlos, und Adina konnte sparen. Sie würde das Geld ins Geheimfach in der unteren Innentasche des 50-Liter-Rucksacks stecken, bis genug da wäre, um sich zum Aufbaukurs anzumelden und das Sprachdiplom zu machen. Dann wäre der Weg an die Universität frei. Sie wusste schon, an welche Uni sie wollte. Sie wollte zurück nach Berlin.

In der ersten Nacht wachte sie häufig auf. Das massive Eisenbett quietschte bei jeder Bewegung, die Matratze war durchgelegen. Ihr Zimmer lag im unsanierten Gebäudetrakt, die Tapete war feucht und voller Wasserflecken. Vor dem Fenster stand eine alte Laterne, in deren schmiedeeisernem Gehäuse sich Käfer an Fäden erdrosselt hatten, die seit dem Sommer dort zu hängen schienen. Sie klebten in einer dichten, grauweißen Wabe, die von der Glühbirne zum Gehäusedach reichte. Die Laterne flackerte manchmal, sprang aber nicht an.

Am nächsten Morgen hing Nebel über den Poldern. Das Haus mit seinen vielen Fluren, Treppen und Durchgangszimmern verwirrte sie. Sie brauchte eine Weile, ehe sie Ira in einem Büro im Erdgeschoss fand. Zusammen gingen sie die Arbeiten durch, die zu erledigen waren. Eine Pinnwand musste zusammengesteckt und aufgehängt werden. Stapelweise Flyer, frisch aus dem Druck, die eine Institution bewarben, die es noch nicht gab, lagen verschnürt in einem Karton.

Sie mussten ausgepackt, sortiert, gefaltet, eingetütet und frankiert werden.

Insgesamt taten sie an diesem Tag nicht viel. Ira hockte sich auf die Tischkante und erzählte ihr von der Zukunft, die er ohne jeden Zweifel vor sich sah. In zwei Jahren würde er seinen Abschluss an der Universität in Frankfurt (Oder) machen. Damit würde er sich unter mehreren großen Kanzleien die beste aussuchen können, heiraten und zwei Kinder zeugen, ein Mädchen und einen Jungen und zwar in dieser Reihenfolge. Für den Jungen würde er den Sex auf den Tag des Eisprungs legen, beim Mädchen war es komplizierter. Da musste man es dem Zufall überlassen. Das war allerdings die einzige Unwägbarkeit in seiner Planung. Aufwachsen würden die Kinder in einem Eigenheim mit Pool und Carport, bestmöglich gelegen zwischen Oder und Autobahnanschluss nach Berlin. Er schaute über Adina hinweg auf sein zukünftiges Leben und verschwendete keinen Gedanken daran, dass er nicht den Erfolg haben könnte, den ihm das Studium des Europäischen Wirtschaftsrechts, die stabile Ehe geschäftstüchtiger Eltern und sein Gespür für Männer, die mit der Welt auf Augenhöhe waren, versprachen. Dann verschwand er, um ein Buch mit dem Titel *Goldenes Land* weiterzulesen.

Sie packte aus. Sie räumte den Inhalt ihres Rucksacks in einen billigen Schrank, womit sie schnell fertig war.

Morgens, wenn Ira an der Uni war, saß sie allein im Büro. Es war still bis auf das Polnisch der Handwerker draußen und das Schlagen einer losen Bauplane am Haus. Der Chef tauchte erst mittags auf. Er lief in einer Wattejacke über den oberen Flur. Einmal sah sie ihn Zigarillo rauchend bei den Handwerkern stehen, ein andermal schleppte er Tapetenrollen durch die Eingangshalle. Was er den Morgen über machte, wusste auch Ira nicht. Das Haus war groß. Auf der Rückseite gab es zwei weitere Eingangstüren, eine dritte führte in einen weitläufigen

Keller mit Gittern vor den Fenstern, wo sich Fitnessgeräte, Werkzeuge und Vorräte befanden. Das Geschehen auf der einen Seite des Hauses bekam man auf der anderen nicht mit. Sie tütete Flyer ein, sortierte Rechnungen, schrieb Zahlen in ein Buch. Die Zeit wurde ihr lang, und sie begann, sich umzuschauen. Sie streife durch die Flure, öffnete die Schubladen verzogener Schränke und blätterte durch alte Prospekte, in denen das Gut in früheren Jahrhunderten zu sehen war. Zeichnungen und Schwarzweißfotografien zeigten das Anwesen in unterschiedlichen Entwicklungsstadien. Gebäude und Ställe veränderten sich wie in einem Daumenkino, am deutlichsten der Wuchs der Bäume. Auf der letzten Seite war ein Zeitstrahl abgebildet. Er begann 1770 mit der Gründung des adligen Landsitzes und hörte 1990 mit Restaurierungsmaßnahmen auf, die Ortsansässige an den verfallenen Gebäuden vorgenommen hatten. »Ausbesserungen am Dach des Seitenflügels unter Aufsicht des ersten demokratisch gewählten Bürgermeisters Gunter Ortler«. In den Gründungsjahren war wenig passiert. Kinder und Pferde waren zur Welt gekommen, die alle ähnliche Namen trugen. Wilhelm oder Friedrich hießen die Kinder, Condé oder Thisbe die Pferde. Im Gegensatz zur Welt der Pferde gab es beim menschlichen Nachwuchs keine Mädchen. Jedenfalls wurden keine erwähnt. Nach Errichtung einer Stele zum Sieg über Napoleon sah das Gut stattlicher aus. Henriette Charlotte Gräfin von Itzenplitz hatte neue Ackerbaumethoden eingeführt. »Besuch der Agrarpionierin und Salondame im Sommer 1810« stand unter der Abbildung einer in einen braunen Gehrock gekleideten Dame mit Hut. Als am 2. Juli 1813 ein Herr von Chamisso auf dem Gut übernachtet hatte, gab es schon Pfauen und Blumenrabatten. 1945 waren die Blumen verschwunden. Lastwagen und Soldaten hatten sie ersetzt, das Gut war Sitz der Sowjetischen Kommandantur geworden. 1951 war die Eröffnung einer Schule vermerkt, und ab 1980 wurden die prächtigen Säle als Trainingslager für Olympiakader der DDR benutzt. Ein Foto zeigte Hanteln und Gewichte auf dem teuren Parkett.

Manchmal vertrieb sich Adina die freien Stunden damit, den Namen Henriette Charlotte Gräfin von Itzenplitz so schnell und so oft wie möglich ohne Versprecher vor sich hinzusagen, während sie den im Boden der Eingangshalle eingelassenen Sowjetstern umrundete. Warum heute jemand ausgerechnet hier würde leben wollen, auf diesem abgelegenen Stück Land, wo Deutschland so groß und reich und so vieles möglich war, leuchtete ihr nicht ein.

Am liebsten saß sie in der Küche mit dem Steinfußboden. Die achteckigen weißen Fliesen erinnerten sie an ihre Großmutter. Im Sommer waren sie schön kühl, im Winter eiskalt gewesen, weshalb ihre Großmutter immer Pantoffeln getragen hatte, wenn sie lange auf den Fliesen stand. In der Gutshausküche schimmerten sie im dünnen Novemberlicht, das durch die Fenster fiel. Zwischen den Fenstern hing ein Zierteller mit Max und Moritz. Auf einem Regal standen Einweckgläser mit Schrauben, Gummis und Streichhölzern, Aluminiumtöpfe stapelten sich in der Spüle. Als Kind hatte sie sich solche Töpfe über den Kopf gestülpt, während ihre Großmutter heiße Johannisbeeren oder Kirschen in die Einweckgläser gefüllt und sie mit zischendem Dampf aus einem Gummischlauch verschlossen hatte, weshalb es im Sommer in der überhitzten Küche immer nach Früchten und heißem Gummi gerochen hatte.

Sie wäre gern hinausgegangen, um den Wassergraben zu erkunden, die Überschwemmungswiesen und die Weiden am Rand des Guts. Aber es gab ein Rudel halbwilder Hunde, die nachts frei herumliefen. Als sie eines Morgens die Haustür geöffnet hatte, standen sie vor ihr und kläfften.

Der Chef hieß Razvan Stein. Er beachtete sie nicht. Er hatte sie angestellt, aber noch kein Wort mit ihr gewechselt, nicht mal ein Hallo zur Begrüßung. Er telefonierte, kümmerte sich um die Handwerker, die damit beschäftigt waren, in einem Betonmischer Mörtel herzustellen, und am frühen Abend sah sie ihn in seinen Barkas steigen. Einmal begegnete sie ihm auf der Treppe. Aber er war in Begleitung eines Fremden und bemerkte sie nicht.

Jeden Morgen saß sie im Büro beim Flyerfalten. Dreimal falten, dreimal mit dem Daumennagel über den Knick streichen, die Falte schärfen, eintüten und Briefmarke drauf. Auf den Flyern war ein ähnlicher Zeitstrahl wie in den Prospekten. Allerdings hörte dieser Zeitstrahl 1945 mit der Enteignung der Adelsfamilie auf und setzte erst 1990 wieder ein. Die Ausbesserungsarbeiten von Ortsansässigen wurden nicht erwähnt. Stattdessen war der Erwerb des Gutes durch einen Stuttgarter Geschäftsmann vermerkt. In den folgenden Jahren hatte es mehrere Besitzerwechsel gegeben, bis am 2. Oktober 2004 das Anwesen mit Hilfe der Landesregierung ins Eigentum des gebürtigen Uckermärkers Razvan Stein übergegangen war.

Nach einer Weile beherrschte Adina das Flyerfalten, ohne hinzusehen. Die Handwerker vor dem Fenster nahmen langsam die Farbe von Mörtel an. Auch ihr Gesicht wurde mörtelgrau. Groß und kritisch starrten ihre Augen sie vom Fenster her an. Die Augen waren ihr von ihrer Großmutter geblieben. Sie hatte den gleichen dunklen, unbeherrschten Blick. Als Kind hatte sie das oft gehört und immer ihren eigenen Blick haben wollen, nicht den einer anderen. Außerdem hatte ihre Großmutter mit ihrem Blick alle irritiert. Sie musterte die Leute mit einer Mischung aus Neugier und Erstaunen, mit einem selbstvergessenen oder seiner selbst nicht bewussten Blick, bei dem die ganze Aufmerksamkeit auf das Gegenüber gerichtet war. Nur war so viel Aufmerksamkeit eben kein Mensch gewöhnt, weshalb ihre Großmutter als unheimlich galt.

Adina klemmte sich die Haare entschlossen hinters Ohr.

Sie fand nicht, dass sie in ihrem Gesicht besonders gut zum Ausdruck kam. Was kein Grund war, übersehen zu werden.

»Ich bin die, die Ihre Werbung faltet«, sagte sie an einem der nächsten Tage zu Razvan Stein. »Ich würde gern mal was anderes machen.«

Der Chef war auf dem Weg nach draußen. Er trug Gummistiefel und eine wattierte Jacke über einem grauen Hemd. Sie stellte sich ihm in den Weg.

»Ach so«, sagte er beim dritten Mal Hingucken. »Du bist die von der Fototante. Die mit dem Ostfimmel.« Und als dämmerte ihm, was sie gerade gesagt hatte, fügte er hinzu: »Dann komm mal mit.«

Sie folgte ihm durch einen Raum, der eine Galerie werden sollte, eine hintere Treppe hinauf in den ersten Stock. Er öffnete die Tür zu einem großen Zimmer, das wohnlicher war als die Büros im Erdgeschoss, mit Balkon und einer ausladenden Ledercouch.

»Wie heißt du?«

»Adina.«

»Ira hat dir alles gezeigt?«

Sie nickte. An der linken Zimmerwand befand sich eine Anrichte aus dunkelbraunem Holz und auf der anderen Seite ein mannshoher Kühlschrank, dem Razvan Stein eine Flasche entnahm.

»Dann holen wir die offizielle Begrüßung jetzt einfach nach, was?« Er hob die Flasche gegen das Licht. »Ein Klassiker aus der Kaiserzeit.«

Er stellte zwei kleine Gläser auf den Couchtisch, schenkte ein und gab ihr ein Glas. Als er gut gelaunt sagte: »Damals hat man die Berliner Weiße noch nicht mit Sirup verpanscht. Da kam guter preußischer Kümmel rein«, lehnte sie ab. Sie lehnte nicht unfreundlich ab, sie hielt sich das Glas sogar an die Lippen. Es war ein süß riechender, durchsichtiger Schnaps.

»Die Feuertaufe kriegen alle meine Angestellten. Oder bist du eine von den Zimperlichen?«

Er ließ sich auf die Couch fallen, in Gummistiefeln und Wattejacke.

»Dann leg mal los.«

Sie sah ihn verständnislos an.

»Erzähl mal. Was schwebt dir denn vor?«

Er wirkte nicht wie ein alter Mann. Er hatte einen kräftigen Körper, dunkle dichte Haare, die Augen ein windiges Grau. Aber als er so alt gewesen war wie sie, hatte er Panzer gesteuert. Er war drei Jahre bei der Volksarmee gewesen, hatte Ira erzählt, hatte sich länger als nötig verpflichtet auf Verlangen des Vaters. Dann war die Mauer, die sein Panzer beschützt hatte, gefallen, und er war in einer Klinik im Westen gewesen, um sich kurieren zu lassen, wie Ira behauptete, anerkennend, weil man nicht oft Leute traf, die sich von einer unzweckmäßig gewordenen Weltsicht kurieren ließen wie von Ausschlag oder Schnupfen.

Kurz vor der Jahrtausendwende war Razvan Stein ins Oderland zurückgekehrt. Er kaufte der Landesregierung das Gut, die Ackerflächen, ein paar Hektar Wald und einige Kilometer Flussufer ab, wofür er von der Landesbank Kredite bekam. Zum Wald gehörte ein See mit mehreren tausend Kubikmetern Wasser. Auch die Fische gehörten ihm. Wenn die Leute aus den Wochenendhäuschen am Ufer einen Bootssteg bauen wollten, mussten sie Miete dafür bezahlen. Als Gegenleistung bot Razvan Stein in seinem Resort, das den Wochenendhäusern gegenüberlag, Motorbootrundfahrten an. Bibersafari. Angelausflüge in der Dämmerung, deren Erlös er der Gemeinde zugutekommen ließ. Ein Mann der Tat, hatte der Junge im Barkas gesagt, der Aufschwung für die verelendeten Landstriche versprach. Früher hatte das Land den Arbeitern und Bauern gehört, dem Volk. Jetzt sah sich Razvan Stein als rechtmäßiger Nachfolger das Erbe zum Wohle des Volkes bewirtschaften. Und er wollte es gestalten. Er wollte das Gestalten nicht den anderen überlassen, nicht den Stuttgartern oder Hamburgern oder Münchnern, denen das Land über Nacht zugefallen war. Sein Gutshaus sollte Synergieeffekte haben für die Einheimischen der gesamten Oder-Region.

Jemanden wie Razvan Stein hatte Adina noch nicht getroffen.

Ein Mann der Tat.

Ein okayer Typ.

Sein Glas war alle, und er goss sich ein zweites ein.

»Ich kann Bilder hängen«, sagte Adina. »Ich kann drei Sprachen und ein bisschen Russisch. Erfahrung habe ich noch nicht so viel –«

»Erfahrung«, unterbrach sie Razvan Stein und ließ seine rechte Hand auf die breite Armlehne fallen. »Die wird schnell wertlos, wenn sich die Verhältnisse ändern.« Am Mittelfinger saß ein Ring, der aufblitzte, als die Sonne den Spalt zwischen den Samtvorhängen traf. »Nicht im volkstümlichen Sinne, klar. Wenn da von Erfahrung die Rede ist, sind zu neunundneunzig Prozent die Gewohnheiten gemeint. Das, was die Leute immer schon so gemacht haben und deshalb nie anders machen werden. Wie Mehltau liegt das auf den Gemütern, und das wollen wir hier nicht.«

Adina nickte. Vor diesem Mann schien alles zu verblassen, Menschen wie die Barkeeper oder der Alte an der Benzinpumpe, sogar ihre Mutter. Im Vergleich zu ihm wirkten sie tatenlos, wie Abwehrer. Sie wehrten die Welt von sich ab, indem sie sie sich schöner träumten, als sie war, und dann verschanzten sie sich in diesem Traum, und weil nichts an sie herankam, fühlten sie sich allem überlegen. Menschen wie ihr Urgroßvater oder Rickie, die die Welt auf sich einprasseln ließen, waren Aufnehmer, genau wie sie selbst. Aber weil das zu viel war, weil man so viel gar nicht aufnehmen konnte, fühlten sie sich häufig unterlegen.

Razvan Stein war mit der Welt auf Augenhöhe.

»Ich bin bereit, mehr als das Übliche zu leisten.«

»Jung und belastbar.« Er nickte zufrieden. »Solche wie dich können wir hier gut gebrauchen.«

Vor dem Hinausgehen fragte sie nach seinen Hunden. Warum die Hunde nachts nicht im Zwinger waren. Sie mochte Hunde, aber sie wollte morgens vor der Arbeit auf die Wiesen.

Razvan Stein kippte den preußischen Kümmel.

»Ein bißchen lustiger musst du noch werden«, sagte er seufzend und stand auf. »Niemand arbeitet gern mit unlustigen Leuten.«

In den folgenden Wochen, als ein Kälteeinbruch das Wasser im Zulauf der Oder erstarren ließ und sich kleine graue Schollen wie Glasstücke am Ufer rieben, was Adina vom Fenster aus sah, hatte Razvan Stein kleine Übersetzungsarbeiten für sie. Er nannte sie Nina, der Einfachheit halber, weil er ihren richtigen Namen nicht im Gedächtnis behielt.

»Nina, wo steckst du?«

Daran musste sie sich erst gewöhnen.

»Nina!«

Sein Ruf schallte durch die Eingangshalle. Sie sollte ihm beim Ausräumen der alten Prospekte helfen, die Ablage sortieren oder handschriftliche Notizen in den Computer tippen. Einmal rief er sie in die Küche, weil Kaffeetassen für die Handwerker fehlten. Bei seltenen Gelegenheiten zeigte er ihr Fotos von Künstlern, die sich um eine Ausstellung bewarben. Dann konnte er damit nichts anfangen. Er mochte Abbildungen, die er wiedererkannte, Landschaften, Städte, Menschen. Dazu konnte er etwas beisteuern, eine Anekdote, eine Erinnerung, historische Fakten. Abstraktionen waren böhmische Dörfer für ihn, ein Witz, den er so lustig fand, dass er ihn in ihrer Anwesenheit gern wiederholte. Bei abstrakten Motiven ließ er sie entscheiden, was ihm außerdem bewies, dass sich seine Investition lohnte und sie bei dieser Rickie etwas gelernt hatte, das brauchbarer war als das Einmaleins des Feminismus.

In der dritten Woche holte er sie zu einem Meeting dazu. »Eine Osteuropäerin im Schlepptau ist der beste Schmierstoff der Welt. Du segelst geschmeidig in die Förderprogramme.« Hinterher war er gut gelaunt. Er freute sich über eine Zusage, ein Versprechen der Landesregierung, noch mal nachzufinanzieren, und lud sie zu einem Tee in der Küche ein. Bei solchen Gelegenheiten trank er Earl Grey, den er lose in einer Teedose im Schrank aufbewahrte. »Gut gemacht, Große. Immer schön die Augen offenhalten. Dann kannst du hiervon profitieren.«

Schließlich fand die erste richtige Ausstellung statt. Zwei polnische Fotografen hatten den Nationalpark Unteres Odertal aufgenommen und jedem Foto ein historisches Bild an die Seite gestellt, das den Fluss als Massengrab im Zweiten Weltkrieg zeigte und als Oder-Neiße-Friedensgrenze. Das Licht fiel ungünstig in den Raum. Über Polder und Deich legten sich die Spiegelbilder der Betrachter. Adina gefiel das. Es war, als ob beim Betrachten der Bilder die Landschaft erst zur Landschaft wurde, weil man sie durchschritt. Die Fotografen wollten aber alles noch einmal umhängen, und sie sollte mit ihnen auf Tschechisch verhandeln. »Polnisch, Tschechisch, das Gleiche in Grün«, wie Razvan Stein aufgeräumt sagte.

Zur Eröffnung spielte die Blaskapelle einer Freiwilligen Feuerwehr. Lokalpolitiker aus Frankfurt (Oder) und Stettin stapften in Lederschuhen und dunklen Anzügen durch den halbgefrorenen Matsch der Baustelle. Sie kamen gern, weniger wegen der Ausstellung als wegen des anschließenden Gelages. Schweinegelage. Schafsgelage. Hinter dem Haus drehten sich über einem Becken mit glühender Kohle ganze gehäutete Tiere am Spieß, der betrieben wurde von einer Autobatterie. Razvan Stein war ein großzügiger Gastgeber. Seine Deftigkeiten waren beliebt, Deftigkeiten, die sich sonst keiner erlaubte, jedenfalls nicht westlich der Oder. Sobald ein Auto vorfuhr, eilte er hinaus. Er ergriff mit beiden Händen die Hand seines Gastes, lobte einen kürzlichen Auftritt, einen Artikel in der *Märkischen Oderzeitung*, erkundigte sich nach Familie und Gesundheit, wobei er die Namen von Ehefrauen und Kindern im Kopf hatte, von Bypässen oder Gelenk-OPs wusste, was dem Gast das Gefühl gab, einander schon lange zu kennen. Dann lotste er seine Gäste durch den Matsch, als wäre er ein roter Teppich.

Für die Delegation des tschechischen Schriftstellerverbandes wurde kein Schnaps, sondern Sekt serviert. Diese Geste hielt Razvan Stein für angemessen gegenüber Menschen, die in seinen Augen eine Kunst beherrschten, der ein unbestimmter weiblicher Zug anhaftete. Die Schriftsteller wollten das Gut für eine große Tagung mit deutschen und polnischen Kollegen mieten. Als er Adina zum Dolmetschen holte, stand sie unbeholfen unter Männern, von denen mehrere berühmt sein sollten und die, wenn sie Razvan Steins Worte auf Tschechisch wiederholte, nicht sie, sondern Razvan Stein anschauten. Ihr fiel der Schriftsteller aus ihrer Kindheit ein, der Präsident geworden war. Auch er musste einmal in einer Runde wie dieser gestanden haben, die umworben und umschmeichelt wurde von einem deutschen Gutsbesitzer. Das ließ darauf schließen, dass die Männer in dieser Runde bereits jener betriebsamen und aufregenden Welt angehörten, nach der sie sich immer gesehnt und die sie jenseits der Grenze vermutet hatte, hinter den Bergen, in einer unbestimmten, diesigen Ferne, in der die Abendsonne unterging; eine Überlegung, die dazu führte, dass sie den Anschluss ans Gespräch verpasste. Sie musste zweimal nachhaken. In der Runde wurde geschmunzelt.

»Was war denn los, Nina? Hast du geschlafen?«

Nach einem Rundgang durchs Haus war die Delegation trotz Sekt und besonderen Konditionen ohne Zusage wieder abgereist.

»Wir rollen ihnen die roten Teppiche aus, und sie lehnen ab? Ich muss mich auf dich verlassen können!«

In den nächsten Tagen und Wochen reisten einige, die sich das Gut anschauten, wieder ab. Lokale Lesezirkel, Kunstvereine, ein deutsch-polnischer Trägerverein zur Förderung des bilateralen Kulturaustauschs. Die Absage der tschechischen Delegation machte Adina zu schaffen. Wieder und wieder ging sie das Gespräch im Kopf durch, und jedes Mal fielen ihr Formulierungen ein, die treffender und überzeugender gewesen wären. Am geöffneten Fenster, unruhig und voller Drang in die Wiesen zu rennen und das Gefühl versagt zu haben, abzuschütteln, wurde ihr klar, dass die pralle, nie gekannte Welt viel näher sein musste, denn diese berühmten Männer kamen von dort, woher sie auch kam.

Ira winkte ab.

»Die wollten nicht auf einer Baustelle tagen.«

»Herr Stein ist der Meinung, es lag an meiner Übersetzung.«

»Soll er's doch selber machen.«

»Das macht er jetzt.«

Ira lachte. »Die Felle schwimmen ihm davon. *Das* macht ihn nervös. Den gesellschaftlichen Diskurs beeinflusst du nicht auf der lokalen Ebene, schon gar nicht in der Pampa«, sagte Ira, stolz auf sein Fachwissen. »Ich hätte ihn für schlauer gehalten. Sich aufzudrängen macht die Leute misstrauisch.«

Sie nahm es nicht so leicht wie Ira. Als Razvan Stein ihr am Ende der Woche nicht wie üblich einen Briefumschlag auf den

Schreibtisch legte, *kein Sechser im Lotto, Große, aber eines Tages zahlt sich das aus,* unterließ sie es, ihn daran zu erinnern. In den Umschlägen steckte jedes Mal ein Fünfzigeuroschein, und wenn die Woche gut gelaufen war, ein Zehner als Bonus. Ihre Enttäuschung hatte noch einen anderen, nicht weniger wichtigen Grund. Unterschwellig wusste sie, dass sie etwas auf der Spur gewesen war, das nun, da sich die Delegation gegen das Gutshaus entschieden hatte, für immer im Ungewissen blieb.

Es schien schlecht zu laufen, schlechter jedenfalls, als Razvan Stein sich das vorgestellt hatte. Es lief nicht so problemlos wie das Ferienresort, nicht mit der gleichen Geschmeidigkeit, mit der er seine Zigarillos aus dem verchromten Etui nahm. Auf die verschickten Flyer kam selten eine Antwort. Die Anschlussförderung durchs Ministerium war geplatzt. Für die Ausstellungsräume trafen ein paar Bewerbungen ein, aber sie waren von unbekannten Keramikkünstlern und verrenteten Militärs, die ihre Ordensammlung ausstellen wollten. Die Kosten für die Sanierung schossen in die Höhe. Ackerfläche zu verkaufen, klappte nicht. Niemand wollte die Äcker. Und an die Chinesen verkaufte Razvan Stein prinzipiell nicht. So viel hatte Adina den Telefonaten entnommen, die er ungeniert und laut auf der Treppe führte.

»Sag's ihm nicht«, sagte Ira. Aber Adina sagte eines Tages zu ihm: »Wir machen uns Sorgen.«

Razvan Stein stand auf einer Leiter am Fenster und schraubte ein Rollo ab, das seit Tagen ausgeleiert herunterhing.

»Müssen Ira und ich bald auf den Polenstrich?«

»Ach, weesste«, sagte er, während er die letzte Schraube löste. Dann drehte er sich um. »Komm mal her.«

Sie stand auf, um zu ihm ans Fenster zu gehen.

»Wie heißt sie noch mal?«

»Wer?«

»Diese Fototante.«

»Rickie.«

»Richtig.«

Umständlich stieg er von der Leiter. Die Sicht auf den Vorplatz und die Weiden in der Ferne war jetzt wieder frei.

»Ich hab dieser Rickie einen Gefallen getan«, sagte Razvan Stein und warf das Rollo geräuschvoll auf den Tisch. »Ein bezahltes Praktikum. Das gibt's bei mir eigentlich nicht.« Er musterte sie. »Verstehst du, was ich sagen will?« Seit er herausgefunden hatte, wofür er sie brauchen konnte, guckte er nicht mehr erst dreimal hin. Er schaute ihr direkt in die Augen. »Dann merk dir eines: Bei mir wirft niemand so schnell die Flinte ins Korn.«

Sie nickte. Ihr in die Augen zu schauen war angemessen. Auch sie kam aus einem alten, kommunistischen Geschlecht, Nachfahrin eines Partisans.

»Gut. Dann geh mal deine Jacke holen.«

Die Jacke hatte vor kurzem in einer Plastiktüte vor ihrer Tür gelegen. Es war eine getragene Wattejacke, aber das Wetter war unbeständig und kalt geworden, und sie war froh, eine zu haben. Außer ihrer Lederjacke hatte sie nur eine dünne Regenjacke dabei.

Razvan Stein kam ihr in die Eingangshalle nach. Er stieg in seine Gummistiefel und bedeutete ihr, ihm zu folgen.

Draußen nahm er zwei seiner Hunde an die Leine und schlug den Weg in die Wiesen ein. Das restliche Rudel raste kläffend hinter ihnen her.

»Guck dich ruhig um, Nina.«

Aus der Ferne hatten die Weiden klein ausgesehen. Im Näherkommen wurden daraus dickstämmige Bäume mit langen, in den Himmel ragenden Ruten.

»Guck dich in aller Ruhe um.« Razvan Stein ging zügig über den schlammigen Untergrund. »Verfluchte Gegend. Seit der Wende ist hier nichts passiert. Die totale, auch geistige Vernachlässigung. Sumpf und Sand. Soldatenland. Eignet sich besser zum Verwüsten als zum Säen und Ernten. Hat die schlimmsten Gefechte auf deutschem Boden erlebt. Jahrhundertelang. Aber dann wurde wieder aufgebaut. Mit Zuversicht und vollem Einsatz. Im Kollektiv. Gegen alle Widrigkeiten. Aber interessiert das irgendwen? Was die Ansichten und Lebensleistungen der Menschen hier betrifft, ihre Nöte, ihre Würde; das bildet sich in den höheren bundesdeutschen Kreisen einfach nicht ab. Da muss sich einer drum kümmern, findest du nicht?«

»Doch«, sagte Adina.

»Das denk ich auch.«

Razvan Stein war stehen geblieben. Er trat mit dem Gummistiefel an einen der Weidenstämme. Dann langte er nach oben und brach eine Rute vom Baum. »Schwieriges Gelände.« Er stach die Rute neben seinem Stiefel in den Boden. »Ein Wunder bei dem Grundwasserspiegel, dass das Fundament nicht völlig im Eimer war. Aber wie sagt ein Sprichwort: Wer hohe Türme bauen will, muss lange beim Fundament verweilen.«

Er zog die Rute aus der Erde und begutachtete sie wie einen Wasserstandsmesser. »Die halbe Oder stand im Keller. Das musste von Grund auf trockengelegt werden.«

»Warum kauft man ein kaputtes Haus?«

»Weil man ein kaputter Träumer ist.«

»Dann hätte ich es auch gekauft.«

Razvan Stein lachte. Über den Wiesen hing ein grauweißes Licht. Groß und breitschultrig stand er neben ihr, und gemeinsam schauten sie in die Ferne hinter dem Graben, wo irgendwo die Oder lag.

»Mir fehlt noch das westliche Knowhow. Aber woran wir

hier murkeln, das wird groß. Da lass ich nicht so schnell locker.«

Die Wiesen, die Luft rochen feucht und nach Moor. Sie fühlte sich gut neben ihm, und die Sorgen um das Honorar und den Aufbaukurs und das Studium in Berlin ließen nach.

»Einfluss nehmen darauf, wo's langgeht, das schwebte mir immer schon vor. Und wo fängt das an? Bei denen, die ihre Klappe aufmachen, den Künstlern, der Kultur«, hörte sie sich sagen und verspürte Stolz. Razvan Stein, der mit der Welt auf Augenhöhe war, fand es an der Zeit, ihr die Überschwemmungswiesen zu zeigen, das Grenzland und den Graben.

»Das Leben ist kurz, aber die Kunst ist lang.«

Sie wollte weitergehen und dem Graben in Fließrichtung bis zur Mündung folgen, wo das Verlandungsmoor der Oder begann. In Ufernähe fand sich immer ein Pfad. Mit Flüssen kannte sie sich aus, und auch diesen Fluss hätte sie gern gesehen, die begradigte Grenze, von der immerzu die Rede war. Aber Razvan Stein blieb, wo er war, und die Feuchtigkeit der Wiesen begann, unter die Wattejacke zu kriechen.

»Macht Spaß, hier zu murkeln«, sagte sie und bemühte sich, das Wort richtig auszusprechen.

»Schwieriges Gelände«, sagte Razvan Stein noch einmal, ehe er die Hunde an die kurze Leine nahm und sie sich auf den Rückweg machten.

Allein ließ er sie nirgendwohin. Die Überschwemmungswiesen waren heimtückisch, die Gegend nicht sicher. Statt sich im Grenzland herumzutreiben, sollte sie im Fitnesskeller das Laufband benutzen, wenn sie Bewegungsdrang verspürte. Er nahm sie in den Keller mit und zeigte ihr die Geräte und das Bad. Er zeigte ihr, wie man das Laufband programmierte, und als sie den Keller zusammen verließen, fragte sie ihn, ob es auch in seiner Familie einen Partisan gegeben hatte, einen, der im Krieg geblieben war. Ob alle Partisanen bourgeoise Möbel besessen und aus Überzeugung zerstört hatten oder aus Angst vor den eigenen Leuten, ob er manchmal auch Angst vor den eigenen Leuten gehabt hatte.

Razvan Stein blockte ab. Er machte eine ungeduldige Geste in Richtung Kellertreppe.

Im Grunde nahm er sie immer noch nicht wahr. Das wurde eines Morgens deutlich, als er nach ihrem Kinn fasste. Hätte er sie wahrgenommen, hätte er ihr Kinn nie angefasst, ihm wäre eher die Hand abgefallen. So aber lief alles verkehrt.

Im Winter. Nach einer durchfrorenen Nacht.

In einer kälteklirrenden Woche, als sie morgens frierend in der Küche saß. Ihre Hände waren klamm von der feuchten Kälte des Zimmers, und mit ihrem Kaffee hockte sie an der bullernden Heizung. Razvan Stein war damit beschäftigt, in Berlin eine größere Sache an Land zu ziehen. Die Hunde liefen weiter bis mittags frei herum. Ihnen machte die Kälte nichts aus.

Adina hatte begonnen, dem Mohikaner mehr Zeit zu widmen. Sie konnte nicht raus, das Internet war langsam, und abends hatte sie nichts zu tun, weil es außer ein paar Comics weder Bücher noch Filme gab. Ira hatte ihr sein Buch geliehen, nur fand sie nicht hinein und legte es nach ein paar Seiten weg. Sie versuchte, Rickie einen Brief zu schreiben. Aber sie hatte Rickie noch nie geschrieben und kam sich komisch vor. Also schrieb sie ihr im Kopf. Sie schrieb ihr von dem Foto. Sie erzählte ihr, wie der letzte Mohikaner in den verschwommenen Zügen ihres Gesichts hervorgetreten war, wie er sich unerwartet davon abgehoben hatte wie ein Blatt, das sich vom harten Winterboden löste.

Ihr Zimmer hatte keinen Spiegel. Aber auf der Toilette hing einer über dem gesprungenen Waschbecken. Und weil nichts los war, das Haus still, Ira zu Hause und Razvan Stein im Ferienresort, wo ein Stettiner Bauunternehmer die Hochzeit seines Sohnes feierte, ging sie aufs Klo, um sich im Spiegel anzuschauen. Sie stützte sich mit beiden Händen auf den Waschbeckenrand und richtete die Augen fest auf ihr Gegenüber. Es war nicht so, dass sie den Mohikaner jemals wirklich gesehen hatte. Als Zwölfjährige nicht, als er plötzlich da gewesen war, und auch später nicht, als sich in *Rio* alle daran gewöhnt hatten und viele ihren richtigen Namen gar nicht kannten. Sie hatte sich nie gefragt, wie er aussah. Gespürt hatte sie ihn. Er war mit ihr mitgewachsen. Aber seit dem Foto war das Wissen, dass er schön sein musste, wie von selber da.

Graugelbes Licht fiel aus den Neonröhren. Sie versuchte, dem Spiegel so nah wie möglich zu kommen. Sie stellte die Augen unscharf, und ihr Gesicht verschwamm. Als sie den Blick wieder scharf stellte, ließ sie die Augen halb geschlossen. Sie machte es so, dass die Lider das Sichtfeld begrenzten wie die beiden Ufer den Fluss. Auf dem Fluss tauchte ein Schatten auf. Es war ein heller Schatten mit leuchtend fließenden Konturen. Adina konzentrierte sich. Im Spiegel schälte sich ein Kopf heraus, klare Züge, langes Haar. Die Stirn war schon erkennbar, hoch und stolz, da stieß sie mit der Nase ans Glas, kurz bevor er sich zeigte.

Sie versuchte zu gehen wie der kleine Mohikaner. Sie schob die Hose auf die Hüftknochen herunter und federte in den Knien. Die Oberschenkel schienen fester zu werden. Muskeln und Brüste fühlten sich kräftiger an. Ihr ganzer Körper saß kompakter oder sie in ihrem Körper, den sie an sich oder um sich herum spürte. Sie fragte sich, was Rickie davon halten würde. Rickie, die von solchen Dingen etwas wusste. Die über das Versteck geredet hatte. Aber Rickie rief nicht an.

Am nächsten Morgen bat sie Ira, ihr von seiner Einkaufstour Nähzeug mitzubringen. Sie trennte die Nähte an drei T-Shirts auf, wie sie das bei ihrer Mutter gesehen hatte. Es war eine Fummelei, das Garn ins Nadelöhr zu fädeln, die Ösen waren viel zu klein, und sie nahm sich vor, eines Tages Nadeln mit größeren Ösen zu erfinden. Aber schließlich gelang es ihr, aus den Shirts einen Umhang zu nähen, der einem Poncho nicht unähnlich war.

In diesem Poncho ging sie durchs Haus. Schwebte, nein, lief auf leisen Sohlen, das war seine Art, ein leuchtender Schatten. Rickie hätte sie so sehen sollen. Rickie hätte das gefallen. Aus dem Versteck holen, hatte sie gesagt, und so war es. Adina war im Begriff, genau das zu tun.

»Warum rufst du sie nicht an«, sagte Ira eines Tages und gab ihr sein Handy. Aber Rickie nahm nicht ab.

Am Morgen, als Adina mit rotgefrorenen Händen an der Heizung saß, betrat Razvan Stein ungewöhnlich früh die Küche. Er hatte sich rasiert. Er trug einen Anzug und hatte die Autoschlüssel in der Hand. Er kam mit der sehnigen Dynamik eines Mannes herein, der keine Zeit hatte, aber in dieser Zeit viel erreichen wollte. Hätte er Sporen gehabt, hätten sie geklirrt.

»Los, wir haben's eilig!«

Sie hob langsam den Kopf. Seinem Blick, dem windigen Grau, begegnete sie mit halbgeschlossenen Augen. Der Mohikaner entblößte seine Augen nicht. Niemand durfte darin lesen. Da packte Razvan Stein ihr Kinn. Er hob es an wie eine Tasse, die man aus dem Schrank nahm und die unter diesem Griff zerbrochen wäre.

»Murkelliese Nina, was soll das? Ich habe mir deine Spinnereien jetzt eine ganze Weile angesehen.«

So hatte noch niemand ihr Kinn angefasst. Sie wischte ihn weg, aber er war schneller. Er fing ihren Arm in der Luft ab, und eine Sekunde lang glaubte sie, das Geräusch eines Baumes zu hören, der mit den Wurzeln aus der winterharten Erde gerissen wird.

»Bist du krank? Hast du irgendeine Krankheit, über die ich

nicht informiert wurde? Nimm dir ein Beispiel an den anderen«, sagte er. »Und zieh diesen affigen Lumpen aus.«

Mit den anderen meinte Razvan Stein ihre Zimmernachbarinnen. Seit kurzem schliefen sie zu dritt im Zimmer. Ein Bettgestell war aus dem Keller geholt und mit einer Schaumstoffmatratze ausgerüstet worden, in dem jetzt eine Polin schlief, und vor wenigen Tagen war noch eine junge Frau aufgetaucht, für die Ira einen Futon auf den Boden gelegt hatte. Sie kam aus einer Kleinstadt irgendwo bei Minsk und bekam den zugigsten Platz. Razvan Stein hatte sie persönlich ins Zimmer gebracht. »Kollegin aus Weißrussland. Heute Belarus.« Sie sollten zusammenrücken, fürs Erste, bis ein anderes Zimmer hergerichtet war. »Macht das unter euch aus, ihr drei.« Er hatte Adina angeschaut, als trüge sie dafür die Verantwortung. Aber die Frau aus Belarus sprach wenig. Und wenn sie etwas sagte, war es kaum zu verstehen, weil sie ein so komisches Russisch benutzte, dass Adina nicht einmal die einfachsten Worte erkannte.

Die beiden kamen nachts manchmal erst spät ins Zimmer. Wenn sie das Licht einschalteten, weil sie vergessen hatten, dass da schon jemand schlief, sahen ihre Augen hart aus. Sie waren betrunken. Das merkte Adina nur am Geruch. Die jungen Frauen sagten nichts. Sie machten fast kein Geräusch, was noch unheimlicher war als der Ausdruck in ihren Augen. Sie zogen die Sneakers aus und legten sich wortlos ins Bett. Am Morgen war das Harte verschwunden. Sie lagen auf ihren Betten und blätterten in Modemagazinen, später kümmerten sie sich um den Abwasch. Sie waren zum Putzen hier, für die Küchenarbeiten. Sie wischten die Böden, fegten die Treppen, klopften den Baumatsch aus den Abtretern. In manchen Nächten blieben sie ganz weg. Oft waren sie tagelang im Ferienresort, wo bei voller Auslastung mehr Aushilfskräfte gebraucht wurden.

Anfangs hatte sich Adina gefreut, nicht mehr allein im Anbau schlafen zu müssen. Aber die beiden redeten nicht mit ihr. Wenn Adina ins Zimmer kam, wandten sie sich ab. Sie zogen sich nie vor Adinas Augen um, sondern gingen aufs Gemeinschaftsklo, um ihre Unterwäsche zu wechseln. Und einmal, als Adina nachts den Vorhang zugezogen hatte, weil die Laterne vor dem Haus, die nie funktionierte, angesprungen war und ihr Schein sie geweckt hatte, war die Polin wortlos zum Fenster gegangen und hatte den Vorhang so heftig wieder aufgezogen, dass die Ringe über die Stange kreischten. Das Licht war auf sie eingeprasselt. Mit über den Kopf gezogener Decke hatte Adina zu schlafen versucht und sehnsüchtig an ihr kleines Dachzimmer gedacht, an das Leuchten des Čertova hora vor dem Fenster.

Sie mochten Adina nicht. Oder sie trauten ihr nicht. Oder sie mochten sie nicht, weil sie ihr nicht trauten. Adina sprach mittlerweile gut Deutsch. Abends blieb sie nie lange auf. Sie musste auch nicht sauber machen. Wenn sie zu dritt im Zimmer waren, verhielten sich die beiden so abweisend, dass der Raum, in dem Adina schlief, und der, in dem sie schliefen, nicht derselbe zu sein schien, und es gelang Adina nicht, den unsichtbaren Vorhang aufzuziehen.

Wenn Razvan Stein abends im Erkerzimmer oder bis spät in die Nacht im oberen Büro mit Leuten zusammensaß, verzog sie sich. Sie rauchte nicht, und sie wollte auch nicht trinken, der Mohikaner verachtete Schnaps, und an solchen Abenden wurde viel getrunken, es sollte lustig zugehen. Razvan Stein wusste, dass Adina Schejbal nicht lustig war. Das hatte er so entschieden, weshalb die Belarusin oder die Polin an solchen Abenden die Getränke servierten.

Eines Tages lag Iras Telefon vergessen auf dem Küchentisch. Es war nicht gesperrt, und da rief sie noch einmal Rickie an. Sie wollte wissen, wie Rickie sich an ihrer Stelle verhalten hätte. Aber die Leitung war besetzt, und später nahm niemand ab.

Obwohl sie versprochen hatte, anzurufen, hatte Rickie sich im Gutshaus an der Oder noch nicht ein einziges Mal gemeldet. Vielleicht hatte sie es vergessen. Oder sie hatte viel zu tun. Oder es verhielt sich in Wirklichkeit so: Rickie hatte angerufen, und ihr hatte nur niemand Bescheid gesagt.

Nachdem Razvan Stein eines Morgens ihr Kinn mit einer Tasse verwechselt hatte, versuchte Adina öfter, sich vorzustellen, was Rickie machen würde. Wie sie reagieren würde. Was sie von ihren beiden Zimmernachbarinnen halten würde und ob sie sie gern fotografiert hätte. Vielleicht gehörten sie zu den Frauen, die Rickie anfassen musste, weil ihre Hände sahen, was die Augen nicht sahen. Aber sie kannte Rickie nicht genug. Sieben Wochen reichten nicht zum Kennenlernen, weshalb in ihrer Vorstellung meistens sie es war, die sich anders verhielt als in Wirklichkeit. Sie oder der letzte Mohikaner. Ein leuchtend fließender Schatten. Obwohl sie den Poncho jetzt nur noch im Zimmer anzog.

Der Mohikaner wäre lautlos an den kläffenden Hunden vorbeigeschlichen. Er hätte die frühen Morgen im hohen Gebüsch bei den Weiden verbracht. Er hätte den Poncho nicht aus Rücksicht oder Furcht abgelegt, und an den Gelagen hätte er nicht teilgenommen. Aber nach dieser kälteklirrenden Woche im Winter änderte sich alles.

Am Morgen in der Küche hatte Razvan Stein sich entschuldigt. Er hatte die Arme ausgebreitet, als wollte er sie an seine gebügelte Hemdbrust ziehen, dieser Tage immer mit Schlips, wobei ihr Kopf in seiner Magengegend gelandet wäre. Dann hatte er ein Eispäckchen aus dem Gefrierschrank genommen und an ihre schmerzende Schulter gepresst. »Hier. Besser? Manchmal fährt da was in mich, Große –. Nimm's mir nicht übel.«

Ihm stand nicht der Sinn nach Spinnereien. Er war unter

Druck. Die Bank, die Handwerker, die Zulieferfirmen fürs Material, alle hielten ihre Hände auf, selbst für die Reparatur von Dach und Regenrinne fehlte Geld. Und immer noch führte kein Weg in die oberen Etagen der bundesdeutschen Kultur.

»Reden großspurig daher, die Säcke. Keiner von denen will sich mit diesem ... wie nennen sie es, *Wolfserwartungsland,* beschäftigen! Sitzen sich in Berlin die Ärsche breit, und während sie auf die Wölfe warten, zahlen sie ihr schlechtes Gewissen mit dem Streichen von Fassaden in toten Kleinstädten ab! Aber wir stemmen das.«

Beim Hinausgehen sagte er: »Alles für das Wohl des Gutes!« Das war Razvan Steins Maxime. Er äußerte sie immer mit einem gewissen Getöse. »Vom Bürokram bist du künftig entbunden. Wir haben Wichtigeres vor.«

Wie sich herausstellte, war sie auch von einem Teil dessen entbunden worden, was Razvan Stein zu ihren Privilegien zählte. Sie musste weiterhin nicht an den lustigen Abenden im oberen Büro teilnehmen. Aber beim nächsten Gelage sollte sie dabei sein. Es wurde zu Ehren des Mannes gegeben, den Razvan Stein in Berlin umwarb, den er an Land ziehen wollte, ein »Multiplikator«, eine wichtige Figur in der Kulturpolitik, den es »in Sachen Osteuropa zu sensibilisieren« galt. Sie hatte als Einzige mit einer waschechten Kindheit in Osteuropa schon Erfahrungen in Deutschland gemacht. Ostmitteleuropa, korrigierte sie ihn, was er überging. Sie hatte Großstadtluft geschnuppert und in einem Fotostudio gearbeitet. Ihr Deutsch war anständig. Da kam einiges zusammen, was nützlich war.

»Finde raus, wie er tickt. Erzähl ihm, was wir vorhaben. Er muss nur anbeißen, das Klein-Klein übernehme dann ich.«

Nach dem Aushilfsjob in der Glühweinbude, nach den nassen Saunahandtüchern im Zlatá Vyhlídka, den eintönigen

Wochen des Flyerfaltens und dem missglückten Dolmetschen war das eine echte Aufgabe. Und es war ein Vertrauensbeweis. Razvan Stein übertrug ihr die Verantwortung für einen wichtigen Mann aus der bundesdeutschen Kulturpolitik.

»Verstehst du jetzt, warum ich dich nicht in Lumpen sehen will?«

Er würde keinen Grund zur Beschwerde haben.

Das Essen vertrug sie nicht.

Razvan Stein tischte fette, scharfe Hackfleischröllchen, weiße Bohnen, gefüllte Paprika und Feta auf, große, glänzende Stücke Speck, ganze, geschälte Zwiebeln und Schnaps in Wassergläsern, was an seiner halbrumänischen Herkunft lag, wie die sagten, die die Gelage schon öfter mitgemacht hatten, Frauen aus der Gegend um Gryfino, die Razvan Stein nachmittags mit seinem weißen Barkas von jenseits der Grenze holte und nicht dafür bezahlte, dass sie Polnisch redeten oder über Osteuropa. Er bezahlte sie gar nicht. Für so was fehlte ihm das Geld. Sie kamen auch ohne Bezahlung. Er war ein deutscher Unternehmer. Sein Unternehmen war aussichtsreicher als irgendeiner der Landwirtschaftsbetriebe diesseits und jenseits der Oder. Es schmeichelte den Frauen, auf ein Fest eingeladen zu werden, zu dem Journalisten und Politiker kamen. In ihren Dörfern drüben gab es nichts, nur Debile, Alte und Kranke, wie Ira abschätzig sagte. Die Frauen radebrechten auf Deutsch. Sie waren kaum älter als Adina und ihre Haare schwarz wie die Nacht über dem Čertova hora. Sie hatten nur Augen für die Augen deutscher Männer, was Ira verachtenswert fand. Wenn er sie nachts über die Grenze zurückfuhr, hatte er gesagt, hingen ihre Alkoholfahnen noch auf der Rückfahrt im leeren Barkas.

Ira hatte auch etwas über Razvan Steins Mutter gesagt. Das durfte niemand wissen. Aber Ira hatte ein Talent dafür, Dinge herauszufinden, von denen er glaubte, dass sie ihm eines Tages nützlich sein könnten. Die Geschichte über Razvan Steins Mutter hatte er zufällig erfahren und trotz aller strategischen Vorsätze nicht für sich behalten können.

Als Vierzehnjähriger hatte Razvan Stein seine Mutter vom Deich geholt. Es war Winter, und seine Mutter war ohne Mantel und mit einem Wägelchen voll eingeweckter Paprika über den Deich gelaufen. Sie hatte sich im »Brotkorb des Ostblocks« gewähnt, wobei sie die Oder für die schöne blaue Donau hielt. Er war ihr nachgelaufen, und als er sie einholte, hatte sie ihn angeschrien im Glauben, er wäre ein Dieb, der ihr das Eingeweckte stehlen wollte. Jahre zuvor hatte sie in einem Bukarester Krankenhaus ein Kind tot zur Welt gebracht, eine Schwester, die Razvan Stein nie gesehen hatte.

Dass auch einer wie Razvan Stein eine Mutter hatte, hatte Adina an dieser Geschichte am meisten verblüfft.

Sie vertrug das Essen nicht, aber solange sie aß, blieb sie unbehelligt. Die Frauen aus Gryfino hatten sich um den Esstisch verteilt, rechts und links von sich einen Mann. Nur die Frau neben Adina hatte Pech. Sie lachte übertrieben laut. Ihre Nägel glitzerten, wenn sie nach einer Gurke, einer Tomate oder einer Zwiebel griff. Sie schob sich die geschälte Zwiebel im Ganzen zwischen die Lippen und saugte daran, bis der Speichel über die Mundwinkel troff und auf die nackte Haut zwischen ihren Brüsten tropfte. Da kreischte sie auf, lustvoll wie in der Gespensterbahn.

Der Esstisch nahm das ganze Erkerzimmer ein. Aber weil viele Leute da waren, saßen alle dicht gedrängt, und je mehr Schnaps floss, umso näher kam man sich. Adina versuchte, sich schmal zu machen. Sie hatte mit dem Gekreische nichts zu tun.

Ihr Wasserglas war leer, und das fette Essen machte durstig. Aber der Krug stand in der Mitte des Tisches. Sie hätte aufstehen und über den Tisch langen müssen, und so starrte sie den Krug nur an, als könnte ihn allein die Kraft der Gedanken zu ihr herüberwandern lassen. Ihr Blick wurde entdeckt. Die junge Polin aus ihrem Zimmer hatte sie vom anderen Ende des Tisches aus beobachtet. Sie war eine Späherin. Unter der Schminke war sie bleich wie der Tod. Aber durch ihre künstlich verlängerten Wimpern hindurch schien sie Dinge wahrzunehmen, die nicht gesehen werden sollten. Sie erhob sich und schenkte reihum die Gläser randvoll, zuletzt Adinas, ohne dass jemand Notiz davon nahm. Beim Absetzen des Glases, vorsichtig, damit nichts überschwappte, warf die Späherin ihr einen Blick zu wie einen Rettungsring.

Nach dem Essen folgte die Späherin ihr nach oben. Sie trug ein starkes Parfüm. Das Parfüm mischte sich mit der Säure, die Adina vom vielen Fett aufstieß.

Im Zimmer nahm die Späherin ihre Hand. Sie zog sie zum Bett, auf dem Zeitschriften und Schminkstifte lagen. Schweigend saßen sie nebeneinander auf der Bettkante. Das Deckenlicht war an, und weil der Heizlüfter nicht lief, war es kalt. Der Körper der Späherin war warm. Es machte Adina nervös, neben diesem warmen Körper auf dem ungemachten Bett zu sitzen.

In einer Wolke süßen Parfüms.

Wortlos saßen sie nebeneinander, und Adina musste an die E-Mail denken, die sie ihrer Mutter aus Berlin geschrieben hatte, am öffentlich zugänglichen Computer in der Lobby des Hostels, über Rickie und das Praktikum an der Oder und ihren Plan, an die Uni zu gehen. Ihre Mutter wusste, wo sie war.

Als die Haltung auf der Bettkante unbequem wurde, angelte die Späherin eine Zeitschrift aus den Stapeln. Es war eine Frauenzeitschrift. Die Späherin blätterte darin, bis sie auf die Abbildung eines vergrößerten Auges stieß. Sie hielt es Adina hin. Aber das war kein Späherauge. Das war ein gewöhnliches, mit

Make-up bemaltes Auge, nicht dazu befähigt, Verborgenes zu sehen. Adina schüttelte den Kopf. Die Zeit, als sie Nagellack und Lippenstift ausprobiert hatte, war lange vorbei, Schminke nur was für Fasching.

Die Späherin schraubte eine glitzernde Dose auf. Sie wollte, dass Adina die Augen zumachte. Sanft nahm sie Adinas Gesicht in die Hände, und dann fühlte es sich an wie Nieselregen, wie sprühende Tropfen, die auf ihre Lider fielen. Da war der Geschmack nasser Blaubeeren auf der Zunge, der Geruch nach Gras, das nach dem Regen dampfte, da war ihre Großmutter, die in der Kittelschürze Pilze putzend am offenen Küchenfenster stand, wenn sie frierend, verdreckt und glücklich nach dem Spielen aus dem Garten kam.

Aber der Regen fiel aus einer Dose mit Lidschatten. Was ihr gerade noch rechtzeitig einfiel. Sie drehte den Kopf weg und die Späherin schnaubte. Sie gab ihr einen Klaps und kehrte zum Gelage ins Erkerzimmer zurück. Adina blieb auf der Bettkannte sitzen. Im Zimmer war es kalt bis auf den Abdruck, den der Körper der Späherin auf dem Bettzeug hinterlassen hatte. Unter Adinas Hand war der Abdruck warm. Und erst jetzt, mit der fremden Körperwärme unter ihrer Hand, fiel ihr auf, wie seltsam dieser Sinneswandel war, diese unerwartete Zärtlichkeit.

Auf dem Flur war das Gelage zu hören. Sie ging auf die Gemeinschaftstoiletten, riss ein Stück Klopapier ab und wischte sich das klebrige Zeug vom Gesicht. Trotzdem war sie froh. Nicht über die Schminke, sondern über diesen Moment auf der Bettkante. Das Parfüm blieb noch eine Weile haften.

Seit der kälteklirrenden Woche, in der Razvan Stein eine große Sache an Land zu ziehen versuchte, verhielt es sich mit der Wirklichkeit immer öfter seltsam. Nachts, wenn das Licht ausgeschaltet war und nur manchmal noch ein Hund bellte, glitt sie zwischen Schlafen und Wachen hin und her. Und dann war es, als entzöge sich die Wirklichkeit, als fände sie außerhalb statt, irgendwo draußen, in der im eisigen Dunkel verharrenden Odernacht. Der Poncho hing über dem Stuhl. Der grüne, ausgeleierte Pullover, der von Anfang an ihr Zeuge und bei allem dabei gewesen war, lag neben ihrem Kopfkissen. Das Atmen der Schlafenden füllte das Zimmer. Seit dem Morgen in der Küche hatte Razvan Stein nicht noch einmal nach ihrem Kinn gefasst. Alle Versuche der Späherin, für ein bisschen Farbe im Gesicht zu sorgen, wehrte sie ab. Und doch fürchtete sie, der kleine Mohikaner könnte nur eine Einbildung gewesen sein. Spinnerei. Die Wunschvorstellung eines Kindes, das zu viel allein in einem Dachzimmer saß. Und was bewies schon ein Foto.

Vernünftige Leute würden das so sehen. Und da sich Adina seit der kälteklirrenden Woche vernünftiger verhalten musste, nahm diese Sichtweise unmerklich Raum in ihrem Denken ein. Schuld daran war Johann Manfred Bengel. »Kannst Manne zu mir sagen.« Der Mann, der für Osteuropa sensibilisiert werden sollte. Ein Multiplikator mit glänzenden Verbindungen in Berlin.

Beim Gelage saß er am wuchtigen Esstisch auf der anderen Seite neben ihr.

Draußen, auf dem überdachten Betonplatz, drehte sich das Lamm am Spieß. Am Vormittag war es von Jungen aus einem nahegelegenen Dorf gehäutet worden, die es kopfüber an gespreizten Hinterläufen aufgehängt hatten. Razvan Stein hatte das Häuten fachmännisch geleitet. Er wusste, wie man Wild aus der Decke schlug. Er zeigte den Jungen, in welche Richtung sie die Haut abziehen mussten, ohne zu viel Knochenfett wegzuschneiden, bis er schließlich ungeduldig selbst zum Messer griff. Als er mit der bloßen Hand in den Tierleib fasste, um ihn auszuweiden, kotzte einer der Jungen an die Hauswand. »Fleisch essen wollen und kein Blut sehen können, solche Leute hab ich gern!« Razvan Stein hatte ihn sofort nach Hause geschickt; er solle lieber seiner Mutter beim Möhrenputzen helfen.

Johann Manfred Bengel war am Vormittag nicht dabei gewesen, hätte aber »gern, so gern« zugeschaut, wie er bei seiner Ankunft am Nachmittag sagte, als das Lamm schon aufgespießt worden war. Er war ein uralter Mann in Turnschuhen, mit graublondem Haar und Furchen im rotbraunen Gesicht, was ihm den Anschein gab, ständig in der Sonne zu sein, auch jetzt, mitten im Winter. Sein Land Rover stand schlammbespritzt in der Einfahrt. Dass er uralt war, hörte Adina beim ersten Räuspern. Sein Räuspern klang schütter, als käme es aus einem Greis.

Beim Begutachten des Lamms standen die Männer nebeneinander unter dem Vordach. Johann Manfred Bengel war nicht so groß wie Razvan Stein, der beim Reden weit ausholte und mit den Armen durch die Luft fuhr. Er reichte ihm nur bis zur Schulter. Und doch war es, als wäre Razvan Stein der Kleinere von beiden.

Nachdem sie das Haus betreten hatten, kam Razvan Stein in die Küche und bat Adina, Tee zu machen.

»Nimm den alten Earl und die Meißner Tassen, Nina. Milch und Zucker?«, rief er in den Flur.

»So gern, so gern!« Johann Manfred Bengels Stimme war heller als die von Razvan Stein. »Zwei Sticks. Eine Schwäche darf der Mensch doch haben.«

»Sticks!«, brummte Razvan Stein verächtlich. »Siehst du hier irgendwo *Sticks*? Tu ihm zwei Stücke rein«, befahl er. »Und mach dich startklar.«

Wenig später setzten sie sich in den Land Rover. Razvan Stein wollte eine schnelle Runde über die Landstraßen drehen und durch den Wald, um seinem Gast den zugefrorenen See zu zeigen. Das Spiel der Lichter aus dem Resort sollte auf dem Eis besonders reizvoll sein.

»Kannst Manne zu mir sagen«, sagte Johann Manfred Bengel zu Razvan Stein, als er im Matsch der Baustelle Vollgas gab.

Auf der Landstraße drehte er sich kurz zu Adina um.

»Wie heißt sie?« Er justierte den Rückspiegel.

»Nina.«

»Spricht sie Deutsch?«

Sie saß auf dem Rücksitz hinter dem Mann aus Berlin. Draußen verschwand das Gut in der Senke zwischen den Äckern. Nur der Rauch hing noch eine Weile über den Wiesen. Sie hörte Razvan Stein sagen, dass seine Praktikantin des Deutschen mächtig war.

Der Mann auf dem Fahrersitz nickte. »Wunderbar. Nina, Sie kommen aus Russland?«

»Nicht ganz.« Über dem Geräusch des Motors war ihre Stimme kaum zu hören.

»Russische Landsleute. Schön, so schön.«

»Seh ich ganz genauso«, sagte Razvan Stein. Im Auto roch es nach dem Duftbaum, der an einer Schnur vom Rückspiegel hing. »Nina, erzähl unserem Kulturbotschafter einen Schlag aus deiner russischen Kindheit.«

Wieder erfassten sie die Augen des Mannes aus Berlin. »Wie in den guten alten Zeiten!« rief er.

»*Kak poslednije wremja*«, übersetzte sie zum Spaß, aber auch das schien vorn nicht anzukommen.

Der See, an dem sie hielten, war von einem Waldgürtel umschlossen. Wochenendhäuser mit zugenagelten Fenstern standen verstreut zwischen den Bäumen. Am gegenüberliegenden Ufer zeichnete sich das Ferienresort ab. Razvan Stein erzählte vom ersten Spatenstich, wie er eigenhändig den Spaten in den Brandenburger Karnickelsand gestoßen und das marode Soldatenland nutzbar gemacht hatte. »Drei Lagen Erde, bis du kapierst, dass das Gift im Grundwasser ist. Ich habe Sonnenblumen pflanzen lassen. Zieht die Schwermetalle aus dem Boden, sagen die Bauern. Das sah hier aus wie ein Van Gogh! Zwei Sommer lang war das wirklich 'ne blühende Landschaft.«

Die Autoscheinwerfer stachen in das dämmrige Halblicht über dem See. Als der Motor abgestellt war, wuchsen die Schatten.

»Für ein Wochenende kommt der Westler gern ins Land der beinharten Wilden. Räudige Luft schnuppern …« Razvan Stein unterbrach sich. »Das Resort läuft gut. Aber fürs Visionäre, Manne, für das, was unsere Leute brauchen, was sie aus der Randständigkeit rausholt, die ihnen ständig eingeredet wird, dafür brauche ich deine Unterstützung.«

Die Profile der Männer waren scharf wie Scherenschnitte vor dem grauen Eis. Und weil Adina nichts sagte, sondern immer noch schweigend auf der Rückbank saß, fing Razvan Stein an, von früher zu erzählen. Er erzählte von Sommern in Uniform. Wie er und seine Kameraden die Panzer zum Waschen in die Kiesgruben gefahren hatten, wenn kein Leutnant in der Nähe war. Einmal hatte er einen T72 an einer öffentlichen Badestelle mit Karacho ins Wasser gelenkt, an einem See wie diesem. Die Leute waren mit wehenden Handtüchern auseinander gespritzt, den Frauen rutschten vor Schreck die Brüste aus den knappen Bikinis. Die Kinder hatten es aufregend gefunden. Wie kleine Frösche kamen sie an den glitschigen Karosserien hinaufgeklettert zur Einstiegsluke. Die Kinder und die Soldaten hatten ihren Spaß gehabt.

Adina kannte die Geschichte. Razvan Stein erzählte sie, wenn er glaubte, davon zu profitieren, wenn er Sympathie witterte, Sympathie mit einem System, das für ihn erledigt war, nur die Erinnerungen glühten noch in seinem Hinterkopf wie die Kohle vom überdachten Betonplatz. Das musste sie Ira bei

Gelegenheit sagen, dass es möglich war, sich von alten Sichtweisen zu kurieren, ihre Hitze aber nicht verschwand.

»Wenn dir der See gehört«, sagte Razvan Stein und setzte eine Skimütze auf, »ist das nur halb so witzig.«

Er schlug vor, auf das Eis hinauszulaufen. Die Kälte der letzten Wochen hatte dafür gesorgt, dass es trug.

Johann Manfred Bengel blieb sitzen. Er blickte zum See. Die Lichter zitterten schwach auf dem Eis. »Du hast diese Jahre gehasst, nicht wahr? Aber aus dem gedemütigten Unteroffizier wurde ein selbstbewusster Unternehmer. So lauten im Osten die Erfolgsgeschichten.«

Razvan Stein gab keine Antwort. Er saß auf dem Beifahrersitz und schaute nach vorn, als müsste er aufpassen, nicht von der Fahrbahn abzukommen.

»Mein Lieber«, sagte Johann Manfred Bengel schließlich, »wir hatten alle unsere Väter.« Er drückte die Arme am Lenkrad durch und räusperte sich. »Vor meinem bin ich nach Westberlin geflohen. Dort war man vor den Generälen sicher.«

In dieser knappen halben Stunde an jenem Abend am See, als die Männer aufs Eis hinausliefen und Adina beim Auto blieb, hätte alles anders kommen können. Das Leben hätte eine andere Richtung einschlagen können, ihr Leben und das der Gestalten draußen vor dem dunklen Hintergrund des Waldes. Eine zu dünne Eisdecke. Eine warme Stelle im See. Ein Riss im Eis. Mehr hätte es nicht gebraucht. Das Eis, das Razvan Stein gehörte, hätte nachgeben und unter den Schritten der Männer einbrechen können. Nichts wäre geblieben, kein Laut, nur die Luftblasen wären noch eine Weile auf dem Wasserloch getrieben, ehe sich das Eis von den Rändern her schloss, sich als unverrückbare schwere Platte über die auf den Grund sinkenden Körper legte, denen die Haare zu Berge standen, von denen die Haare das Letzte war, das langsam nach unten sank. Das dachte Adina später. In der Rückschau

ging ihr die Alternative auf, die in dieser halben Stunde eingekapselt gewesen war.

Als die Männer nach Einbruch der Dunkelheit vom See
zurückkamen, als sich gezeigt hatte, dass das Eis trug, hatte
Adina den Motor des Land Rovers gestartet. Die Standheizung
lief. Die Männer kamen das Ufer herauf, und einzelne Wort-
fetzen des Gesprächs drangen zu ihr herüber.

»Zielvereinbarungen, mein lieber Freund.« »Verraten und
verkauft.« »Hier geboren zu werden«, hörte sie Johann Manfred Bengel sagen. »Ein Schicksal ohne große Perspektive.«

»Hast du dich mal gefragt, warum?« Der Wind trug ihr die
Worte jetzt deutlicher zu. »Warum es hier keine Mittelständler
gibt, kein einziges Unternehmen?« Razvan Stein klang unge-
halten.

»Du wirst es mir gleich sagen.«

»Leute mit Elan gab es genug. Privatisierten nach der Wende
ihre kleinen Betriebe. Handwerksbetriebe, Baufirmen wie mein
Onkel, der Zimmermann. Aber man hängte ihnen Schulden an.
Betriebsmittel, die der sozialistische Staat zum Wirtschaften
zur Verfügung gestellt hatte. Plötzlich sollten sie Geld zurückzahlen, das nie existiert hatte! Natürlich hatten sie kein Eigen-
kapital. Kein Ostler hatte Rücklagen. Also bekamen sie auch
keine Kredite. Manche haben monatelang auf ihren Lohn ver-
zichtet, um ihren neuen Betrieb zu retten. Völlig zwecklos.
Gingen bald alle auf dem Zahnfleisch. Kaufte aber ein Westler
den Betrieb für eine einzige lumpige Mark inklusive Grund
und Boden, was meinst du, was da passierte?«

»Er machte den Betrieb zu.«

»Richtig. Nur vorher verbuchte er die Investition im Osten
noch als Steuererleichterung. Und dann wurden ihm wunder-
samerweise auch die herbeifabrizierten Altschulden erlassen.
Den ostdeutschen Eigentümern nie. Kannst du mir das erklären?« Sie schwiegen.

»Den Leuten trotz allem eine Perspektive zu geben, darum geht's mir«, sagte Razvan Stein nach einer Weile. »Das ist meine Gegend hier.«

»Ja, mein Freund! Eine Gegend voller Schwermut. Voll Melancholie. Das ist größer als alle Politik«, sagte Johann Manfred Bengel. »Das macht was mit den Menschen.«

»Was meinst du, was die Kampfbomber erst mit den Menschen gemacht haben.« Razvan Stein sprach jetzt ruhiger. »Die Nazis haben ihre Landebahnen hier ins Wiesenschaumkraut geknallt, dann kamen die Sowjets mit ihren Bombern, dass die Dörfer wackelten. Mein lieber Oller! Hast du mal eine Tu-22 starten sehen? Verfluchtes Dröhnen! An diese lärmverstrahlten Orte hat der Sozialismus seine renitenten Staatsbürger strafversetzt. Querulanten aus der ganzen Republik hockten in der Uckermark und spürten den Kratzputz zittern. Das ist Schwermut, wie ich sie kenne.«

»Mir kommt da dieses Abendlied in den Sinn. Wie ging es noch? Der Wald steht schwarz und schweiget, und aus den Wiesen steigt der weiße Nebel –«

Die Männer hatten das Auto fast erreicht. Die Scheinwerfer furchten durchs Dunkel, aber Adina stand außerhalb der Lichtkegel.

»Claudius. Meine Mutter hat es oft gesungen, wenn ich krank war und sie abends bei mir am Bett saß.«

»Ich bin nicht der große Romantiker.«

»Und doch weißt du, dass das Lied aus der Zeit der Romantik stammt. In Bezug auf die Romantik geben sich Ost und West nicht viel, mein Freund, die hat uns beide am Schlafittchen. Bei der letzten Strophe habe ich mich gegruselt. So legt euch denn ihr Brüder in Gottes Namen nieder, kalt ist der Abendhauch. Und lasst uns ruhig schlafen und unsern kranken Nachbarn auch. Da fehlt was«, sagte Johann Manfred Bengel. »Aber in Gottes Namen, so ging das.«

Sie blieben stehen.

»Wenn ich nicht aufpasse, gruselt es mich heute noch. Nicht das Religiöse. Sondern vielleicht gerade *weil* wir so ein gottloser Haufen geworden sind. Die Großmutter mütterlicherseits hatte über jedem Bett noch die Kreuze hängen. Draußen die Schwäbische Alb, drinnen die Bibel und der Gekreuzigte. Das ist nicht lange her.«

»Hör zu, Manne.« Razvan Stein war anzuhören, dass ihm die Richtung des Gesprächs nicht passte. »Militär, LPG und das Rauschen vom Petrolchemischen Kombinat. Das ist ein klarer Standortnachteil. Solange der Bund die 198 nicht ausbaut, gibt es keinen schnellen Anschluss nach Berlin. Ergo investiert auch keiner. Die Leute wollen, die werden nur nicht gelassen! Und das sind meine Leute. In Gartz drüben, wo ich bis zur Zehnten gewohnt habe, machen sie jetzt auf naturnahen, familienfreundlichen Fahrradtourismus. Aber wer radelt schon mit seinen Kindern durch einen Landkreis mit der höchsten Arbeitslosenquote Deutschlands? Die haben Schiss, dass tätowierte Glatzen aus den Büschen springen.«

»Zu Recht«, sagte Johann Manfred Bengel. »Die Anschläge gingen deutschlandweit durch die Medien.«

»Red den Leuten ein, sie wären Nazis. Irgendwann sind sie welche.«

Ein Lichtstrahl streifte in der Ferne über den See und erlosch.

»Mein Lieber. Ist die Lage nicht komplexer?«

»Was die Glatzköpfe da freirasieren, sind zu neunzig Prozent urslawische Schädel. Da sind wir uns einig. Aber darüber rede ich erst, wenn es bei den Sesselfurzern im Bundestag klick macht. Hat da mal jemand Templin nachgeschlagen? Scheint nicht aufzufallen, dass die frischgebackene Kanzlerin aus der Uckermark stammt. Ich merk da keine Konsequenzen in finanzieller oder irgendeiner Hinsicht.«

»Du kannst einem Politiker nicht vorschreiben, wie er seine Familiengeschichte inszeniert. Aber ich bin ganz bei dir. Halsstarrigkeit im Politischen ist ungesund. Dabei könnte sie, wenn sie geschickt wäre, daraus Kapital schlagen.«

»Ich kann Halsstarrigkeit an Frauen nicht leiden.«

»Ich bezog das nicht auf die Kanzlerin.« Johann Manfred Bengel räusperte sich. »Ich gebe aber zu, dass eine gewisse Widerspenstigkeit am Weiblichen seinen Reiz hat, insbesondere bei Dunkelhaarigen.«

»Ich hab was gegen die Schwarzfärberei.« Razvan Stein lachte, hörte aber wieder auf, als Johann Manfred Bengel nicht mitlachte. »Die Weiber drüben, die polnischen, die färben sich die Haare pechschwarz. Wirst du heute Abend sehen. Durch die Bank weg alle. Sehen aus wie angetötete Krähen. Bei denen ist das kein Ausdruck einer Geisteshaltung. Man fragt sich, *was* das ist.«

Als sie Adina bemerkten, brach die Unterhaltung ab. Johann Manfred Bengel zog die Fahrertür zu, rieb die Hände aneinander, ließ die Kupplung kommen und richtete das Wort, ohne sich umzudrehen, an sie.

»Das muss herrlich sein. So herrlich, an einem aussichtsreichen Vorhaben mitzuwirken, an einem Ort voller Zukunft, wenn man aus einem Land voller Vergangenheit kommt!«

Auf der Rückfahrt wollte er wissen, wie es Adina im Haus an der Oder gefiel, ob sie schon einen kleinen Verehrer unter der Dorfjugend hätte und ihre Heimat vermisste. Sie schwieg. Seit sie Johann Manfred Bengel am Nachmittag auf dem Betonplatz hinter dem Haus gesehen hatte, hatte sie das Gefühl, alles, was sie sagte, abwägen zu müssen, damit bei diesem Mann ein guter Eindruck entstand, bei diesem Multiplikator, der für Razvan Stein so wichtig war. Unterhalb dieses Gefühls lag noch ein anderes, weniger deutlich. Sie hatte das Gefühl, sich Johann Manfred Bengels Aufmerksamkeit ent-

ziehen zu müssen, was ihrer Aufgabe ganz und gar zuwider-
lief.

Als sie aus dem Wald heraus auf die Landstraße fuhren,
warf Razvan Stein ihr einen Blick zu, den sie nicht sehen
konnte, sie sah nur die Drehung seines Kopfes, den sie aber
brennend spürte. Da sagte sie, dass sie vorher in Berlin gewesen war. Dass ihr die Stadt gefallen hatte und sie so bald wie
möglich dorthin zurückwollte. Die Frage nach dem Verehrer
ließ sie unbeantwortet. Stattdessen sagte sie, dass sie hier viel
lernte und die Steinfliesen in der Küche sie an ihre Großmutter erinnerten, Tochter eines Partisans.

Johann Manfred Bengel zog die Augenbrauen hoch. Das war
im Rückspiegel zu sehen, als die Scheinwerfer ein großes Auto-
bahnschild trafen und das Licht in sein Gesicht zurückprallte.

»Wie geht es Ihnen, Nina aus Russland?«, sagte er am Abend,
als er neben ihr am Esstisch saß.

»Ich weiß nicht, mit Russland kenne ich mich nicht aus.«

»Kein Grund zum Leugnen, ich liebe die Russen! Nichts
gegen Polen. So nett. Oder-Neiße-Friedensgrenze. Alles Sla-
wische ist mir lieb. Ehrlich und ursprünglich. Aber richtig
authentisch war nur die SU.«

Auf dem Tisch lagen Jagdmesser, die dazu da waren, Scheiben von den großen Speckschwarten zu schneiden.

»Was bin ich bei euch rumgecruist, Nina! Die Njewa. Opa
Lenin. Die weißen Nächte. Die Ukraine – *Kornkammerder-
sowjetunion*. Das Schwarze Meer!« Johann Manfred Bengel
nahm sich eines der Messer und legte den Daumen prüfend an
die Klinge. »Alles aus tausendjährigem Stahl.«

»Der Weg zum Mond führt über die Karlsbrücke.«

Er betrachtete die Klinge und auf der Klinge sein wackeln-
des Spiegelbild.

»Einstein war der Meinung, wer zum Mond will, biegt beim

Kleinseitner Brückenturm einfach links ab«, sagte sie, denn sie hatte sich vorbereitet. Sie wusste, wie Razvan Stein bei solchen Gelegenheiten auftrat. Er hatte immer jede Menge Informationen und unterhaltsame Fakten zur Hand, damit sich seine Gäste nicht langweilten, und sie hatte extra im Computer im unteren Büro ein paar Dinge nachgeschaut.

Johann Manfred Bengel wischte die Klinge an der Tischdecke ab und stieß die Messerspitze in einen Brocken Feta. »Hatte schon immer eine Schwäche für Väterchen Frosts Vielvölkerstaat.«

Sie war irritiert.

»Ich meinte Prag. Die Karlsbrücke.«

Bengel nickte.

»Die Brücke über die Moldau zum Hradschin«, fügte sie sicherheitshalber hinzu. »Die Tschechoslowakei war ja keine Sowjetrepublik.«

»Reinlassen wolltet ihr uns nicht so gern«, sagte Johann Manfred Bengel und steckte sich den Feta in den Mund. »Aber war man erst mal hinter dem Eisernen Vorhang, Nina, stand der Personenzug erst mal auf der größeren Spur, einmal auf der sowjetischen Spurweite …, aber das muss ich Ihnen nicht sagen, das weiß niemand besser als Sie«, sagte er kauend, »darf ich du sagen, ich darf doch du sagen, niemand weiß besser als du, wie das war, wenn man mit harten Dollars aufkreuzte, mit der richtigen Valuta; das war bei euch was wert!«

Die Flügeltür ging auf, und unter Geraune und Beifall wurde ein Tablett hereingetragen. Auf dem Tablett lag der Kopf des Lamms. Zwei der Jungen vom Vormittag hatten den Spieß mit dem gegrillten Tier geschultert. Sie trugen ihn feierlich an den Gästen vorbei, und Johann Manfred Bengel schob sich eilig ein zweites Stück Feta in den Mund.

Razvan Stein hatte keine Musik eingelegt. Aber aus der Eingangshalle erscholl Gesang.

Die Jungen trugen den Tierleib zum Ende des Tisches und setzten ihn vorsichtig auf einer bereitstehenden großen Blechpfanne ab. Vor Razvan Stein stand der Kopf. Er begann, die Augen sorgfältig aus den Höhlen zu lösen. Er benutzte ein feines Messer und machte kein Geheimnis aus seinen Handgriffen, er erklärte, dass man die Muskelstränge hinter den Augen nicht verletzen durfte und wie man die Ohren kappte.

»Ein Ohr bekommt selbstverständlich unser Ehrengast, aber jedes Schaf hat zwei.« Es gab Gelächter.

Teller wurden herumgereicht. Darauf lagen große Stücke Fleisch, und über dem Klappern des Geschirrs und dem Klirren des Bestecks war die Männerstimme in der Eingangshalle zu hören. Dann schlug jemand seinen Löffel ans Glas, und es wurde still.

»Ich bin ja nur ein kleines Rädchen im großen Getriebe«, sagte Johann Manfred Bengel und stieß seinen Stuhl zurück, als er sich erhob. »Der Kultur und ihren kreativen Köpfen wird zwar nachgesagt, das Nervenzentrum der Gesellschaft zu sein. Aber die Schaltstellen sind ganz woanders.« Er nahm sein Glas. »So nett!«, sagte er und hob das Glas in die Runde. »Was für ein wunderbarer Ort mit ganz wunderbaren Menschen. Eine von ihnen hatte ich gerade schon die Gelegenheit, näher kennenzulernen.« Johann Manfred Bengel schaute Adina an und prostete ihr zu. Dann sah er zu Razvan Stein, der am Kopfende des Tisches ebenfalls mit dem Glas in der Hand aufgestanden war. »Du willst hier etwas bewegen, mein lieber Razvan, etwas gestalten. Du willst ein Zeichen der Kultiviertheit in die Wüste tragen, unsere Fahne in diesem wunderbaren wilden Land errichten und es urbar machen, das sehe ich. Das erkenne ich an. Meine Hochachtung. Weg vom kommunistischen Raubbau hin zur demokratischen Kulturlandschaft. Peu à peu.« Er räusperte sich. »Wie sagte neulich mein Freund, der Außenminister …« Er hob das Glas höher. »Mir wird schon einfallen, wie wir dich verlinken!«

Razvan Stein und Johann Manfred Bengel stießen mit sehr viel Luft zwischen den Gläsern an. Dann bedankte sich Stein. »Bitte, lang zu! Nimm dir, was du möchtest.«

Er machte eine Geste, die das Erkerzimmer umfasste, den wuchtigen, gedeckten Tisch, die Politiker aus Stettin, die Jungen, das Lamm und die Frauen aus Gryfino, und wie sich zeigte, war auch der Sänger in der Eingangshalle darin eingeschlossen, der in einer viel zu schweren schwarzen Anzugjacke in diesem Moment das Erkerzimmer betrat. Hinter ihm her kam eine dunkel gekleidete Frau.

»Ich habe mir erlaubt, anlässlich deines Besuches ein kleines, uriges Ständchen zu organisieren. Unser Kulturbotschafter schätzt das Authentische!« Razvan Stein nickte dem Sänger zu, der daraufhin eine Balalaika, die er an einem Gurt auf dem Rücken getragen hatte, vor den Bauch schwang und zu spielen begann. Er sang in einer unverständlichen Sprache. Die Frau neben ihm wiegte sich mit geschlossenen Augen im Takt.

Als Razvan Steins Geste über Adina hinweggewischt war, hatte sie sich vorgebeugt, um darunter durchzutauchen. Das Fleisch auf dem Teller roch nach Thymian und Tier.

»Wenn man weiß, was er singt«, sagte Razvan Stein, »kann dieser Teufel richtig Spaß machen. Er besingt seine Alte.«

»Seit wann sprichst du die Zigeunersprache, mein lieber Razvan?«, sagte Johann Manfred Bengel lachend. »Pardon, liebe Freunde«, korrigierte er sich, »die Sprache der Sinti und Roma.«

Als Adina zur Seite rutschte, weil sein Knie an ihren Oberschenkel stieß, traf sie sein Blick. Johann Manfred Bengel schaute nicht mehr zum Sänger. Er hatte einen Arm lässig über Adinas Stuhllehne gelegt, und seine Hand öffnete und schloss sich, wie um die Finger zu dehnen, ganz in der Nähe ihres schulterlangen Haars.

»Wunderbares Lied«, rief Razvan Stein. »Er besingt ihren letzten Zahn!«

Die Frau hörte nicht auf, sich zu wiegen, immer einen Tick hinter dem Takt.

»Er ist so schön, dein letzter Zahn, er funkelt wie ein Stern in deinem Mund.«

»So nett, so nett«, sagte Johann Manfred Bengel, und Razvan Stein sprang mit krachend umstürzendem Stuhl auf, und als die alte Frau lachte, weil er so tat, als würde er nach ihr greifen, um ein paar Tanzschritte mit ihr zu machen, war zu sehen, dass sie tatsächlich nur einen Zahn hatte.

Adina wusste nicht, wohin mit ihrem Blick. Also heftete sie ihn auf die dunklen Fenster. Wenn das, was sie spürte, Abscheu war, versuchte sie ihn zu ignorieren. Sie hätte auch nicht sagen können, wem der Abscheu galt, dem Sänger und der Tänzerin oder dem Mann neben ihr, der der heutige Ehrengast war. Für Razvan Stein schämte sie sich. Er verbog sich für diesen Mann aus Berlin, neben dem er kleiner wirkte, als er war.

Bengel war bester Laune. Er hatte sich den Lokalpolitikern zugewandt. »Osteuropäer haben die wunderbarsten Geschichten, finden Sie nicht, meine Herren? Das sind Geschichtenkönner! Witz, Schwermut und immer ein anständiger Weltuntergang. Höre und lese ich immer wieder gern, so gern. Kennen Sie die tragikomischste Gestalt der russischen Literatur?« Herausfordernd blickte er in die Runde. »Ich will's Ihnen sagen: ein weiblicher Dandy. Jung, lebenshungrig, originell, aber zwischen den Beinen das falsche Geschlecht. Eine Freundin Gogols und Lermontows schrieb vor etwa 150 Jahren ein reizendes Drama über diese Heldin, worauf beide, Heldin wie Autorin, geächtet wurden. So, meine lieben Freunde, sieht mein Beruf nämlich aus: Ich sitze an den Schaltstellen eines recht abseitigen Wissens.« Das Schafsohr lag unberührt vor ihm auf dem Teller. »Kurioserweise erzählen russische Frauen am liebsten von ihren Großmüttern. Du musst mich da aufklären, Nina«, sagte er und nahm seine Hand von ihrer Lehne. »Wenn ihr nach Deutschland kommt, fangt ihr alle an, von euren Großmüttern zu erzählen. Was ist das für eine Sache, eure irren Storys und das irre Wissen der Großmütter. Das ist die wahre Poesie. Razvan!«, rief er. »Wenn du mir eine Freude machen willst, stellst du was mit Russen auf die Beine. Mit postsowjetischen Künstlern«, korrigierte er sich. »System-kritische Poesie, da könnte ich mir eine Kooperation mit unserem Haus vorstellen. Vielleicht könnte ich sogar bei den EU-Geldern was für dich drehen. Mit Blick auf Russland gibt es volle Töpfe.«

»Du wirst unser Finanzminister!«

Johann Manfred Bengel lachte. »Für EU-Gelder wirst auch du etliche Anträge ausfüllen müssen. Aber vielleicht wärst du sogar ein Kandidat für unser Exilprogramm.«

Adina stieß die Säure auf. Die Frau neben ihr leckte an der Zwiebel, was einen der Lokalpolitiker veranlasste, ihr eine Papierserviette zu reichen, im Erker säbelten die Jungen Streifen von den Hinterläufen des gegrillten Tiers, die Hunde kläfften fern im Zwinger, am Ufer standen die Weiden schwarz vor dem hellen Himmel der Winternacht, auf den die leeren Augenhöhlen des Schafskopfs gerichtet waren, und während Razvan Stein beim Nachschenken des preußischen Kümmels mit der Flasche an die Glasränder stieß, versenkte Johann Manfred Bengel die Spitze des Jagdmessers in einem neuen Brocken Feta.

Er hob das Messer an, rutschte mit aufgestütztem Ellbogen auf Adina zu und hielt ihr die Klinge mit dem Feta vor den Mund.

»Schnäbelchen auf«, sagte er und räusperte sich.

Das war der Moment, in dem die Späherin zum Krug mit dem Wasser griff. Sie nahm wahr, was nicht gesehen werden sollte.

In den Tagen, die dem Gelage folgten, war die Späherin freundlicher. Sie wandte sich nicht mehr ab, wenn Adina ins Zimmer kam, sie lächelte, ein Glitzern des Steinchens auf dem Zahn rechts oben. Abends zog sie bereitwillig den Vorhang vor dem Fenster zu. Adina durfte sich Zeitschriften ausleihen, und einmal lag eine Tafel polnischer Schokolade auf ihrem Bett. Sie ging immer noch mit der Belarusin zum Unterwäschewechseln aufs Gemeinschaftsklo. Aber das machten sie, weil sie die Unterwäsche nach einmal Tragen im Waschbecken wuschen. Ihre Slips lagen tropfend auf den abgeplatzten Heizungsrohren. Adina wusch ihre Unterwäsche nicht so oft. Sie sammelte sie im Schrank und steckte sie dann im Keller in die Waschmaschine.

Beim Abstauben der Anrichte im oberen Büro hatte die Späherin ein altes Mastermind-Spiel gefunden und mitgenommen, und an Abenden, an denen nichts los war, kein Mensch im Haus und alles Putzen erledigt, nahmen sie das Logikspiel aus der Schachtel und machten es sich auf dem Futon bequem. Eine von ihnen steckte den verdeckten, vierstelligen Farbcode aus bunten Plastiksteckern, und die beiden anderen teilten sich die Rolle der Ratenden. Es gab vier Steckplätze und sechs Farben. Wenn man gemeinsam mit der Belarusin riet, war der Code oft schon nach fünf oder sechs Zügen geknackt.

Eines Tages boten sie ihr eine von ihren Zigaretten an. Adina rauchte nicht. Sie nahm trotzdem eine und ging mit zum Betonplatz hinter dem Haus, der vor den Hunden sicher war. Zu dritt standen sie in der Raucherecke, die Belarussin

241

zitternd vor Kälte. Ihr hatte Razvan Stein keine Wattejacke besorgt.

Die Späherin drehte am Rädchen ihres Feuerzeugs. Funken sprühten und verbrannten ihr den Daumen. Sie fluchte.

»Gas alle«, sagte die Belarussin, die auch ein Feuerzeug besaß. Es steckte in der Tasche ihrer dünnen, glänzenden Jacke. Die Tasche saß so weit oben, dass es aussah, als würde sie die Hand seitlich in den Busen schieben. Sie gab Adina Feuer. »Wie sind die?«, fragte sie, als die Flamme im Wind zerriss.

»Die Zigaretten?«

Die Belarussin nickte in Richtung Haus. »Okay?«

»Ja.«

»Cool.«

Vorsichtig zog Adina den Rauch ein.

»Typ auch?«

Adina sah die beiden Frauen fragend an, und die Späherin sagte: »Der Kulturtyp aus Berlin, auf den du angesetzt bist. Ist der okay?«

»Der denkt, ich komme aus Russland.«

Die Belarussin verdrehte die Augen.

»Lass ihn doch«, sagte die Späherin. »Was soll's. Das ist sein Fetisch. Aber wenn was ist, sagst du's uns.«

»Was soll denn sein?« Adina musste husten.

»Noch nie auf Lunge?«

»Einmal. Es hat aber nicht geschmeckt.«

Die Belarussin lachte rau.

»Kein Mensch raucht, weil es schmeckt«, sagte die Späherin.

»Warum denn sonst?«

»Weil's dich daran erinnert, dass du unsterblich bist. Sonst würdest du's nicht machen, weil rauchen tötet. Steht auf der Packung.«

»Glaubst du das?«

»Was?« Die Späherin grinste. »Dass es dich tötet oder dass ich unsterblich bin?«

Adina zog noch einmal an der Zigarette, dann nahm der Mohikaner sie ihr aus der Hand. Er schickte den Rauch in alle vier Himmelsrichtungen. »*Sakra!*«

Die Späherin schnaubte.

Da überwand sich Adina und stellte eine Frage, die sie schon lange beschäftigte.

»Was macht ihr abends im oberen Büro? Wenn ihr die ganze Nacht weg seid?«

Die Späherin nahm einen tiefen Zug, ließ die Zigarette dann halb geraucht zu Boden fallen und trat sie aus.

»Du brauchst auf jeden Fall mehr Farbe im Gesicht«, sagte sie und marschierte zur Tür.

Der Belarussin klapperten die Zähne. Sie nickte. »Farbe ist Abwehrzauber. Gegen böse Geister. Wie rauchen.«

Das verstand Adina, jedenfalls was die Sprache betraf.

Als Razvan Stein am nächsten Tag aus seinem Barkas stieg, hielt sie ihn auf. Sie stellte sich ihm in den Weg. Er war gerade dabei, eine Sackkarre voll Mörtel aus dem Auto zu hieven, und winkte sie mit dem Kopf beiseite. Sie blieb, wo sie war. Dass man sie für eine Russin hielt, war ihr noch nie passiert. Sie war nie in Russland gewesen. Ihre Sprache hatte nicht einmal kyrillische Buchstaben. Das sagte sie ihm.

»Ich bin keine Russin, zumal das Russische für diesen Mann ein Fetisch ist.«

»Na, ist doch wunderbar!«, rief Razvan Stein. »Und deine Grammatik wird auch gleich viel besser.« Er setzte die Karre ab. »Mensch, Nina. Warst du nicht bereit, mehr als das Übliche zu leisten? Oder hast du was gegen Russen?«

»Warum soll ich was gegen sie haben?«

Er seufzte. »Ich wünschte, *ich* könnte mich darum kümmern.«

»Und warum nicht?«

»Weil du ihn beeindruckt hast. Der Mann hat einen leichten Hau, aber was willst du machen. Du kannst dir die Leute nicht backen.«

»Er wird es sowieso bald merken.«

»Dann ist doch alles gut«, sagte Razvan Stein und schob die Tür des Barkas krachend zu. »Ich bitte lieber um Verzeihung als um Erlaubnis.«

Die Kälte hielt sich. Aber es schneite jetzt, ein nasser griesiger Schnee, der nicht lange liegen blieb. Eine Gruppe polnischer Nachwuchsübersetzerinnen kam für einige Tage ins Haus. Sie waren die Ersten, die die frisch sanierten Zimmer im Nebengebäude bewohnten, das jetzt Remise hieß. Die Übersetzerinnen benutzten die große Gemeinschaftsküche, sie kochten selbst. Einmal hörte Adina sie beim Kartoffelschälen mit dem jungen Deutschen streiten, dessen Roman Gegenstand der Seminare war. Jeden Morgen stellte Adina Kaffee, Wasser und Kekse in den Raum mit dem Overheadprojektor, und die Belarussin räumte das schmutzige Geschirr am Abend wieder ab. Zum Kochen kam auch der Autor in die Küche. Adina stand draußen an der Tür und hörte ihn den autoritären Führungsstil des polnischen Präsidenten anprangern. Polen, sagte er, nehme einen weltweiten Trend vorweg, der zu bildungsfeindlichen, kulturfernen, egomanen Autokraten in den Regierungsämtern führen würde. Die Übersetzerinnen widersprachen ihm. Sie pochten auf die anarchistische Kraft in den Tiefen der polnischen Gesellschaft, die sich gegen Allmachtsansprüche noch immer Bahn gebrochen hatte. Da warf er ihnen Naivität vor und fing an, ihnen die polnische Geschichte zu erklären. Adina kam es auf ihrem heimlichen

Posten an der Küchentür so vor, als drehe sich der Streit um etwas anderes, als hätten ihn nicht Argumente, sondern das Verhalten des Autors ausgelöst, der die Übersetzerinnen behandelte, als hinge ihr Können von seiner Gunst ab. Adina wäre gern selber mit ihnen ins Gespräch gekommen. Zu ihr hätten sie vielleicht etwas anderes gesagt. Aber dazu gab es keine Gelegenheit. Ein Gelage fand für die jungen Übersetzerinnen nicht statt, es gab auch keinen Sektempfang, und nachdem sie abgereist waren, wurde das Gutshaus noch stiller als zuvor.

Im Advent kam eine Karte von Kyrill. Auf der Vorderseite war die Kinderzeichnung eines Burattinos. Auf der Rückseite stand: *Tolstoi gelesen? Grüße von Rickie!* Darunter hatte Kyrill einige Zeilen hinzugefügt, in denen sie Adina schöne Feiertage wünschte und ihr ausrichtete, dass Rickie sich in Kamtschatka befand. Es würde zu Weihnachten kein Fest in Rickies Laden geben. Wie lange Rickie in Kamtschatka bleiben würde, wusste keiner. Ihr Visum reichte für ein halbes Jahr. Nachdem Adina die Karte mit dem schiefen Burattino mehrmals hin- und hergewendet hatte, ohne ein weiteres Wort von Rickie zu entdecken, zog sie ihren Rucksack unter dem Bett hervor. Sie legte das Geld, das sie schon für das Regionalticket abgezählt und ins Portemonnaie getan hatte, zurück in die Spartasche. Die Karte warf sie in den Müll.

Der Adventskranz im Erkerzimmer verlor die Nadeln schon vor Heiligabend. Ira hatte ihn von einer Tankstelle mitgebracht, bevor er sich über die Weihnachtsfeiertage verabschiedete. Zum Jahreswechsel flog er mit seinen Eltern zum Skifahren in die französische Schweiz. Die Späherin fuhr nach Wrocław zu ihrer Mutter. Razvan Stein hatte im Resort zu tun, das über die Feiertage ausgebucht war. Auf dem Gut war niemand mehr, bis auf die Belarussin und einen Mann, der einmal am Tag zum Hundefüttern kam. Die Hunde blieben über Weihnachten im Zwinger.

Am vierten Advent erhielt Adina einen Brief von ihrer Mutter. Es war ein grauer, kalter Tag. Der Brief war zwei Seiten lang, und ihre Mutter schrieb, dass sie keine Nachtschichten mehr machen musste. Sie hatte eine Stelle in einem kleinen Handwerksbetrieb in Tanvald gefunden und fertigte auf mechanischen Webstühlen folkloristische Kissenbezüge und Tischdecken an. Sie verdiente nicht mehr als zuvor, entwarf keine eigenen Muster, aber die Arbeit machte wieder Spaß. Sie hoffte, Adina würde bald nach Hause kommen.

Adina hüllte sich in ihren Poncho. Sie setzte sich ans Fenster und stützte den Kopf in die Hände. Tief in der baumwollenen Wärme versunken saß sie eine ganze Weile so. Alles war still. Ein leiser feiner Ton wie von den Weiden her traf ihr Ohr. Aber es war nur die frostklirrende Nacht.

Sie beschloss, die Weihnachtstage zum Erkunden der Überschwemmungswiesen und der Oder zu nutzen. Sie wollte sich den sagenumwobenen Fluss ansehen. Aber dann wurde sie krank. Am ersten Feiertag lag sie fiebernd im Bett, eingehüllt in die grauweiße Wabe, die in der Laterne vor dem Fenster hing, bis der Mohikaner sie mit einem Hieb zerteilte und die erdrosselten Käfer zu Boden prasselten. Im Lichtkegel erschien die Belarussin mit einem Topf dampfender Krautsuppe.

Als die Erkältung nachließ, spielten sie Mastermind. Sie machten im Erkerzimmer und in den Fluren Licht, damit das Haus bewohnt aussah, und ließen die Kerzen des Adventskranzes herunterbrennen, bis die letzten vertrockneten Nadeln prasselnd verglühten. Das Spiel war kein richtiges Spiel, keines mit offenem Ausgang. Immer stand schon fest, wer gewann. Adina brauchte manchmal bis zur letzten Steckerreihe zum Knacken des Codes, während die Belarussin unschlagbar

246

war. Mathematik und logisches Denken waren ihr Spezialgebiet. Deshalb war sie nach Deutschland gekommen. Sie wollte einen Abschluss machen, der ihren mathematischen Fähigkeiten entsprach. Dort, wo sie herkam, zogen die Studentinnen Netzstrümpfe und Miniröcke zu Prüfungen an, und die Prüfungen fanden bei männlichen Professoren hinter geschlossenen Türen statt. Um ihrer Tochter das zu ersparen, hatten die Eltern Geld zurückgelegt. Aber die Belarussin lehnte es ab, sich den Abschluss zu kaufen. Nur bei einem Problem half kein logisches Denken. Den Code, um in Deutschland bleiben zu können, hatte sie noch nicht geknackt.

Für die Silvesternacht brauchte Razvan Stein Hilfe im Resort. Es fehlte an Personal, und er bot Adina fünf Euro die Stunde für Hilfsdienste in der Küche an. Es wurde eine lange Nacht. Vom Silvestermenü sah sie nur die Reste. Die Schmutzteller kamen stapelweise zurück in die Küche, wo es heiß und stickig war. Um Mitternacht ging sie mit den Angestellten vor die Tür, um das Feuerwerk zu sehen, das Razvan Stein in die Luft schießen ließ, und stand am Neujahrsmorgen pünktlich halb sieben wieder in der Küche. Das Frühstück hatte die Nachtschicht vorbereitet, sie brauchte nur für Nachschub an sauberem Geschirr zu sorgen, bevor mittags die Ablösung kam. Alles lief reibungslos. Dann versagte eine der Spülmaschinen.

Übernächtigt drückte sie auf die Knöpfe, aber nichts geschah. Die Maschine zog kein Wasser. Zweimal schon hatte der Frühstückskellner sie angeschnauzt. Razvan Stein war an diesem Morgen nicht im Resort. Dann fiel ihr ein, dass es einen Notdienst gab. Aber in der Leitung liefen nur schmissige Walzer. Sie ging zur Rezeption, obwohl sie den Hotelbereich nicht in Küchenkleidung betreten durfte, wo der Rezeptionist müde die Schultern zuckte. Dann schaute er doch in seinen Computer und fand eine Firma in Eberswalde, bei der trotz

Feiertag jemand den Hörer abnahm. Sie wollten in einer Stunde da sein. Adina bestückte die zweite Maschine, räumte die Besteckpoliermaschine aus und weichte einen Tellerberg ein, den sie mit der Waschbrause spülte, bis zwei Männer auftauchten. Sie öffneten die Klappe der kaputten Spülmaschine und machten sie wieder zu. Dabei verständigten sie sich in einer Sprache, die sie nicht verstand, die sie nicht einmal verorten konnte, ehe der eine sie in abenteuerlichem Deutsch fragte, ob sie das Ökoprogamm benutzt hätte. Sie hatte das Ökoprogramm benutzt, dazu war sie angehalten worden. Er erklärte, die Maschine wäre kaputt, weil sie nur das Ökoprogramm benutzt hätte. Sie müssten sie mitnehmen. Routiniert klinkten die Männer das Gerät aus, lösten die Schläuche, schoben es auf eine Sackkarre und wollten hundert Euro Anzahlung und eine Unterschrift von ihr. Der Mann hielt ihr einen Zettel hin, auf dem Anfahrtskosten von weiteren achtzig Euro notiert waren. Sie schüttelte den Kopf.

»Soll repariert?«

Der Mann machte Anstalten, die Spülmaschine wieder abzuladen. Der Frühstückskellner, der zurück in die Küche kam, schob sie zur Seite und sah die Männer wütend an. Da ging sie zurück zur Rezeption. Der Rezeptionist ließ sich schläfrig den Zettel der Reparateure zeigen, nahm einen Hunderteuroschein aus der Kasse und ermahnte sie, sich eine Quittung geben zu lassen. Als der Lieferwagen mit der Spülmaschine vom Hof fuhr, hatte sie das Gefühl, dass etwas schiefgegangen war.

Der Küchenchef war der Erste, der sie zusammenstauchte. Er kam gegen Mittag. Er hörte sich ihre Geschichte gar nicht erst an. Sie habe sich bestehlen lassen, blaffte er. Seriöse Firmen würden Spülmaschinen vor Ort reparieren. Im Internet werde vor solchen Betrügern gewarnt, ob sie zu blöd sei für das Internet. Adina hatte noch nie im Leben eine Spülmaschine besessen. Das ließ er nicht gelten, weshalb sie zu sagen vergaß, dass sie nicht allein gehandelt hatte.

Razvan Stein war guter Laune, Konfetti klebte noch an seiner Anzugjacke. »So was von selten dämlich«, sagte er nur aufgeräumt. Da war Adina die Spülmaschine schon beinahe egal. Sie war todmüde. Ihre Hände brannten von der beizenden Lauge. Nur ein Servierwagen, der in der Nähe stand, hinderte sie am Zusammensinken.

»Mensch, Große.« Razvan Stein nahm sie um die Schulter. »Auf so was sind schon ganz andere Leute reingefallen. Fähige Leute. Im Grunde haben sich diese Betrüger etwas völlig Legales abgeschaut.« Er schob sie aus der Küche, wobei er dem Küchenchef einen verärgerten Blick zuwarf. »Mit dem Versprechen, die Dinge zu reparieren, eignen sie sie sich weit unter Wert an und machen damit einen Riesenreibach. Wie die Westfirmen nach der Wende. Versicherungen, Stromnetze, Banken inklusive der Schuldenforderungen in Milliardenhöhe, alles haben sie sich unter den Nagel gerissen. Wenn man so will, hast du die Betrüger noch mit einem Hunderter subventioniert.«

Er nahm sie im Barkas mit zum Gut. Gemächlich steuerte er das Auto über die Landstraße, schaltete das Radio an, pfiff mit. Sie döste auf dem Beifahrersitz ein. Erst beim Aussteigen, nachdem sie sich abgeschnallt und die Autotür geöffnet hatte, einen Fuß schon auf dem gefrorenen Boden, sagte er: »Die Hundert zahlst du mir zurück. Ein bisschen weh tun muss es, Nina. Als Wessi hätte ich dir auch die neue Spülmaschine noch in Rechnung gestellt.«

Johann Manfred Bengel kam wieder. Mitte Februar fuhr der schwarze Land Rover vor dem Gutshaus vor. Eine Frau im Daunenmantel stieg auf der Beifahrerseite aus. Ihre Stiefel waren zu fein für den Matsch und die sumpfigen Wiesen. Blinzelnd schaute sie zum Haus, zu Adina, die am Bürofenster stand, aber wegen der Sonne, die blendend auf die schmutzigen Scheiben fiel, nicht zu sehen sein konnte. Die Frau sah sich aufmerksam um. Sie ging ein paar Schritte auf die Remise zu, betrat die frisch verlegten Katzenkopfsteine und begutachtete Fassaden und Dach. Dann wandte sie sich der Giebelseite zu, wo die Überreste des Baugerüstes lagen, und registrierte die halbverrotteten Erlenstämme an der Scheune, die Bibern zum Opfer gefallen waren und jetzt als Feuerholz dienten. Sie war nicht mehr jung, wirkte aber jugendlich unter ihrer Mütze, die eng an ihrem Kopf anlag. Alles an ihr war glatt und elegant und passte nicht in diese raue Landschaft.

Johann Manfred Bengel war ebenfalls ausgestiegen. Er trug Turnschuhe wie beim letzten Mal, und seine von Furchen durchzogene Haut war gebräunt, als lebte er ewig im Sommer. Lächelnd verfolgte er den Rundgang der Frau, die zu den Weiden geschaut hatte und sich nun wieder dem Gutshaus zuwandte, wobei sie prüfend Erker und Fassade in Augenschein nahm. Sie machte ein Gesicht, als wollte sie Landschaft und Haus wie durch einen Strohhalm in sich hineinsaugen.

Es war ein warmer, freundlicher Wintertag. Die Sonne hatte sich zum ersten Mal seit längerem wieder gezeigt, und das Haus war für den Besuch auf Vordermann gebracht worden. So hatte Razvan Stein das Fegen und Wischen und Aufräumen der Schreibtische genannt. Die verdreckten Gummistiefel und die Autobatterie vom Grillplatz hinter dem Haus hatte er selbst in den Keller getragen.

Adina schnappte sich ein paar Flyer und stellte sich an die offene Eingangstür. Die Luft war frisch und klar. Als die Frau genug gesehen hatte, schwenkte sie herum, hängte sich bei Johann Manfred Bengel ein und kam beherzt mit ihm die Stufen zur Eingangshalle hinauf. Arm in Arm machten sie einen vertrauten Eindruck. Adina kam der Gedanke, sie könnte seine Ehefrau sein. Razvan Stein hatte nichts von einer Ehefrau erwähnt, aber vielleicht hatte Johann Manfred Bengel sie nicht angekündigt. Vielleicht war ihm in letzter Minute eingefallen, dass er sie dabeihaben wollte, um ihre Meinung zu hören. Ihre Meinung war ihm wichtig. Dann lag die Zukunft Razvan Steins auch im Ermessen dieser Frau, dachte Adina. Ihr wurde leicht zumute. Sie bemerkte ein Glitzern in der Luft, das sonnendurchsprenkelte Gras schien zu leuchten. Wenn Johann Manfred Bengel seine Frau mitbrachte, warf das ein neues Licht auf ihn, und sie war froh, beim letzten Mal nicht unhöflich gewesen zu sein.

Sie trat ins Freie, unschlüssig, ob sie der Frau einen Flyer geben sollte. Johann Manfred Bengel war längst mit allem Material versorgt worden. Ihr keinen Flyer zu geben könnte ihr allerdings das Gefühl vermitteln, übergangen zu werden. Adina ärgerte sich, nicht besser informiert zu sein. Wenn sie nicht Bescheid wusste, würde sie weiterhin Fehler machen. Als die Frau lächelnd auf sie zukam, drückte sie ihr den ganzen Packen in die Hand.

Razvan Stein stellte sie mit dem üblichen Getöse vor.

»Niemand kennt sich besser im osteuropäischen Kulturraum aus als meine Praktikantin.«

Von Russland war nicht die Rede.

In der Eingangshalle griff Johann Manfred Bengel zur Begrüßung nach Adinas Hand. Mit einem Lächeln seines zerklüfteten Gesichts hielt er sie fest, und während sein Mittelfinger in ihrem Handteller zu flappen begann wie ein nervöser Schmetterling, murmelte er: »Nur mal anfassen. So nett, so nett«, bevor er Razvan Stein und der Frau, die nichts davon mitbekamen, ins obere Büro folgte.

Adina stand einen Schritt vom Sowjetstern entfernt, den Arm noch immer ausgestreckt. Sie hielt die Hand, die sein

Mittelfinger gestreichelt hatte, wie einen fremden Gegenstand vor sich in die Luft.

Einer hatte es mitbekommen. Ein überlebensgroßer Adliger in einem dunkelblauen Offiziersrock. Er fixierte sie. Mit weißen Haarlöckchen, Dreispitz und Rüschenbluse hing er auf halber Treppe in einem Goldrahmen.

Sie versteckte die Hand hinter dem Rücken.

»*Doprdele!*«

Der Adlige ließ sie nicht aus den Augen. Sie stieg die ersten drei Treppenstufen hoch und starrte zu ihm zurück. Und auf einmal erkannte sie ihn. Bisher hatte sie die Gestalt auf dem Gemälde für einen früheren Gutsbesitzer gehalten. Jetzt erkannte sie im Offiziersrock Razvan Stein. Er hatte sich im Stil alter Ölgemälde porträtieren lassen. Nur an den Augen, am Mund und an den spatelförmigen Fingernägeln sah er sich ähnlich.

Der Adlige schleuderte drohende Blicke in die Halle. Und da versteckte sie nicht länger ihre Hand. Sie hob dem Öl-Razvan die Hand entgegen und zeigte ihm den Mittelfinger.

Nicht anfassen.

Hände weg!

Fuck off!

Das war es, was der letzte Mohikaner dachte. So dachte nur er. Pfoten weg!

Er war noch da. Er dachte, also existierte er.

Sie nahm zwei Stufen auf einmal. Sie lief die Treppe hoch und rannte am oberen Büro vorbei, aus dem Stimmen zu hören waren, Männerstimmen und die einer Frau, in den unsanierten Gebäudetrakt. Im Zimmer war niemand. Sie warf sich in den Poncho, öffnete das Fenster und rief in die Stille der gefrorenen Wiesen: »Wer oder was nimmt wahr, wer empfindet?! Er ist da, ihr Arschlöcher! Seht ihr mich? Er geht nicht weg!«

Die Frau an Johann Manfred Bengels Seite war nicht seine

Ehefrau. Sie kam von einer großen Stiftung. Sie war Schweizerin und glatt wie eine Wachstuchdecke. Aber davon wusste Adina an diesem Nachmittag noch nichts. Sie beugte sich in ihrem Poncho weit aus dem Fenster und setzte die gefrorene Landschaft überschwänglich von der Anwesenheit des letzten Mohikaners in Kenntnis: »Er ist da. Er ist stärker als ihr alle! Er lässt sich nicht vertreiben!«

Wie Irokesen standen die Weiden am Rand der Wiesen und funkten mit ihren Antennen zurück.

»Wer?«

Ira stand in der Zimmertür.

»Der Mond«, sagte sie, »was hast du denn gedacht.«

»Du weißt, dass wir Besuch haben?«

»Klar. Ich war ja unten.«

»Es kommt nicht gut, den Mond anzuheulen. Was hast'n da?«

»Was?«

»Ist das ein Messer?«

»Nein.«

Beim Hinauslehnen hatte sich die Panzerkette, an der das Taschenmesser hing, am Fensterbrett verhakt. Das Messer war aus der Hosentasche gerutscht und baumelte an ihrem Oberschenkel.

»Lass das«, sagte sie, als Ira nach der Panzerkette griff.

»Wozu brauchst'n das?«

Sie wollte sich umdrehen, um das Fenster zuzumachen, aber Ira hielt die Kette fest.

»Ist das überhaupt erlaubt?«

»Und wer bist du«, sagte Adina. »Der Hüter der Quellen?«

»Mit einem Messer rumlaufen, wenn eine Schweizerin zu Besuch ist? Das ist bestimmt nicht erlaubt. Die Schweiz ist nicht in der Nato!«

»Das ist ein Schweizer Messer.«

»Echt?«

Er zog an der Kette, und bevor sie ausweichen konnte, hatte er mit einem schnellen Griff den Karabiner aufschnappen lassen. Das Messer flog in einem rotleuchtenden Bogen in seine Hand.

»Geil! Beauty-Set, Schraubendreher –.« Er untersuchte die Klingen. »Ein Swisschamp«, sagte er anerkennend.

»Ja. Mit 33 Funktionen. Gib her.«

»Könnte ich auch gebrauchen, so ein Outdoor-Gadget.«

»Gib's mir wieder.«

»Die Schweiz ist im Haus. Schweizer sind militante Pazifisten.«

»Pazifisten sind nicht militant.«

Ira hielt ihr das Messer vor die Nase.

»Dann hol's dir doch! Na los. Hol's dir.«

Seine Augen blitzten. Er war high. Er war schon high hereingekommen. Vielleicht hatte er was geraucht. Manchmal rauchte er Gras, das war zu riechen. Die Jagd durch das Zimmer stachelte ihn erst richtig an. Als sie seinen Arm erwischte, entwand er sich, und sie fasste in die Luft. Sie jagte ihm nach, obwohl sie das nicht wollte, sie wollte nur ihr Messer zurück, aber Ira lachte und schüttelte sie ab.

»Bist du auf Drogen?«

»Nee. Du?«

Sie blieb stehen. »Was willst du, Ira?«

»Wie viel willst du mir denn dafür geben?«

»Ich meine, warum du hier bist.«

Auch er blieb stehen, keuchend. Sie hatte noch den Poncho an. Aber Ira schien das verbotene Kleidungsstück nicht zu bemerken. Er kratzte sich unter seiner Baseballkappe am Kopf. »Ach ja. Jetzt fällt's mir wieder ein.« Er war gekommen, um ihr auszurichten, dass sie heute Abend zu einem Gespräch dazugebeten wurde. So sagte er das, »dazugebeten«. Er zog den Zahn-

stocher aus dem Messergriff und hielt ihn wie einen mahnen-
den Zeigefinger in die Luft. Dann entdeckte er die kleine Säge.

»Du bist echt krass, Adina. Was willst du damit zerlegen,
Knochen?«

»Was denn für ein Gespräch?«

»Bengel hat seine Kontakte genutzt.« Ira schob den Zahn-
stocher zurück. »Ich geh davon aus, dass die Dame aus der
Schweiz eine halbe Million schwer ist.« Er klappte auch die
Säge wieder ein.

»Wirklich? Wieso?«

Der Junge zuckte die Schultern. »Der Chef wünscht sich ein
bisschen Kolorit. Du sollst vom Systemwechsel erzählen.«

»Nicht schon wieder.«

»Wie sich die junge Generation Ostmitteleuropas heute
positioniert. Verteilungskämpfe, das Streben nach der goldenen Kuh, du weißt schon. Wie der Westen euch ignoriert und
ausbeutet und sich eine antiwestliche Stimmung einzuschlei-
chen beginnt. Das hat übrigens nicht er gesagt. Das sage ich.«

»Nein.«

»Nein?«

»Ich bin nicht die Matroschka!«

»Okay«, sagte Ira. »Dann behalt ich dein Messer.«

»Bengel muss erst mal kapieren, dass ich nicht seine
Matroschka bin.«

»Erzähl die Geschichte von der Tanke. *West is best*! Das ist
geil. Der Chef sagt, du hast was gutzumachen.« Demonstrativ
schob Ira das Messer in seine Hosentasche. »Dann wird er
uns auch endlich die Kohle zahlen, die er uns seit Wochen
schuldet. Wenn die Schweiz einsteigt.«

»Uns?«

»Du und ich, das verlangt schon den Plural.«

»Schuldet er dir auch Geld?« Der Gedanke war ihr nie gekommen.

»Der wird schon bezahlen«, sagte Ira. »Verlass dich drauf. Also gib dein Bestes und sorg dafür, dass die Schweiz mitmacht.«

Zwei Briefumschläge im Wert von fünfzig Euro war Razvan Stein ihr noch schuldig, sie schuldete ihm hundert für die Spülmaschine. Das hätten sie verrechnen können. Aber weil Razvan Stein nichts dergleichen vorgeschlagen hatte, ging sie davon aus, dass er nicht mehr an die Sache mit den Briefumschlägen dachte, und bisher hatte sie sich gescheut, ihn daran zu erinnern. Aber jetzt, da sie wusste, dass auch Ira kein Honorar bekam, hatte sie einen Verbündeten.

»Also gut«, sagte sie. »Ich mach's. Aber zum letzten Mal.«

Im Waschraum stand die Späherin vor dem Spiegel. Die Spirale ihres Mascaras sortierte satt die Wimpern. Sie warf Adina einen flüchtigen Blick zu, ehe sie konzentriert mit der Fingerspitze durch ihr Werk strich. Kühl und schön stand sie vor den schäbigen Kacheln. Da bat Adina sie, ihr Gesicht ein bisschen lebendiger zu machen, es nur ein wenig zu schminken. Sie wollte auch so kühl und schön sein, wenn sie der Schweizerin gegenübertrat.

Die Späherin blinzelte. »Sicher?«

»Ja.«

Die Schweizerin kam von einer großen Stiftung. Laut Ira verfügte sie über sehr viel Geld. Sie zu überzeugen musste schwieriger sein als bei einem Mann wie Bengel. Ira schien Razvan Stein das jedenfalls nicht zuzutrauen. Und ein Gelage wurde für sie nicht gegeben, weder ein Schweine- noch ein Schafsgelage. Vielleicht war sie Vegetarierin. Aber das war Johann Manfred Bengel auch. Jedenfalls hatte er das Fleisch auf seinem Teller beim letzten Mal nicht angerührt.

»Ich mach nichts, was du nicht willst«, sagte die Späherin.

Mit der Unterstützung der Schweizerin konnte man es weit bringen. Ihr Einfluss, ihre Meinung schienen Gewicht zu haben. Und eines Tages, dachte Adina, wollte auch sie es weit bringen, sie wollte es so weit bringen wie Ira. Oder noch weiter. Denn sie würde nicht irgendwo auf dem Land eine Stelle antreten, sondern in Berlin.

»Mach schon.«

Sie wollte einen guten Eindruck machen. Sie würde dafür sorgen, dass die Barkeeper und der Partisan, ihre Mutter und Großmutter und der alte Mann an der Benzinpumpe nicht nur die Sympathie, sondern auch Respekt gewannen, den Respekt Johann Manfred Bengels und der gesamten Schweiz.

Lächelnd ging die Späherin ihr Make-up holen.

In der Ferne lagen die Überschwemmungswiesen fahl und verschwommen, als Adina später am Abend das Zimmer verließ. Auf ihren Wangen lag Puder. Ihre Augen hatten einen Blaue-Stunden-Schimmer, *groovy*, hatte die Späherin sachkundig gesagt. Das Lipgloss war süß und klebte ein bisschen, als sie mit der Zunge über ihre Lippen fuhr. An der Tür drehte sie sich noch einmal um. Der Poncho hing über dem Stuhl. Der Stuhl stand neben dem Bett. Das Bett war leer und gemacht, und der grüne Pullover lag zusammengefaltet auf dem Kopfkissen.

Einen Moment lang hatte sie das Gefühl, ihre Vergangenheit anzusehen. Dann straffte sie sich und ging hinüber in den sanierten Gebäudetrakt.

Die Tür zum oberen Büro stand offen. Licht fiel in den Flur, aus dem Zimmer drangen Männerstimmen.

»Kannst eben auch riesiges Pech haben mit Leuten, die beim Straßenbau besser aufgehoben wären«, hörte sie Johann Manfred Bengel sagen. »Leute wie dieser Senator. Ist schon ein paar Jährchen her. Inzwischen haben sie ihn glücklicherweise nach Brüssel versetzt.«

Er saß, die Arme ausgebreitet, auf der Ledercouch. Razvan

Stein lehnte mit dem Rücken zur Tür an der Anrichte. Auf dem Tisch standen mehrere benutzte Gläser, ein volles Teeglas neben einer Schale Würfelzucker und zwei Flaschen. Im Hintergrund gluckerte der Kühlschrank.

»Ein Mann fürs Grobe«, sagte Johann Manfred Bengel. »Erinnere mich ungern an ihn. Er war ein Schrecken für jede Berliner Institution. Folgte nur einer einzigen politischen Vision: radikal die Gelder kürzen.«

Die Schweizerin war nicht da. Vielleicht verspätete sie sich. Oder sie stand hinter einem der bodenlangen Vorhänge, die jetzt zugezogen waren, und nahm das nächtliche Gut mit ihrem Strohhalmblick in sich auf.

»Mit keinem anderen Senator hatten wir so viele Scherereien. Krisensitzungen noch und nöcher«, sagte Johann Manfred Bengel. »Und in einer dieser Sitzungen, in der wir gerade darum betteln, uns das Budget nicht um die Hälfte zu kürzen, geht der, Klammer auf Arschloch, an sein Privathandy, um mit seiner Frau zu quatschen. Aber da hatte ich meine Sternstunde. ›Hör mal, mein Lieber‹, sag ich zu ihm, ›kennst du den schon: Was ist der Unterschied zwischen einem Handy und einem Tampon?‹«

Johann Manfred Bengel hatte Adina bemerkt, sich aber nicht unterbrochen.

»Tampons sind nicht für Arschlöcher!«

Die Männer lachten.

»Ich hatte ihn auf seinem Niveau abgeholt. Von da an verstanden wir uns prima.«

Adina klopfte an die Glasscheibe der Tür. Razvan Stein fuhr herum.

»Na endlich, Nina!« Der Schwung, mit dem er sich aufrichtete, stand in seltsamem Gegensatz zu seinem Blick. »Komm, setz dich. Mach's dir bequem.« Razvan Stein zeigte auf die Couch, wie um darauf hinzuweisen, dass dort ein Platz extra für sie freigehalten worden war. »Unser Kulturbotschafter hat jede Menge Fragen.«

Sie blieb stehen.

Die Männer schauten sie an.

»Was ist? Kommst du nicht rein?«

»Ira hat gesagt, ich soll der Schweizerin von meiner Herkunft erzählen.« Unter dem Blick der Männer war sie sich ihres geschminkten Gesichtes auf einmal überdeutlich bewusst.

»Setz dich erst mal hin.«

»Ich stehe lieber«, sagte sie und versuchte, ihr Gesicht im Schatten zu halten.

Sekundenlang war es still.

»Mach's dir bequem, Große«, sagte Razvan Stein. »Tee?«

Etwas an dieser Stille stimmte nicht.

»Sie verschmäht den guten preußischen Kümmel«, fügte Razvan Stein, an Johann Manfred Bengel gewandt, hinzu. Dann wandte er sich wieder an Adina. »Ich muss rüber ins Resort. Du leistest Manne ein bisschen Gesellschaft.«

Er sah sie unverwandt an. »Ich kann mich doch auf dich verlassen?«

»Wo ist die Frau aus der Schweiz?«

Razvan Stein stellte sein Glas auf die Anrichte. Es war ein Schnapsglas, das er nicht ausgetrunken hatte.

»Die Schweizerin, sie kommt doch noch?«

»Jetzt setz dich hin!« Sein Tonfall ließ sie zusammenzucken. »Du machst mich noch verrückt mit deinem Rumgestehe!«

Sie stand an der Tür. Von der Tür zur Couch waren es nur wenige Schritte. Vielleicht war die Schweizerin nur auf der Toilette.

»Man muss die Menschen auf ihrem Niveau abholen«, sagte Johann Manfred Bengel lächelnd und fuhr sich durchs graublonde Haar. »Das verlangt jedes Mal eine feine Justierung.«

Das Erschrecken setzte sein, als sie begriff, dass die Schweizerin nicht auf der Toilette war. Die Schweizerin würde nicht kommen. Sie war gar nicht eingeplant.

In ihrem Rücken stand die Tür offen, die noch niemand zugemacht hatte.

»Wenn sie nicht kommt«, sagte sie, »gehe ich wieder.«

»Kommt gar nicht in Frage.«

»Ich bleib nicht hier.«

Razvan Stein schaute zum Fenster, zu den Überschwemmungswiesen am Horizont, wodurch er zu verstehen gab, dass ihm Bedeutendes durch den Kopf ging.

»Manchmal muss man Dinge tun, die einem nicht gefallen, weißt du.«

»Ich nicht.«

Da griff Razvan Stein nach ihrem Arm. Es war ein Griff, den sie schon kannte.

»Mach mir nicht wieder einen Fehler«, raunte er so leise, dass nur sie es hörte.

Lächelnd warf Johann Manfred Bengel ein Stück Zucker in den Tee.

»Du als Fachfrau, Nina«, sagte er und klopfte neben sich auf die Couch, »benutzt man in der Verlaufsform im Russischen nicht für einige körperliche Regungen den Passiv? *Es räuspert sich mir.* Das kann man doch so sagen; im Überschwang räuspert es sich mir.«

Der Tee war heiß und süß.

Sie hielt das heiße Teeglas in den Händen wie einen Rettungsring. Aber die Späherin war nicht da. Die Späherin nicht und die Belarussin auch nicht, die hatte Ira am Vormittag ins Resort gefahren, Ira, der auch ihr Messer hatte.

»Schön schlucken. So scheu, so scheu.« Lächelnd schob Johann Manfred Bengel zwei Finger in die Falte einer Ledernoppe neben ihrem Bein.

Sie trank nicht wie jemand, der Durst hat. Sie trank, wie eine Ertrinkende Wasser schluckt.

Die Männer verständigten sich durch einen Blick. Das hob sich später aus der luftdicht verpackten Wirklichkeit dieser Nacht heraus, brannte sich durch die schützende Verpackung wie das glühende Kohlenstück durch Razvan Steins Hinterkopf.

Bevor er den Raum verließ, beugte er sich zu ihr hinunter.

»Davon stirbt man nicht«, sagte er bedächtig.

Razvan Stein hatte recht. Sie war noch da.

Adina lag im Sumpf, im kalten Schlick der Überschwemmungswiesen, schlammig, schwer und bodenlos, nässend wie das nasse Moor. Beim Versuch, sich aufzurichten, zog es sie tiefer hinab. Ein überwältigender Geruch nach Moder stieg auf. Über ihr schwebte ein Gesicht, lächelnd.

Mit der überstrahlten Panik, im Sumpf zu versinken, schnellte sie hoch. Das Gesicht schnellte hinterher, Talg und der Anschein des Verbrannten.

Im Zimmer war es kalt.

Der Mond stand noch im Fensterwinkel.

Schwer lastete das Moor auf ihr, schwappte kalt um Arme und Beine und drückte ihr die Luft ab. Als sie die Augen wieder aufbekam, sah sie, dass sie im Anbau lag, in ihrem Bett. Im Unterleib spürte sie eine dumpfe Bewegung, als würde ein Gegenstand dort hin- und hergeschoben. Dann bemerkte sie die beiden anderen. Sie lagen in ihren Betten und schliefen. Wann sie sich schlafen gelegt hatten, wann sie zurückgekommen waren, wusste sie nicht. Sie wusste auch nicht, wie sie selbst zurückgekommen war. Auf dem Boden vor dem Bett lag ihre Jeans, daneben die Socken. Sie hatte in ihrer Unterwäsche geschlafen. Ob sie letzte Nacht auch in Unterwäsche über die kalten Flure gelaufen war, konnte sie nicht sagen.

Sie stieß die Decke von sich. Sie schob sich über den Bettrand, tastete mit der Hand unter dem Bett, Staub, ein altes Taschentuch, dann erwischte sie den Rucksack. Sie zerrte ihn am Schultergurt hervor. Wenn sie sich nicht beeilte, würde sie doch noch sterben.

Leise ging sie an den Schlafenden vorbei. Im Augenwinkel der Späherin klebten Make-up-Krümel. Unter dem Auge war ein dunkler, verschmierter Rand. Verräter sahen so aus. Verräter schliefen mit Rändern unter den Augen. Verräter schliefen, wenn die Sache erledigt war. Sie schliefen, sie wachten nicht auf.

Adina öffnete den Schrank und fing an zu packen. Sie packte Socken und T-Shirts ein. Sie wollte weg, ehe irgendjemand erwachte. Die Jeans fiel ihr aus den Händen. Sie schaffte es nicht, in die Hosenbeine zu steigen und strauchelte. Sie fing sich am Schrank ab und drückte die Handballen auf die Augäpfel, bis die Schwärze vor Augen nachließ. Dann ließ sie die Jeans einfach liegen und zog die Jogginghose an. Wie betäubt ging sie aus dem Zimmer. Die Gemeinschaftstoiletten waren grell und kalt. Beim Waschen schaute sie nicht in den Spiegel.

Dann sah sie das Messer.

Sie sah es übergroß. Sie sah sich die Hand danach ausstrecken. Da löste sich ein leuchtend fließender, beinahe unsichtbarer Schatten und verschwand. Sie sah, wie der letzte Mohikaner, als ihr das Messer entglitt, aus ihr heraustrat, wie er sich von ihr entfernte und das Zimmer verließ. Sein Haar lose im Nacken gebunden, betrat er den Flur. Lautlos schritt er davon. Die Wände nahmen ihn zwischen sich. Die Wände verliefen schnurgerade in die Ferne, parallel bis zum Ende des Flurs, wo sie sich hinter ihm schlossen.

Sie vergaß, sich abzutrocknen. Mit noch nassen Händen rannte sie hinaus, tastete sich an den Wänden entlang, an der gelben Tapete. Sie tastete die Wände ab, feste, rissfreie Wände, in denen der letzte Mohikaner verschwunden war. Sie wollte ihm hinterher.

Schließlich gelangte sie zur Kellertreppe. Die Treppe führte ins Freie. Draußen wurde ihr übel. Die Kälte schlug ihr entgegen, und sie hielt sich an der Hauswand fest und schloss die Augen. Ihr war elend. Ein Gewicht erdrückte sie, presste alle Luft aus ihr heraus, während irgendwo im Körper, dort, wo es weich war, etwas riss, unbeachtet von dem Mann, der ein Multiplikator war.

Er multiplizierte den Schmerz.

Sie schnappte nach Luft. Sie durfte die Augen nicht zumachen. Nie mehr. Sie durfte nie wieder etwas übersehen. Sie durfte nie wieder leichtfertig sein, nie wieder ihren Instinkten nicht trauen.

Ihre Instinkte funktionierten noch. Da waren die im Vertrocknen erstarrten Brennnesseln neben dem Betonplatz, die morschen Erlenstämme, die anbrandende kalte Luft. Da waren die Beine, die ihre Arbeit machten. Die Gliedmaßen versagten nicht. So instinktiv, wie sie sich auf der Labská louka zurechtgefunden hatte, fand sie den Weg zur Schweizerin. Die Schweizerin machte einen Morgenspaziergang. In der Ferne hob sich ihre Gestalt im langen Daunenmantel deutlich vor den Wiesen ab. Hunde waren keine da. Die Hunde waren an diesem Morgen im Zwinger.

Adina schloss zu ihr auf.

Später, wenn sie an diesen rauen Morgen dachte, an diesen ersten einer Reihe von Morgen, an denen sich die Maulwurfshügel durch das gefrorene Gelb des Rasens bohrten wie erloschene Augen aus dem Glutkern der Erde, die sie beobachteten, jedes einzelne hatte sie im Visier, sie hatte keine Chance sich zu verstecken, war sie überrascht, dass sie etwas hatte sagen können. Sie hatte den Mund aufgemacht. Zwischen die Lippen hatten Äußerungen von unterschiedlichem Durchmesser gepasst. Angst, Wut, das funktionierte nach diesem Abend noch. Dem Abend, an dem Johann Manfred Bengel ihre Widerspenstigkeit zu viel geworden war. Nach einer halben oder einer Stunde. Auf seiner Fliegeruhr am Arm war es halb zwölf gewesen.

»Beruhigen Sie sich. Bitte beruhigen Sie sich. Brauchen Sie ein Taschentuch? Warten Sie, ich gebe Ihnen eines.« Die Schweizerin zog ein Päckchen Tempotaschentücher aus der Tasche ihres Daunenmantels. »Hier. Warten Sie. Ich falte es für Sie auseinander. Wollen Sie Ihre Jacke nicht zumachen? Sie holen sich noch was bei der Kälte. Sie zittern. Sie sind viel zu dünn angezogen!«

Die Schweizerin kannte Johann Manfred Bengel gut. Seit neun Jahren arbeitete sie mit ihm zusammen. Er war ein zuverlässiger Kollege, ein erfahrener, etwas temperamentvoller, aber kluger und geschätzter Mann.

»Was sagen Sie da?«

Er hatte das Netzwerk europaweit bekannt gemacht.

»Sind Sie sicher? Sind Sie ganz sicher, dass Sie sich das nicht einbilden?«

Er hatte drei Kinder. Er liebte seine Frau.

»Beruhigen Sie sich doch bitte. Das sind schwere Anschuldigungen.«

Zweimal schon hatte er die Schweizerin zu sich eingeladen, in ein helles Zuhause mit Bücherwand und bunten Sitzsäcken. Er hatte ein Händchen für vegetarische BBQs, zu denen er frische Avocados und Limettenlimonade servierte.

»Sind solche Anschuldigungen im Moment nicht sehr in Mode?«

Ob sie ihr eigenes Auftreten ebenfalls bedacht habe. Ob es hier nicht eine Perspektive für sie gebe. Ob sie diese Perspektive leichtfertig aufs Spiel setzen wolle. Was immer schiefgelaufen sei, sagte die Schweizerin, das lasse sich bestimmt klären. Sie vermittle gern. Aber bitte, zuerst müsse sich Adina ein wenig beruhigen.

»Heftige Gefühle sind manchmal wie ein Spiegel, der alles doppelt so groß aussehen lässt, als es in Wirklichkeit ist.«

Die Wirklichkeit liegt außerhalb von uns und ist nicht unsere, hörte Adina von fern jemanden sagen.

Es hätte auch heißen können: Die Wirklichkeit wurde vom Strohhalmblick der Schweizerin nur punktuell erfasst.

An einer Straßenkreuzung stand ein Schild. *Pasewalk 45 km.* Dort kehrten sie um. Das Haus tauchte in der Senke vor ihnen auf, und Adina hatte den Drang, abzubiegen. Sie wollte nicht weglaufen. Sie wollte nur nicht mehr zurück.

Da nahm die Schweizerin mit einem aufmunternden Nicken ihre Hand. Sie würden das Haus durch den Vordereingang betreten, so gehörte sich das, jedenfalls für eine Schweizerin, deren Optimismus unzugänglich war für alles, was der Überzeugung, Frieden stiften zu können, widersprach. Der Optimismus entsprang einem Land, das nicht in der Nato war und das Vermitteln seit Jahrhunderten beherrschte. Auf dem Feld der Diplomatie fand sich immer eine Lösung.

Sie betraten das Haus durch den Vordereingang.

Razvan Stein befand sich, noch im Morgenmantel, in der Eingangshalle. Sein Schatten war groß, er fiel auf den Adligen an der Wand. Beherzten Schrittes trat die Schweizerin auf ihn zu. Auch Johann Manfred Bengel ließ nicht lange auf sich warten. Er kam die Treppe herunter, um sich nach dem Morgenspaziergang der Kollegin zu erkundigen. Sorgsam umrundete er den Sowjetstern, einen Spritzer Rasierschaum noch am Kinn.

Razvan Stein lachte. Es war sein aufgeräumtes Lachen, er war gut gelaunt, und da lachte auch die Schweizerin in einem Einvernehmen, das den strahlenden Morgen erfüllte, denn man hatte sich gestern auf die finanziellen Modi geeinigt, es fehlten nur noch ein paar Unterschriften. Allein die Änderung des Tonfalls störte ein bisschen, als die Schweizerin sich, ins Morgenlicht getaucht, nach dem gestrigen Abend erkundigte.

Aus Johann Manfred Bengels Gesicht verschwand das ewige Lächeln. Und als die Schweizerin reflexartig die Hand hob, hatte es für einen Augenblick den Anschein, als wollte sie ihm ins Gesicht schlagen. Aber es war nur der Rasierschaum, dem ihre Geste galt, und er wischte ihn sich eilig mit dem Handrücken vom Kinn.

»Unsere junge tschechische Kollegin wirkt ein wenig überfordert. Was immer gestern Abend vorgefallen ist; ich kann nur anregen, das schnellstmöglich aus der Welt zu schaffen.«

So sagte es die Schweizerin, um im selben Atemzug an ein strittiges Thema zu erinnern; die gezielte Schulung der Mitarbeiter, die für ihre Stiftung eine wesentliche Voraussetzung dafür war, sich an der Finanzierung von Exilstipendien zu beteiligen. Bei Stipendiaten mit unterschiedlichsten Hintergründen war eine Sensibilisierung für kulturelle Differenzen essenziell. Dann schlug sie vor, sich die arbeitsrechtlichen Bedingungen für Praktikanten am heutigen Vormittag noch einmal anzuschauen.

Johann Manfred Bengels Schweigen.

Razvan Stein fasste sich als Erster. »Ein guter Punkt.« Er griff sich ins Haar. Sein Blick, unstet und flackernd, traf Adina. »Warum nimmst du dir nicht heute frei. Ruh dich aus.«

Das erleichterte Lächeln der Schweizerin. Ihr Lächeln war glatt wie eine Wachstuchdecke. Sie hängte sich schwungvoll bei Johann Manfred Bengel ein. »Die weichen Faktoren«, sagte sie, »verliert ihr Jungs über den Sachfragen gern mal aus dem Blick.«

Johann Manfred Bengel tätschelte ihre Hand. »Was bin ich für ein ungezogener Bengel«, murmelte er. »So wahr, so wahr.«

Adina stand allein im Licht der Eingangshalle. Die Sonne schien. Die Sonne fiel nicht vom Himmel und erlosch. Sie ließ die Flure auflodern und versengte die Türen, die sich nie wieder schließen würden vor dieser brutalen und jetzt wie selbstverständlich zur rechtmäßigen Gegenwart gewordenen Welt.

Der Adlige schaute über sie hinweg. Er fixierte einen Punkt am Horizont, hinter den Weiden, als wollte er sagen: Hier wird nicht gelitten, hier wird, hopphopp, weitergelebt!

Zuerst musste sie ihr Messer wiederhaben.

Sie fand Ira im Ausstellungsraum.

»Das hab ich nicht mehr«, sagte Ira.

»Wie?«

»Ich hab's nicht mehr.«

»Du hast es nicht?«

»Das hab ich doch gerade gesagt.«

»Du lügst«, sagte sie. Ohne das Messer kam der Mohikaner nicht zurück.

»Der Chef hat es mir weggenommen.«

»Gestern hast du auch gelogen.«

Ira machte ein erstauntes Gesicht.

»Die Schweizerin war gar nicht da.«

»Und was hab ich damit zu tun?«, sagte Ira. »Ich misch mich da nicht ein. Das sind Privatsachen.«

»Was meinst du mit privat?«

»Das Zwischenmenschliche. Was da läuft mit diesem Typen, das würde ich mir nie …« Er lächelte dünn, und sie spürte seine Verachtung.

»Mich zu verarschen«, sagte sie und brauchte ihre ganze Kraft, »nennst du menschlich?«

Aber Ira zuckte bloß die Schultern.

Sie ließ ihn stehen und ging in den Keller. Im Werkzeugraum, zwischen Gartengeräten und Gummistiefeln lag kein Messer, nirgends. Ihr Messer war weg. Auf einem langen Regal standen Flaschen, dicke und dünne, die meisten voll. Sie griff sich wahllos eine heraus, Held Wodka, gut. Heldenhafter als sie war heute niemand. Sie schraubte die Flasche auf und setzte sie an, aggressiv, mutwillig. So viel Stolz war ihr geblieben. Sie hatte sich gewehrt. Auf der Fliegeruhr am Arm war es halb zwölf gewesen, als ihr der Gedanke gekommen war, die Zähne ins Fleisch seines Unterarms zu schlagen.

Aber da hatte sich der Mohikaner in den Wänden noch einmal geregt. Er hatte sie gewarnt. »In einem Kampf mit ungleichen Waffen ist der stärkste Krieger chancenlos.«

Der Wodka brannte. Er machte nicht betrunken genug. Nur der Schmerz weichte an den Rändern auf, und sie trug die Flasche ins Bad. Sie zog die Jacke aus, streifte die Jogginghose ab, riss sich die Unterwäsche vom Körper und stellte sich unter die Dusche, wo sie lange blieb. Das Wasser lief und lief, und unter dem laufenden Wasser schälte sich der Schmerz an den Handgelenken und zwischen den Beinen aus dem Körper heraus, und sie stellte sich vor, wie er im Abfluss verschwand, während sie in kleinen Schlucken aus der Flasche trank, bis sich das Etikett im warmen Wasser löste. Sie hatte alles durchschaut. So dumm war sie doch nicht gewesen. Sie war nur zu langsam gewesen. Das nächtelange Verschwinden der Belarusin und der Späherin hinter der Tür des oberen Büros hatte mit ihr nichts zu tun. Für Adina aus Harrachov war das ein ganz normaler Flur mit ganz normalen Türen, denn sie machte ein Praktikum, Rickie hatte das vermittelt, Rickie, für die der kleine Mohikaner sichtbar gewesen war.

Es konnte nicht passiert sein. Nichts war passiert.

Sie stellte das Wasser ab.

Auf den Kacheln neben der Duschwanne fand sie später die Späherin.

»Du glaubst, du bist so viel wert wie ein Mann. Falsch.«

»Lass mich in Ruhe.«

Die Späherin zog sie vom Boden hoch. »Aber du bist tapfer.« Sie half ihr beim Anziehen. Sie half ihr die Treppen hoch, über die Flure, an den Türen vorbei ins Zimmer und aufs Bett, eiserne Gitterstäbe am Kopfende, am Fußende.

Unter der Schminke war die Späherin bleich wie der Tod.

»Warum bist du so bleich?«

»Bin ich nicht.«

»Doch.«

»Das ist die Schminke.«

»Warum schminkst du dich, wenn es dich bleich macht?«

»Nicht bleich«, sagte die Späherin. »Weiß. Weiß wie frisches Zigarettenpapier. Unsterblich, weißt du nicht mehr? Aber jetzt schlaf.«

Als sie aufwachte, war es später Nachmittag. Ein Hund kläffte, ein zweiter. Sie lag dort, wo sie eingeschlafen war. Sie war immer noch nicht woanders.

Ihr Rucksack stand neben dem Bett. Sie stopfte ihre restlichen Sachen hinein, und als sie fertig war, setzte sie sich auf den Bettrand. Vor dem Fenster hing ein schwefelgelber Himmel. Sie wartete. Vielleicht wartete sie darauf, dass es gestern wurde. Oder sie wartete auf Rickie. Nach langem Warten fiel ihr ein, dass Rickie nicht kommen würde, Rickie war in Kamtschatka. Unten in der Einfahrt stand immer noch der Land Rover, das war vom Fenster aus zu sehen.

Razvan Stein rief auf dem Flur nach ihr. Sie hörte seine Schritte, Sekunden später stand er im Zimmer.

»Frauen sind Zicken, Nina. Sie kratzen einander die Augen aus. Und da gehst du ausgerechnet zu einer Frau.«

Er trat ans Bett, klappte den Deckel des Rucksacks auf und schaute hinein.

»Im Ernst? So eine bist du? Die Flinte ins Korn werfen, wenn der Schuh drückt?«

Sie bat um ihr Honorar, um die zwei Briefumschläge, die noch fehlten.

»Immer das Geld«, sagte er. »Da geht's dir genau wie mir.«
»Aber ich brauche es.«

Da herrschte er sie an. »Du hältst jetzt mal den Rand.«

Die Tränen kamen augenblicklich.

»Mensch, Nina, jetzt heul nicht! Ich werde sehen, was ich tun kann. Nachdem wir bei Manne gewesen sind. Das steht uns jetzt beiden noch bevor.«

Sie schüttelte den Kopf, sie konnte nicht damit aufhören. Da zog er sie vom Bett.

»Komm. Und mach nicht ein Gesicht wie vorm Zahnarzt!«

Er schob sie auf den Flur, zu den Treppen. Vor dem oberen Büro zögerte er. Sein Zögern ließ sie hoffen. Er war ein Mann, der mit der Welt auf Augenhöhe war. Ein okayer Typ. Mit vierzehn hatte er seine Mutter vom Deich geholt. Gestern war er schwach gewesen, aber heute wäre das anders. Und sie wollte nicht viel. Ihr Geld würde für eine Fahrkarte reichen. Nur zum Bahnhof schaffte sie es nicht allein.

Im Büro standen Schnapsflaschen auf dem Boden. Sie standen in Kästen und Kartons, die Ira aus dem Zimmer schaffte.

»Inventur«, sagte Razvan Stein. »Ira ist da sehr gewissenhaft.«

Ira war so beschäftigt, dass er nicht aufsah, als er an ihr vorbeiging.

»Manne findet, das muss in den Keller.« Er schickte den Jungen weg und schloss die Tür. »So«, sagte er. »Jetzt erklärst du uns mal, was das heute Morgen werden sollte.«

Am Fenster zeichnete sich die dunkle Silhouette Johann Manfred Bengels ab.

Ihr ganzer Körper fing an zu zittern.

»Sieh sie dir an, Manne. Sie hat keinen Dunst. Sie weiß nicht, was sie uns hätte einbrocken können.«

Geräuschlos trat Johann Manfred Bengel vom Fenster zurück.

»Warum lässt du sie solche Märchen erzählen?«

Razvan Stein wollte etwas sagen, wurde aber unterbrochen.

»Ist sie nicht die Urenkelin eines Partisans?«

»Stimmt. Oder Nina?«, sagte Razvan Stein. »Das bist du doch.«

»Partisanen führen hinterfotzig Krieg«, sagte Johann Manfred Bengel.

Razvan Stein zog die Hand zurück, die er auf ihre Schulter gelegt hatte. »Sie bereut es. Nina, oder? Was heute Morgen passiert ist, das bereust du doch?«

Sie brachte das Zittern nicht unter Kontrolle.

»Mein lieber Razvan. Bisher machte es auf mich nicht den Eindruck, als würdest du dich von deinen Visionen verabschieden wollen.«

Razvan Stein war irritiert.

»Daran hältst du fest?«

»Natürlich halte ich daran fest.«

»Die Nöte, die Würde, die Anerkennung der Lebensleistung von deinesgleichen?«

Razvan Stein nickte.

»Schön, sehr schön«, sagte Johann Manfred Bengel. »Osteuropa steht derzeit im Fokus, auch im Auswärtigen Amt. Ich würde da ungern etwas auf den Prüfstand stellen.« Er räusperte sich. »Es hat mich einiges gekostet, unserer Schweizer Kollegin die fixe Idee auszureden, sich deine Unterlagen anzuschauen. Steuerklärung. Die Arbeitserlaubnis der Mädchen. Da käme einiges zusammen, nicht wahr.«

Vom Fenster her strahlte das Licht.

»Wenn sich jemand deine Unterlagen genauer anschauen würde. Aus der Idee, dich in unser Exilprogramm aufzunehmen, würde dann mit Sicherheit nichts.«

Razvan Stein hob die Schultern. Er verstummte. Der Mann, der mit der Welt auf Augenhöhe war, hielt den Mund. Er hielt die Klappe, denn er hatte Angst vor den eigenen Leuten.

Diese Angst machte ihn gefährlich.

»Überlassen wir das Märchenerzählen den Geschichten-könnern, nicht wahr, mein Lieber?«

Die Sonne blendete. Ihr Zentrum war schwarz, ein Loch, ein Verließ, und als sie das vor Augen hatte oder in den Augen Razvan Steins erkannte, drehte sie sich um und floh. Ebenso war es möglich, dass sie schrie, dass sie die Männer ange-schrien, sie in ihrer Muttersprache beschimpft hatte, rasend, verzweifelt, und dann war bei einem von ihnen die Sicherung durchgebrannt. Daran erinnerte sie sich. Dass einer gesagt hatte, die schreit das ganze Haus zusammen.

Das Verließ war keine Sinnestäuschung, keine übersteigerte Form der Wahrnehmung. Es war leer. Keine Flasche stand mehr darin, die Flaschen waren ausgeräumt. Ira machte Inven-tur. Nach dem Zuschlagen der Tür war es dunkel. Dagegens-temmen, treten half nicht. Die Hände rutschten ab. Es war zu eng, um den Händen nach zu Boden zu rutschen. Hinsetzen, aufrichten ging nicht, sie konnte nur zusammengekrümmt in der Hocke bleiben. Sie schlug um sich, dann kamen ihr die Trä-nen. Nicht weinen, nicht weinen. Glatte, kalte Wände hielten sie gefangen, auch ihre panischen Schreie blieben zwischen den Wänden gefangen. Sie verstummte. Von draußen kam kein Laut, kein Geräusch. Alles war still. Nichts wies darauf hin, dass die Männer noch da waren. Wenn Razvan Stein mit Johann Manfred Bengel das Haus verließ und nach Berlin fuhr, ohne je-mandem Bescheid zu sagen, wusste keiner, wo sie war. In einem Kühlschrank würde auch die Späherin nicht nachschauen.

Sie überlegte fieberhaft, ob Kühlschränke abschließbar waren, ob es Kühlschränke mit Schlössern gab. Keine Panik, sie durfte nicht panisch werden.

Sie horchte so angestrengt, dass ihr Kopf weh tat.

Ihr wurde kalt. Die Kälte kroch in die Finger, in Hände und Rücken. Die Zehen wurden taub.

Sie hatte einen Krampf im Bein. Aber die Wände zwangen sie, in den Knien zu bleiben. Weil sie den Kopf schräg halten musste, fing der Hals auf der rechten Seite an zu brennen. Sie wollte sich aufrichten, sich bewegen, sich hinstellen, Arme und Beine ausstrecken, die Knie durchdrücken, sie konnte an nichts anderes denken. Den Kopf entlasten, den Kopf anlehnen, nur kurz. Aber da entstand ein eisiger Punkt, von dem aus sich ein Eiszapfen ins Innere des Schädels bohrte.

Ruhig bleiben, kleiner Mohikaner. Sie durfte ihre Energie nicht verschwenden. Energie ließ sich in Wärme umwandeln, die Lehre vom Energieerhaltungssatz. In einem Kühlschrank herrschte eine Temperatur von sechs Grad. Bei sechs Grad gefror Wasser nicht. Selbst an flachen Stellen bildete sich auf der Mumlava noch kein Eis. Der Bach floss nicht träger als sonst, das Blut würde nicht träger fließen, und solange der Boden nicht gefroren war, schmolz auch der Schnee. Es war möglich, eine Zeitlang, ohne zu frieren, im Freien zu sein. So schnell unterkühlte ein Körper nicht. Der absolute Nullpunkt der Temperatur war unerreichbar, dritter Hauptsatz der Thermodynamik, und sie war nicht in ein Schneeloch gefallen.

Von draußen drang kein Laut zu ihr. Stunden vergingen, Tage, vielleicht waren es nur Minuten. Alles tat weh. Dann kam der Durst. Sie beleckte sich die Lippen. Die Schleimhäute wurden trocken, die Zunge klebte am Gaumen. Das kam vom Schnaps, der viele Schnaps, sie brauchte Wasser. Ihr fielen die Äpfel ein, die Tüte mit den frischen, knackigen Apfelstücken, die geviertelten Äpfel ihrer Mutter, die sie im Bus zwischen Dresden und Berlin im Netz des Vordersitzes versenkt hatte. Sie hätte sie essen oder in einen Kühlschrank legen sollen. Es war eine Heimzahlung der Äpfel, dass sie in diesem Kühlschrank war.

Von irgendwoher kam lautes Klappern. Sie lauschte, bis sie begriff, dass es die Zähne waren, ihr Kiefer schlug hart. Aber sie brachte ihn nicht unter Kontrolle. Ihr Mund war so trocken. Die Lippen. Sie versuchte zu schlucken. Aber die Kehle war wie ausgedorrt. Die Luft war so trocken. Sie versuchte fieberhaft, sich die Grundlagen der Physik ins Gedächtnis zu rufen, sich zu erinnern, ob zum Lagern von Obst und Gemüse Luft nötig war, aber das Obst in den Läden war vakuumverpackt, es brauchte keine Luft, vielleicht kam überhaupt kein Sauerstoff in einen Kühlschrank, und sie erstickte. Sie fragte sich, ob sie, falls sie nicht erstickte und weil sie bei über null Grad nicht erfror, am Ende verdursten würde und welche der drei Todesarten am schlimmsten war. Solche Grundkenntnisse waren nicht Teil des Unterrichts gewesen. Sie wurden einfach nicht gelehrt.

Sie stellte sich Wasser vor, warmes, sprudelndes Wasser, Wasserhähne, die sie nur aufzudrehen brauchte, und das Wasser strömte heraus, sie sah den Wasserfall der Elbe, die gluckernde Elbquelle, die über sonnenwarme Felsen schießenden Strudel, sie brauchte nur die Lippen zu öffnen, und das Wasser schoss ihr in den Mund. Trotz der Schmerzen in Armen und Beinen, trotz der Kälte, die den Körper schüttelte, und der Angst, dass niemand sie fand, war es der Durst, der sie veränderte.

Sie hatte eine Dummheit gemacht. Es war dumm gewesen, zu sagen, woher sie kam. Sie hätte lügen sollen. Etwas haftete ihr an. Etwas, das auch den Glitzerfrauen aus Gryfino, der Belarusin und der Späherin anhaftete, deshalb war sie so bleich. Auch Razvan Stein haftete es an, aber der hatte Geld. Geld änderte alles. Razvan Stein hatte sich mit Öl übermalen lassen, das Blendwerk frischer Farbe, er war jetzt Teil der Bourgeoisie.

Nur weil ein Zusammenhang darstellbar ist, muss es ihn nicht geben.

Kyrill. Es war Kyrill gewesen, die das gesagt hatte. Es gab Gründe, die Bedeutung der Herkunft in Zweifel zu ziehen.

Sie wollte nach Hause.

Teil 4 *(Eine Straße unterqueren)*

Ich würde nicht entlang der Küste kriechen,
sondern hinaus aufs Meer fahren und mich
leiten lassen von den Sternen.

George Eliot

Seit die blaue Frau nicht mehr kommt, sind die Arbeiten im Seglerhafen wieder im Gang. Werkbänke stehen im Schotter. Die Eingangstore der Bootsschuppen wurden ausgehängt. Mit Schleifgeräten schmirgelt man die Farbe vom Holz, bevor das Holz neue Farbe bekommt.

Von einem Kutter, der auf Pallhölzern steht, tropft Öl in den Sand. Zwei Männer schmieren den Propeller. Eine Frau haben sie hier nie gesehen. Sie können nicht bezeugen, dass es die blaue Frau gegeben hat.

Es ist zweifelhaft, ob sie je wiederkommt.

Ich höre sie sagen, die Zweifel seien berechtigt.

Sie ging nach Norden. Es war nicht wichtig, wie lange sie lief, solange die Beine sie trugen, solange sie einen Fuß vor den anderen setzte. Auch ohne Plan kam man weit, wenn man nicht aufhörte zu laufen. Sie war eine Forscherin auf Expedition. Das war ihr Triumph.

Ich gehe jeden Tag durch die Unterführung. Ich setze mich auf die Bank, ich tauche die Hände ins Meer, ich schirme die Augen mit einer Hand ab, wenn das Licht stechend flach über die Felsen kommt, und am Abend gehe ich durch die Unterführung zurück.

Ich verspüre keinen Hunger. Ich habe Durst. Ich wache auf, weil ich vor Durst nicht schlafen kann. Ich finde zwei Postkarten und klebe sie über die Spüle. Auf der einen ist ein Straßencafé in Paris zu sehen, auf der anderen eine Straßenschlucht in New York.

Mir kommt der Gedanke, anders durch die Unterführung zu gehen. Vielleicht hing das Auftauchen der blauen Frau von meiner Schrittfolge ab. Wenn ich bewusster gehe, wird sie da sein, jenseits der Birken, am Ende der Bucht.

Die Unterführung wird zu einem magischen Gang. Sie wird mit Bedeutung total überfrachtet.

Der Waldboden wurde zum Meeresgrund. Sie lief über gewellten, feuchten Sand in einer wie flüssigen Luft. Die jungen Triebe der Bäume schwankten; Unterwasserpflanzen, von einer leichten Strömung bewegt. Hoch oben, weit über sich, sah sie die Wasseroberfläche, gekräuselt von den Kronen der Kiefern, durch die gesprenkelt eine warme Frühlingssonne fiel. Das Wasser schlug über ihr zusammen, das Meer nahm sie in Schutz und verbarg sie.

Regen hat die Unterführung geflutet. Kniehoch steht das Wasser in der halbdunklen Röhre.

Im Beton der Schnellstraßen fließt es nicht ab. Nachtfrost sammelt sich in den Gräben und schmilzt und verwandelt sie in tiefe Kanäle.

Wenn es kälter wird, friert der Fußgängertunnel zu, und der Hafen ist unerreichbar.

Die blaue Frau würde sagen, mir fehle es an Zuversicht.

In der Sonne, die hinter den Plattenbauten untergeht, glitzert das Flachdach gegenüber. Schwindendes Rot blendet aus den Pfützen im Teer, bis das Licht der Peitschenlampen es löscht. Es ist September. Der Schatten des Flugzeugs fällt auf die silberne Welt.

Die Wohnung ist sauber. Kein Krümel liegt auf der Arbeitsplatte, kein Kaffeesatz. Fensterbrett und Fernseher sind ohne Staub. Auf der Wanduhr ist es zehn nach halb zwei.

Sie legt die Hände flach auf die Tischplatte, um ruhiger zu werden, um ein weniges ruhiger, auf gutes, sauberes Holz, das geschlagen, gespalten, zersägt, gepresst und aufs richtige Maß gebracht ein bezahlbarer Nutzgegenstand geworden ist. Ein Tisch, an dem man gerne sitzt.

Auf der Wanduhr ist es zehn nach acht. Die Kontinente schimmern.

Sie schaut noch einmal hin.

»Konzentrier dich, Sala.«

Die Zeit scheint ohne sie zu vergehen. Sie ist in einem Plattenbau, den die Zeit ausspart, die woanders verläuft, die Stunden gelangen gar nicht erst zu ihr. Sie weiß nicht, wie spät es ist. Wo der Tag hin ist. Sie kann sich nicht erinnern, wann sie sich zuletzt gewaschen hat. Im Flurschrank gibt es Eimer und Lappen. Im Bad Shampoo und Seife. Das Seifenstück liegt am Rand des Waschbeckens auf dem Papier, in das es eingewickelt war. Die Lauge ist durchs Papier gesuppt.

»Hast du nicht erst heute Morgen geduscht?«

Das ist Leonides. Leonides, der annehmen musste, Frauen machten das so, sie duschten mehrmals am Tag, auch wenn sie keine Frau ist. Aber das hat sie ihm nie gesagt, das konnte er nicht wissen, und ein Mann ist sie auch nicht, *kleiner Mohi-kaner*, denn solche Unterscheidungen trifft sie nicht, weil sie nichts taugen, unnütze Notwendigkeiten, die sich andere aus-gedacht haben. Gestört hat Leonides das viele Duschen nicht. Wasser gibt es in diesem Land genug. Es ist ein soziales Land, auch die Wasserrechnung begleicht die Universität.

Durch die offene Balkontür strömt Kälte ins Zimmer, der Geruch nach Finnland.

Finnland riecht nach Dunkelheit, nach Regen und nach feuchtem Bast.

Die blaue Frau ist nicht aufgetaucht. Im spitzen Winkel, den der Schrottplatz und das Ufer bilden, steht ein einzelner Vogelbeerbaum. Sein Gefieder ist gelb.

Vögel bringen die Äste zum Wippen. Sie fressen sich mit Beeren voll, ehe sie schwer in einen niedrig hängenden Himmel starten.

Eine Regenfront schiebt sich über die Schnellstraße heran, über die Speichertürme und die Rohbauten im Erschließungsgebiet, die einander zum Verwechseln ähneln. Nur die Himmelsrichtung, in die sie zeigen, unterscheidet sie.

Die Wolkenfronten löschen auch diesen Unterschied bald aus.

Sie geht auf den verglasten Balkon hinaus. Von ihrer Körperwärme beschlagen die Fenster, Wasserdampf, der am Glas kondensiert. Sie legt eine Hand an die Scheibe, dorthin, wo auf der Straßenseite gegenüber der Ahorn steht. Der Ahorn passt genau in ihren Handteller. Da drückt sie zu. Sie zerdrückt den Ahorn in ihrer Hand. Äste und Zweige knicken und brechen, Baumsaft tritt aus.

Das ist das Blut.

Beim Verreiben der Nässe hört sie ihre Mutter. »Eine Hand wäscht die andere.«

Ihre Mutter, die nichts von diesem Ahorn weiß. Nichts von der Orientierungslosigkeit der Pflanzen, vom nördlichen Licht und von Plattenbauten in identischen Straßen. Den Namen Sala hat ihre Mutter nie gehört. Sie weiß auch nichts von Aprilnächten in einem deutschen Wald, nichts von rutschigen Straßengräben, die nach einer Weile alle wie ein Bächlein aussehen, alle wie derselbe Bach, die Mumlava, wäre da nicht hin und wieder das sich nähernde Geräusch eines Autos auf der Landstraße gewesen, das in Richtung Pasewalk fuhr, in Richtung Stettin, und Scheinwerfer, die die Alleebäume aus der Dunkelheit schälten und zurückfallen ließen ins Dunkel. Einmal traf ein Scheinwerfer ihr Gesicht. Sie hielt ihr Gesicht im Gehen fest, als wäre das der einzig verlässliche Fleck in dieser Nacht an diesem Ort.

Ihre Mutter ist nie weggegangen. Sie lebt im Haus mit der Lärche, denn es gibt Menschen, die sich in die Ferne sehnen, und solche, die Angst vor der Ferne haben, und es gibt die, die zu alt sind, um wegzugehen. Die tagein, tagaus Schnee schippen und Nachtschichten schieben und versuchen, das Beste daraus zu machen, ohne dass es je gut wird. Wie ihre Mutter. Die nichts ahnt vom Waschen auf Bahnhofstoiletten, dem Pissegeruch deutscher Regionalbahnhöfe und wie schnell man lernt, ohne Geld durchzukommen. Wie man lernt, durchzukommen. Ihre Mutter weiß nichts vom hungrigen Auf und Ab in Sichtweite von Stehtischen vor einer zugigen Imbissbude, in der Hoffnung, jemand könnte seine Pommes halb gegessen stehen lassen. Auch von dem älteren Mann weiß sie nichts in einem deutschen Regionalzug, der die junge Frau mit Rucksack geistesgegenwärtig als Mitfahrerin auf seinem Nahverkehrsticket ausgibt, einfach so, aus Nettigkeit, als er beim Auftauchen des Schaffners ihrer Panik gewahr wird.

Von den Fähren über die Ostsee hat ihre Mutter gehört. Dreimal am Tag laufen in Stralsund die Fähren aus. Im Hafen sind weiße Linien auf den Asphalt gemalt, dort stehen die Autos Schlange. Der Asphalt hat Sprünge und Risse, von der Hitze vergangener Sommer gebackene Blasen des Teers in den Fugen, eine Kartographie der Ziellosigkeit, die Adina bald auswendig kannte. Sie pendelte zwischen Bistro, Wechselstube und Fußgängerbrücke hin und her. Der Schweiß lief ihr unter dem schweren Rucksack den Rücken hinunter, und wenn eine Fähre abgelegt hatte, blieben nur sie und die Einweiser in orangefarbenen Westen im leeren Hafen zurück. Einer von ihnen kam auf sie zu, und sie ging mit gesenktem Kopf schnell davon. Bis sich wieder Schlangen von Autos bildeten, Wohnwagen und Caravans und eine Fähre anlegte und später auslief und irgendwann die nächste im mittlerweile strömenden Regen und eine Rastafrau, nicht älter als Adina, inmitten des bunten Blechs eine Autotür aufstieß und rief, *doch scheiße, bei so einem Scheißwetter zu trampen,* und sie auf dem Rücksitz eines alten Fiat in den Schiffsrumpf fuhr, den nassen Rucksack neben sich, aufs Parkdeck C3. Das sollte sie sich merken. Parkdeck C3 sollte sie im Kopf behalten, weil die Rastafrau und ihr Freund das nicht im Kopf behalten konnten, die, bekifft, wie sie waren, zum Polarkreis wollten. Der Polarkreis wanderte. Das erfuhr Adina auf der nach Abgasen stinkenden Treppe zum Sonnendeck. Der Polarkreis schaffte höchstens einen Meter pro Tag, dafür bewegte er sich aber in zwei Richtungen gleichzeitig. Jedes Jahr wanderte er fünfzehn Meter in den Norden, während er sich zugleich 450 Meter nach Süden bewegte. Diese Ausschweifung stellte die Zuverlässigkeit jedes Koordinatensystems in Frage, und das Rastapärchen wollte das mit eigenen Augen sehen. Auch für Adina standen die Koordinatensysteme in Frage. Sich ihnen anzuschließen war folgerichtig. Sie war eine, die trampte. Eine Backpackerin. Jemand, dem auf der Interrail-Reise durch Europa das Geld ausgegangen war. Schnapsrail, wie Rickie gesagt hatte.

Nach einmal Duschen für ein Zweieurostück, süßen Brühwürsten und einem spendierten Leichtbier, als sie mit dem Fiat aus Parkdeck C3 wieder von der Fähre fuhren, blieb sie auf der Rückbank sitzen, ergeben, erschöpft, wie betäubt. Das Rastapärchen hatte nichts dagegen. Drei Augenpaare sahen mehr als zwei.

In Luleå wollte sie nicht länger mit. Vom muffig-feuchten Kifferdunst wurde ihr schlecht, immer öfter schon kurz nach dem Losfahren. Von den Nächten auf der Rückbank taten ihr die Glieder weh. Das Pärchen schlief im Doppelzelt, denn zelten konnte man überall in diesem Land, das sie seit Tagen durchquerten, auf Campingplätzen, an Seeufern, in Haltebuchten, umgeben von viel Nadelwald. In Luleå war fucking tote Hose, wie die Rastafrau befand. Sie wollten Adina nicht den Stechmücken überlassen, die der kohlehaltigen Mückenschutzcreme zum Trotz vorm Gesicht standen wie vierzig Jahre lang die deutsche Mauer, und beschlossen, sie nach Oulu zu bringen. Laut GPS war Oulu eine große Stadt. Die Fahrt dorthin dauerte dreieinhalb Stunden, Rentiere grasten am Straßenrand. Am Bahnhof von Oulu warteten abfahrtbereit zwei Züge, einer ging nach Helsinki, und von dort gingen Flüge nach Hause. Zum Abschied steckte ihr der Rastamann fünfzig Euro zu, Geld, das sie ihm bei nächster Gelegenheit zurückzahlen sollte. Er sagte das, als glaube er daran, und obwohl sie es war, die ging, machte es das Gefühl, verlassen zu werden, kleiner. Eine letzte gemeinsame Cola am Bahnhofskiosk, noch einmal die Wolke aus Kifferatem und verfilztem Haar. Der Zug brauchte acht Stunden. Sie kam im Dunkeln in Helsinki an.

Wer aber ist das, die lügt, die Geld und Monatskarten stiehlt, die Schnaps in den Kaffee schüttet und nicht nach Hause fahren kann, es einfach nicht kann. Die es nicht schaffen würde, einfach so, *ahoj, da bin ich wieder*, wie früher. Die sich nicht mal im Kopf dem Haus nähern kann, dem Haus mit der Lärche neben der Treppe und dem vielen Schnee. Der Schnee, der unter den Stiefeln knirscht, wenn ihre Mutter mit dem Schneeschieber die drei Treppenstufen in den Garten hinuntergeht und den Weg vom Schnee befreit, damit nichts die Rückkehr ihrer Tochter aufhält, kein Schneehaufen, kein Mann aus Schnee. Beim Geräusch näherkommender Schritte sieht sie auf. Sie glaubt, den Schritt zu erkennen, aber das muss eine Täuschung sein. Ihre Briefe sind seit längerem ohne Antwort geblieben. Das Kind hat zu tun. Es hat sich eingelebt, es muss sich abnabeln, es hat eine Freundin gefunden, es geht ihm gut, denn es ist im Begriff, das deutsche Sprachdiplom zu machen, bald, wenn das Geld reicht, in einigen Wochen, einem halben Jahr. Ihre Mutter hebt den Kopf, und dann rutscht ihr der Schneeschieber aus der Hand, während ihr die Sorgen dieser beinahe zwei Jahre wie in einem Zeitraffer durch die Gesichtszüge fliegen. Sie zieht Adina an sich und hält sie fest. *Deine Oma wäre stolz auf dich.*

Es ist September. Im September liegt in Harrachov kein Schnee.

Auch ist sie nicht in die Welt gegangen, um am Ende so zurückzukehren, die Hände leer, die Handgelenke lose, wie aus der Verankerung gerissen. Sie ist in ein gutes Land gegangen, nicht in eines der Kackländer, wie die Rastafrau sich ausdrückte, mit Lachverbot und vermummten Bewaffneten und nicht unter schlechten Voraussetzungen. Dafür hatte ihre Mutter gesorgt, von Anfang an. Sie hatte getan, was sie konnte. Schon, als Adina noch so klein war, dass sie nicht einmal über das Armaturenbrett sehen konnte, hatten sie Ausflüge gemacht. Auf Fahrten ins Kino nach Liberec oder ins Schloss von Vrchlabí legte ihre Mutter ein Kissen auf den Beifahrersitz. Im Advent besuchten sie zusammen die Textilfabriken. Sie klapperten die Betriebe rund um das Riesengebirge ab, eintönige Industriebauten in Tälern, die klamm waren im Sommer und grau im Winter, voll nassen Schnees, auf den sich der Ruß aus den hohen Schornsteinen setzte. Die Täler folgten den Windungen der Flüsse, die aus den Bergen schossen. In den unteren Bergausläufern wurden die Flussbetten breiter, und die Straßen wanden sich an den Flüssen entlang. Sie waren schmal, an den Ufern blieb kaum Platz für die Fahrbahn. Die Felswand auf der einen und der dichte, ansteigende Wald auf der anderen Seite schlossen die Täler in einen feuchten, vom Sonnenlicht nur wenige Stunden am Tag durchstrahlten Schatten. Autos, die sich entgegenkamen, mussten die Geschwindigkeit drosseln, in den Kurven Schritttempo fahren. Lkws blieben im Winter auf den schlecht geräumten Straßen liegen. Und wenn die Fichten ihre Schneelast über der Straße entluden, vernebelte der Schnee die Sicht.

Manchmal schlichen Russenkolonnen mit schmutziggrünen Armeefahrzeugen durchs Tal. Besatzer unterwegs nach Hause oder wer weiß wohin. Jedes Mal gab ihre Mutter Gas. Es war verboten, Kolonnen der Roten Armee zu überholen. Aber ihre Mutter beschleunigte. Damals hatte sie keine Angst vor den Russen. Sobald kein Auto entgegenkam, trat sie auf der schmalen Straße das Gaspedal durch, scherte aus, raste an den Militärfahrzeugen vorbei und bremste vor der nächsten Haarnadelkurve ab, atemlos, lachend, um knapp vor einem der Stahlkolosse einzuschwenken, einem Kübelwagen, einem Spähfahrzeug. Die hohen Räder unter den fensterlosen Kolossen mahlten sich schwerfällig durch den Matsch. Im Rückfenster war jedes Mal derselbe Sowjetsoldat zu sehen, ein unterernährtes Bleichgesicht mit traurigen Augen, die stumpf geradeaus sahen, als hätte der Fahrer nicht soeben wegen des gelben Ladas heftig auf die Bremsen gehen müssen. Ihr Auto wurde zum Leuchtpunkt der Kolonne, zur strahlenden Sonne im grünen Grau, bevor ihre Mutter zum nächsten Überholmanöver ausscherte.

Die Textilfabriken befanden sich an den Biegungen der Flüsse, wo die Uferbänke breiter waren, langgezogene, mehrstöckige Klinkerbauten mit großen blinden Fenstern. Neben jeder Fabrik stand abseits eine Villa. Die Villa befand sich oft auf einem Hügel und hatte früher einem Textilbaron gehört. Die Textilbarone hatte man verjagt und Kindergärten oder Altenheime aus den Villen gemacht, die daraufhin verfielen. Die Fensterrahmen verrotteten, die Substanz wurde morsch, aber morsch waren auch die Alten, und die Kinder hatten kein Mitspracherecht.

Sie war am liebsten in Jilemnice, im Tal der Jizera. In der lauten, warmen Halle herrschte ein gewaltiger Lärm. Hunderte Fäden wurden auf der einen Seite in die Webmaschinen eingespeist und kamen auf der anderen als Stoff wieder heraus, in großen Lagen, die automatisch zu dicken Ballen aufgerollt wurden. Ihre Mutter kannte sich mit den Maschinen aus. Sie hatte sich zur Textilingenieurin ausbilden lassen, bevor sie ein Aufbaustudium als Textildesignerin begonnen hatte. Die Webereiarbeiterinnen schätzten sie. Sie war keine Funktionärin. Sie flippte nicht achtlos durch die Stoffe. Einen Fussel hätte sie nie für einen Webfehler gehalten. Sie blätterte die Ballen auf, um zu prüfen, wie durch das geschickte Zusammenspiel der Fäden aus ihren Phantasien auf Papier leuchtende Stoffe geworden waren.

In Jilemnice hatte Adina sich Plätzchen aus einer Keksdose nehmen dürfen und bekam heißen Kakao. Wenn ihre Mutter mit dem Prüfen fertig war, legte sie die Anzahl der Meter fest, die die Webereiarbeiterinnen von den neuen Stoffen behalten durften. Diese Meter bekamen einen Stempel. Sie wurden als Ausschussware gekennzeichnet, als untauglich für den Export. Die Textilfabriken an den Flüssen produzierten fast ausschließlich für den Export in Nicht-RGW-Staaten, und die gestempelten Stoffe waren das Einzige, was nicht für immer verschwand, die letzten verbleibenden Muster ihrer Arbeit, die ihre Mutter hier oder da auf den Straßen wiedersehen würde.

Oft waren es mehrere Meter der schönsten und teuersten, für Italien designten Hemden-, Rock- und Hosenstoffe, die die Webereiarbeiterinnen mit nach Hause nahmen. Zum Dank schenkten sie ihrer Mutter Kaffee, der teuer war, und Likörpralinen, die dann in der Schrankwand standen. Eine Hand wäscht die andere, hatte ihre Mutter dazu gesagt. »So war das unter den Sowjets, und heute ist das auch nicht anders.«

Eine Hand wäscht die andere.

Sie lässt die Balkontür hinter sich offen. Sie durchquert das Wohnzimmer und geht ins Bad. Die Seife liegt am Waschbeckenrand. Sie lässt Wasser laufen, hält die Seife darunter und wäscht mit einer Hand ihre andere, bevor sie die Hände am Handtuch abrubbelt, diesem rauen Frottee, für das sie laut Mietvertrag haftet.

Die Frage ist, welche Hände Leonides gewaschen hat. Ob er zur Verteidigung der Menschenrechte die Hände derjenigen waschen muss, die diese Rechte verletzen. Auch, wenn es sich um eines der elementarsten Rechte handelt, das Recht, über den eigenen Körper selbst zu bestimmen.

»Egal, um welches Recht es sich handelt!«

Aber da ist niemand, der darauf eine Antwort hat.

Solange ich warte, muss die Erinnerung genügen. Ich rufe mir ins Gedächtnis, worüber wir in den letzten Tagen gesprochen haben. Das Gewöhnliche. Die Nähe, die im Schweigen aufgehoben ist, in der Diskretion.

Im Unerkundbaren kommen wir einander nah.

In der Bibliothek, in die ich fahre, um den Satz nachzuschlagen, stellt sich heraus, dass er von Ilse Aichinger stammt. Das hilft mir nicht weiter.

Ich rufe mir ins Gedächtnis, wie sie aufs Meer schaute in diesem Licht. Das Blau ihrer Augen, das zu fließen begann. Ihr Lächeln. Vielleicht habe ich sie falsch erfasst.

An ihrer Stelle käme ich noch einmal zum Hafen. Ich erschiene auf den Felsen, jenseits der Birken, am Ende der Bucht. Ich bliebe stehen und ordnete mein Haar, und das Tuch in meiner Hand würde flattern.

Ich würde mich ihrer versichern.

Sonst müsste ich glauben, am Ende mir selbst begegnet zu sein.

In den Schränken in der Küche gibt es Töpfe und Teller, saubere Tassen und Besteck. In einer Schublade stehen Gewürze. Zwischen Einbauschrank und Fenster, wo eine Lücke klafft, sind Schrubber und Besen untergebracht, zwei Einkaufsbeutel hängen an einem Haken. Im Regal darüber steht ein Karton. Sie streckt sich und bekommt ihn zu fassen.

Das ist der Hunger.

Wer Hunger hat, überprüft nicht, ob das Haltbarkeitsdatum auf den Nudeln abgelaufen ist, und vor Hunger ist ihr auf einmal ganz schlecht. Sie reißt die Tüte auf und schüttet die Nudeln ins kochende Wasser, obwohl sie nichts hat, womit sie sie essen kann. Keine Tomatensoße, nicht einmal Öl. Aber Nudeln enthalten Kohlenhydrate. Und Kohlenhydrate verschwinden nicht, auch wenn das Datum abgelaufen ist. Sie verwandeln sich in körpereigene Energie, und Energie braucht sie, wenn sie eine Aussage machen will.

Die Wahrheit einmal auszusprechen ist dabei nicht von Belang. Zwischen ihr und der Welt liegt ein gewaltiger Abstand. Ödes, baumloses Land. Was immer sie sagen wird in einem holzgetäfelten Saal, vor einer Richterin in einer schwarzen Robe; an dieser Ödnis werden ihre Worte nichts ändern. Aber bald wird es keine Möglichkeit mehr dazu geben. Bald wird alles, was im Gutshaus an der Oder passiert ist, ins Dunkel sinken. Es wird für immer zur Dunkelstelle werden, die man aus dem Leben verbannt, einer jener Schatten, die von klein auf das Fürchten lehren.

Der Löffel klappert in der Stille. Es ist jetzt keine schlimme Stille mehr. Beim Spülen des Tellers trommelt das Wasser kraftvoll ins Becken. Im Schlafzimmer hängt das Kleid mit den Blumen und Zapfen. Sie hat nicht vor, die Wohnung heute noch zu verlassen. Trotzdem zieht sie das Schönste an, was sie hat, das Kleid der berühmten Designerin. Sie streicht den Stoff am Bauch und an den Hüften glatt, bis alles Fahrige und Rastlose verschwindet, ehe sie sich an den Laptop setzt. Sie sieht *Motion Eye* an.

Reglos schaut das Auge zurück.

Dankbarkeit empfindet sie nicht. Auge in Auge mit *Motion Eye* werden Bittgesuche lächerlich. Sie ist keine Bittstellerin. Sie braucht keine Organisation voller Blumen und Hoffnung. Sie wird nicht zum guten Gewissen wohlhabender Menschen. Auf Mildtätigkeiten und Mitleid kann sie verzichten. Sie kann auf vieles verzichten, denn genau genommen will sie nur eines: einen Menschen, den man anschauen kann und der zurückschaut, offen und fest, und keine Organisation oder Vereinigung mit Mitgliedern und Angestellten, die am Abend nach Hause gehen zu einem Muscadet von der Loire. Sie braucht einen Menschen, der wach ist und es aushält, da zu sein, und nicht von einer bequemen Resignation zermahlen wird wie die Schweizerin. Immer, gleich und unerbittlich haben die Leute Erklärungen parat. Erklärungen, die ihnen passen. Zur Bewahrung ihres Seelenfriedens vertrauen sie der abwegigen Logik, nicht der naheliegenden, wie die Schweizerin. Aber an die Schweizerin zu denken lohnt sich nicht.

Sie steht noch einmal auf, um die Flasche aus dem Kühlschrank zu holen. Sie hätte gern etwas, um einen Drink zu machen, einen richtigen Cocktail, wie die Barkeeper in Harrachov, mit einer Apfelsine oder einem Stück Zitrone. Aber da sind nur die Eiswürfel, die jemand im Gefrierfach zurückgelassen hat.

Sie braucht einen Menschen, der auf die Barrikaden geht. Der da ist, wo die Erde brennt. Wie Leonides gesagt hatte. Jemanden wie Kristina.

Kristina mit der unangezündeten Zigarette im Mund, die am Fuß der Rathaustreppe steht und dem Taxi hinterherschaut. Kristina, von der sie nur den Vornamen kennt.

Wenn ich aufwache, weil ich vor Durst nicht schlafen kann, gehe ich auf den verglasten Balkon. Ich lege meine Hand an die nachtdunklen Scheiben und schaue hinab zu den Pfützen.

Tagsüber fahre ich zur Universität. Ich nehme meine Recherchen wieder auf. Mit meinem Leihfahrrad brauche ich eine halbe Stunde. Baumwurzeln haben den Asphalt der Radwege aufgebrochen, aber noch liegt kein Schnee. Das Wissenschaftskolleg befindet sich in einer abschüssigen Straße im Zentrum. Es grenzt an die alte Bibliothek, neben der es ein Selbstbedienungscafé gibt.

Im Café läuft mir Leonides über den Weg. Er sieht müde aus und abgespannt. Es gibt Probleme auf einer Konferenz. Zwei estnische Doktoranden bezichtigten ihn des Landesverrats, weil er blutige Krawalle der russischen Minderheit im April 2007 in Tallinn nicht scharf genug vor der EU verurteilt hatte. Die Krawalle waren aus Protest gegen die Entfernung des Bronzenen Soldaten aus dem Stadtzentrum von Tallinn ausgebrochen. Das Denkmal hatte die Sowjetunion nach Kriegsende errichtet. Ein stämmiger Sowjetsoldat, für den ein berühmter estnischer Ringkämpfer Modell gestanden hatte, sollte an die Befreiung Estlands durch die Rote Armee erinnern. In der Nacht auf den 27. April war das Denkmal auf Beschluss der estnischen Regierung abmontiert und auf einen abgelegenen Militärfriedhof geschafft worden. Daraufhin hatten Teile der russischen Bevölkerung in der Stadt randaliert, befeuert von Putin, der gegen Estland inoffizielle Sanktionen verhängte.

Solange es uns nur darum geht, die Dunkelstellen der Geschichte wegzuwischen, wird es immer Krawalle geben. So lautete der Satz aus der Rede vor dem Europaparlament, den die Doktoranden Leonides nun vorwerfen.

Er fragt mich, wo ich so lange gesteckt habe.

Auf seiner Krawatte ist ein Fleck. Ich lade ihn zu einem *kahvi* und einer Hefeschnecke ein.

Es ist schön, für einen Augenblick nicht an die blaue Frau zu denken, was mich doch an sie denken lässt.

Kristina heißen viele. Popsängerinnen, Tennisspielerinnen, sogar eine Königin. Kristina gehört in einem Großteil der Welt zu den populärsten weiblichen Vornamen. Die Suchmaschine listet polnische, spanische, deutsche, amerikanische und finnische Schreibweisen auf, Christina, Krystyna, Kristiina, im Fingeralphabet und in Blindenschrift, die weder geweiht noch christlich sein müssen, und im Schwedischen ist Kristina eine Beschützerin. Das Internet weiß viel. Aber es weiß nichts von der Welt, solange es die Frau im weißen Hemd nicht kennt.

Sie macht einen neuen Versuch. Sie tippt ein, was Leonides gesagt hatte: »Kristina, die da ist, wo die Erde brennt.« Die Eiswürfel im Glas klirren. Unter den Links, die zu Arztpraxen, australischen Buschfeuern oder Popsongs auf YouTube führen, ist nichts Brauchbares. Ein Link führt zu einem deutschen Gedichtband. Sie hat lange kein Deutsch mehr gesprochen. Seit dem Gutshaus an der Oder hat sich ein Räuspern an alles Deutsche gehängt. Das Deutsch, das auf dem Monitor erscheint, ist in Versform verfasst. Es sind Gedichte von einem Autor namens Erich Mühsam. Sie liest sie laut, nur so lassen sich die Worte entschlüsseln. Sie liest jeden Vers, als stünde jemand in der Tür zwischen Küche und Wohnzimmer und hörte zu.

»*Die Sterne hängen tiefer denn je* / *und starren zur Erde in angstvoller Glut.* / *Sie spiegeln der Menschheit klagendes Weh.*«

Klagendes Weh, das hätte sie zu Leonides sagen sollen. *Der Schrecken wütet* und zwar im Präsens und nicht im Konjunktiv und mitten in Leos Europa, wo die Natur eine Natur auf Gemälden niederländischer Maler ist, in unserer Zeit, am

Ende sogar zwischen ihm und ihr, dabei ist das Gedicht fast hundert Jahre alt. Nicht nur die Formulierungen ähneln sich. *Der Schrecken wütet. Die Erde brennt.*

»Scham vor den Sternen am Firmament!«

Vor einer solchen Anklage muss selbst ein Räuspern verstummen.

L eonides Siilmann hat mich zu interessieren begonnen, als ich vor zwei Jahren mit einem Stipendium am Wissenschaftskolleg gewesen bin. Er hielt einen Vortrag über europäische Kulturpolitik. Ich hatte an diesem Tag keinen Termin an der Uni, nur eine Massage bei Tuomas, eine von denen, die einmal im Monat für die Fellows am Kolleg kostenlos sind. Als Tuomas fertig war, hatte heftiger Schneeregen eingesetzt. Ich wollte warten, bis es aufhörte, und schlenderte durch das Kolleg und vom Kolleg über eine verglaste Brücke in die Bibliothek, die trotz des Schneeregens nicht düster war. Durch ein großes ovales Oberlicht flutete Helligkeit alle Etagen. Von dort aus ging ich ins Nachbargebäude. Eine Menschentraube hatte sich vor einem Saal gebildet, Studierende, die auf den Beginn eines Vortrags warteten, und weil ich nichts anderes vorhatte, ließ ich mich von ihnen in den Saal schieben. Der Vortrag war auf Englisch. Ich würde ihn verstehen, zumal ich mich nicht im Gebäude der Mediziner oder Mathematiker, sondern bei den Geisteswissenschaften befand. Vielleicht konnte ich etwas lernen.

Der Anblick des Vortragenden enttäuschte mich. Mit Cordjacke und einem glänzenden grauen Hemd sah der Mann, der ans Pult trat, unbeholfen aus, ostig, wie der Bürgermeister einer Kleinstadt aus einem postsowjetischen Film. Sein Englisch war tadellos. Und während er redete, fiel das Ostige von ihm ab, sein Körper straffte sich. Als er bei der niederländischen Malerei angekommen war, den Landschaftsmalern des Goldenen Zeitalters mit ihrer Flächigkeit, der zentralen Stellung der Bäume vor großen, wolkenverhangenen Himmeln und ihren Blau-, Grün- und Erdtönen, die für ihn das

Wesen der europäischen Kultur am deutlichsten zum Ausdruck brachten, hatte sich mein Eindruck von ihm positiv verändert. Interessant wurde er, als er einer Studentin auf die Frage, was das europäische Bewusstsein seiner Meinung nach geprägt hatte, antwortete: »Die Landschaften van Goyens und Vermeers, der Gesang der Nachtigall, Mozart, die finnische Sauna, Solschenizyns *Archipel Gulag* und ein KZ.«

»Rumänen, die auf finnischen Nerzfarmen ausgebeutet werden?«, rief jemand von hinten, den ich nicht sehen konnte. »Junge Osteuropäerinnen, die deutschen Männern im Akkord die Schwänze lutschen? Fuck Europa! Ein Vorwand der einen, um die anderen bei Bedarf auszupressen.«

Einige Ältere in den Reihen vor mir standen auf und verließen den Saal.

»Meine Rede«, sagte Leonides Siilmann ruhig. »Wir haben zwei Realitäten innerhalb der EU, die auf gegensätzlichen Erinnerungsregimen beruhen. Damit müssen wir uns dringend befassen.«

Es dauerte eine Weile, ehe ich begriff, dass Leonides aus Estland kam. Anfangs sprach er nur von Brüssel und den Plenarwochen in Straßburg, von Fraktionssitzungen, Trilog-Sitzungen, Delegationsreisen, Sitzungen des Entwicklungs-ausschusses und des Unterausschusses für Menschenrechte, lauter Dinge, unter denen ich mir nicht viel vorstellen konnte. Als er meine Verwirrung bemerkte, entschuldigte er sich oder vielmehr mein Unwissen damit, dass Leonides kein typisch estnischer Name war. Ich musste lachen; auch einen typisch estnischen Namen hätte ich nicht erkannt. Nicht einmal Tartu war mir ein Begriff, immerhin eine bedeutende Universitätsstadt im Südosten von Estland, wo seine Frau als Lehrerin an einer Ganztagsschule unterrichtet. Er bekam sie wieder öfter zu Gesicht, seit er nicht mehr so oft nach Brüssel musste. Drei Tage die Woche verbrachte er in Helsinki, sein Apartment bezahlte die Universität. Er hätte es mir gern gezeigt, gab mir aber zu verstehen, dass er nicht allein dort wohnte. Um ihretwillen wollte er das nicht an die große Glocke hängen. Eine komplexe Geschichte, über die er mich zu schweigen bat. Eines seiner Ohren wurde feuerrot.

Seitdem habe ich es darauf angelegt, ihn besser kennenzulernen. Komplexe Geschichten interessieren mich.

Ich frage ihn nach seiner Frau. Er schüttet Zucker in den *kahvi*, eine ganze Tüte. Wie es ihr gehe. Er nickt und lächelt. In ihrer Klasse gebe es Schülerinnen mit großem Talent im IT-Bereich. Dann schaut er mich an, als wappne er sich für die Frage nach der anderen Frau, nach der in Helsinki.

Ob er gegen die Vorwürfe der Doktoranden etwas unternehmen werde, frage ich stattdessen.

Erleichtert, dass ihm die andere Frage erspart bleibt, schüttelt er den Kopf. Dann nimmt er einen Schluck Kaffee. In diesen gebeutelten Zeiten, sagt er, werden immer öfter Stimmen aus dem rechten Spektrum laut. Estland den Esten und so weiter. Das zeige die enorme Herausforderung für ein baltisches Land, unabhängig zu sein und gleichzeitig für eine soziale und moralische Ordnung zu sorgen, die jedem Einzelnen ein Leben in Würde und Stolz zugestehe. Was 1990 das Einfachste gewesen zu sein schien, erweise sich heute als das Schwierigste.

Wie er das meine.

Eine junge Demokratie müsse zuerst lernen, auch Minderheiten und ihre Ansichten zu respektieren, selbst wenn das Verhältnis zu Russland kein einfaches sei. »Es handelt sich immerhin um dieselben Leute, die uns Balten vor 1990 noch ins Gesicht geschossen haben, toleriert selbstverständlich von den Westeuropäern.«

Ihm schmeicheln meine Fragen. Wüsste er, dass er mir als Vorbild für eine Romanfigur dient, hielte er das für angemessen. Für folgerichtig. Leonides ist jemand, der sich einer Sache verschrieben hat, der sich als ihre Stimme, ihre Verkörperung sieht.

Schriftsteller liefern immer jemanden ans Messer, so hat es Joan Didion einmal formuliert.

Die blaue Frau hat dafür ein feines Gespür.

Sie liest die Verse des fremden Dichters laut, und die Erde fängt Feuer. Im Abglanz der Flammen steht Kristina in einem schwarzen Hemd, die Arme vor der Brust verschränkt wie unter dem Ölgemälde, als der Bauer eine Garbe Heu auf sie warf.

Im Netz schreibt Kristina sich mit doppeltem i.

Die Frau, die vor wenigen Tagen im Rathaus über Leonides gespottet hat, ist im Netz eine andere. Kristiina mit zwei i ist eine promovierte Sozialwissenschaftlerin und Menschenrechtsaktivistin und seit 2006 Abgeordnete im Finnischen Parlament. Das hat Leonides nicht gesagt.

Her research involves studies of work restrictions, cultural norms and perceptions and the impact of racism on the workplace and homes of people. She is a member of the Committee for the Future and the Employment and Equality Committee.

Vom Laptop schaut sie in die Ferne, der Zukunft zugewandt. Unbeschwert, aber nicht gedankenlos, ohne eingeübtes Lächeln, das Hoffnung machen soll und Mut und doch abgrundtief ahnungslos ist und deshalb so erschöpfend. Kristiina ist lässig. Ihre Haltung ist lässig, ihre ganze Erscheinung unter dem blonden Haar. Sie strahlt eine Lässigkeit aus, die sie nicht von dort haben kann, woher sie stammt; aus einem Dorf in der Nähe von Tampere. Eine solche Lässigkeit bringt man nicht von Dörfern mit.

Wenn ich Ihnen nicht schreibe, komme ich um.

Kristiina sieht aus wie jemand, die jedes Recht erstreiten kann, auch das Recht auf den eigenen Körper, das sie für sich selbst aber wohl nie würde erstreiten müssen.

Das Bild verschwimmt. Der Monitor fängt an zu flackern. Der letzte Tropfen, den sie vom Glasrand leckt, ist bitter, und auf einmal dreht sich alles, das Wohnzimmer, der Tisch und die Wanduhr hängen über Kopf. Sie hält sich mit beiden Händen an der Tischkante fest. Bitterkeit und Schwindel und Wut sind alte Vertraute. Nur richten sie sich ausgerechnet jetzt in aller Schärfe gegen sie selbst. Denn die Frau im Abglanz der Flammen erinnert daran, wie es ist. Und immer ist es so: Die Umstände hätten weniger gegen einen auszurichten vermocht, hätte man mehr Format gehabt, mehr Selbstvertrauen, mehr Lässigkeit. Einem Menschen wie Kristiina würde niemand irgendein Recht überhaupt erst abzusprechen wagen.

Der Bildschirm leuchtet.

»Lass dich nicht ablenken, Sala. Konzentrier dich.«

Im Abglanz der Flammen taucht das Wort *Contact* auf. Sie erwischt es mit dem Cursor und klickt es an. Ein Organigramm öffnet sich, eine Seite voller Kästchen, auf der Kristiina ziemlich weit unten steht. Ganz oben die finnische Präsidentin, eine bodenständige, heiter wirkende Frau mit Kurzhaarschnitt und kleiner runder Brille im runden Gesicht, die, wie sich herausstellt, die Tochter einer Krankenschwester und eines Bauarbeiters ist. Wenn aber die Präsidentin dieses Landes aus einer einfachen Familie kommt, muss sich die Tochter einer Nachtportierin, die in diesem fremden Land gestrandet ist, nicht schlecht fühlen. Sie darf um Hilfe bitten, auch wenn es ihr an Format, an Selbstvertrauen und Lässigkeit mangelt.

Bevor sie die E-Mail abschickt, setzt sie ihre Unterschrift darunter.

Der letzte Mohikaner

D ie blaue Frau steht hinter mir. Sie dreht mich zu sich herum. Sie lacht.

Sie ist die ganze Zeit da gewesen.

Ich hätte mich nur umzudrehen brauchen, nur einmal hinter mich schauen, einen Blick über die Schulter zurück.

Unter ihren Stiefeln schmilzt das gefrorene Gras.

Ich sage ihr, dass ich von ihrer Anwesenheit abhängig bin. Dass unsere Begegnungen meine Pläne verändern. Sie lassen mich am ursprünglichen Stoff zweifeln.

Das Vertrauen in abstrakte Begriffe habe sich erledigt. Finnland als Scharnier zwischen Ost und West, wie ein estnischer Politikwissenschaftler an der Universität zu mir gesagt habe, sei als Beobachtung unbrauchbar geworden.

Es gehe um sie. Ohne sie verliere ich den Anlass des Schreibens. Das Buch werde bedeutungslos.

Irreführen lasse ich mich aber nicht.

Beides hält sie für übertrieben.

Schwarz ist der Schatten des Vogelbeerbaums vor dem Schlafzimmerfenster. Dunkel ihre Hände auf dem grauen Laken, die
Beine verletzlicher als am Tag, schimmerndes Gewebe, die
Knie nur Knochen. Sie umfasst die Waden und beugt sich vor,
bis ihr Kopf auf den angezogenen Beinen liegt.

Blitze zucken über den Himmel, ein flackerndes, weißes
Licht, kein Donner, bloß dieses Wetterleuchten, das irgendwann eingesetzt hat. Als entlade sich der Strom des Alls, er-
hellen gewaltige elektrische Schläge das Zimmer. Sie schließen
ihren Körper kurz, der mit zuckenden Impulsen reagiert und
neben dem Herzschlag einen zweiten, schnelleren Schlag auslöst, ein Flattern synchron zum Flackern am Himmel. Und
da ist er. Im über die Wände irrenden Licht bekommt sie ihn
zu fassen, den Mohikaner, der ein Gesicht hat und Hände, der
Muskeln hat und Knie und einen eigenen Pulsschlag, der
einen Körper hat, der ihrer ist und sich deshalb gut anfühlt, als
sie mit den Fingerkuppen ihre Beine streichelt und zwischen
den Beinen das schwere, feste Geschlecht, die gewölbten Lippen, ein weicher Widerstand. Der Mohikaner ist da. Er ist zurück. Er ist nicht in den Wänden verschwunden.

Sie wird ruhig. Ihre Glieder bekommen eine Schwere, die
neu ist, Arme und Beine sind tiefer in die Verankerung ge-
rückt, seit es nicht mehr nur ihre Arme und Beine sind. Und
auf einmal wird sie schläfrig. Sie kann schlafen, sie schläft ein,
und das Gewitter lässt nach. Nur das Rascheln des Vogelbeerbaums dringt in die Träume.

In den Morgenstunden steht sie auf, um sich ein Glas Wasser zu holen, unruhig, alarmiert von den Schatten, den dunklen Flecken im Flur, aus denen Befürchtungen werden, die

sich um die eine Frage drehen: was, wenn Kristiina nicht antwortet. Wenn in ihrem reichen, komplizierten Leben kein Platz für jemanden ist, der nichts beitragen kann zu den Auswirkungen von Rassismus am Arbeitsplatz. Was, wenn Kristiina ihr nicht glaubt oder, schlimmer, Einflüsterungen der unauslöschlichen Scham, wenn Leonides von ihrer E-Mail erfährt. Und was, wenn der Räusperer Helsinki noch nicht verlassen hat.

Als es hell wird, hat nur das Datum im Laptop gewechselt. Der 18. September schließt verlässlich an den 17. an. Der Posteingang ist leer. Kristiinas Antwort bleibt aus, auch nach Stunden, in denen der Mohikaner geduldig vor dem offenen Laptop verharrt und die Morgensonne auf Gesicht, Brüste und Arme fällt, wenig später auf den Bauch und die Beine.

Zum ersten Mal seit über einem Jahr denkt sie an Rickie. Sie steht in einer Wohnung, in die sie nicht gehört, und ist plötzlich bei Rickie im Laden.

Die Platanen sieben das Licht. In diesem Licht sind Rickies Augen fast grün. Sie schauen sie an, wie nur Rickie einen anschaut. Kyrill ist auch dort. Sie sitzt auf dem Kinoklappsitz an der Wand. Kyrill, die so schwer zu verstehen ist und so viel zu sagen hat. Rickie kehrt ihr den Rücken zu. Sie geht in die Küche, um neuen Wein zu holen oder um sich Wasser ins Gesicht zu spritzen zur Abkühlung nach einem Streit, und Kyrill sagt: »Ihre linksliberale Schwäche für den Osten ist ein Fass ohne Boden. Daher das Faible für dich. Du solltest dir darüber im Klaren sein, Adina, dass das nicht aus Liebe geschieht. Oder jedenfalls nicht nur.«

Rickie, die mehr als jeder andere sieht. Die sie aus dem Versteck lockte. Sie, den letzten Mohikaner.

Nicht aus Liebe oder jedenfalls nicht nur.

Im April, in dieser einen verregneten Nacht, hätte sie in die andere Richtung laufen können. Sie hätte nicht nach Norden laufen müssen. Sie hätte am gelben Schild mit der Aufschrift *Pasewalk 45 km* umkehren können. Auf regennassen Landstraßen morgens um drei hätte sie genauso gut in Richtung Berlin laufen können, zu Rickie, um schlotternd an die geschlossenen Fenster ihres Ladens zu klopfen mit Händen, die lose waren, wie aus der Verankerung gerissen.

Rickie hätte ihr geglaubt. Das ist vorstellbar, denn es ist ihr gutes Recht, sich das so vorzustellen.

D ie blaue Frau nimmt mich am Arm. Sie dreht mich am Ellbogen hin und her, als wolle sie prüfen, ob ihr etwas an mir noch gefällt.

So schnell verliere man seine Überzeugungen nicht. Beobachtungen würden nicht einfach unbrauchbar.

Eisregen hat die Dächer der Bootsschuppen punktiert. Die Slipanlage ist eingefroren. Im Reifenprofil eines Bootsanhängers steht Wasser.

Da verliere ich die Lust. Die blaue Frau hat mich zu lange warten lassen. Innerlich muss ich sie längst aufgegeben haben. Über dem Warten habe ich unmerklich das Interesse an ihr verloren.

Ich wende mich ab. Ich drehe mich um und lasse sie stehen. Ich lasse die blaue Frau bei den Birken zurück. Im Bewusstsein, das letzte Mal hier gewesen zu sein, steuere ich die Unterführung an.

*

»Warte!«

Die blaue Frau kommt mir nach. Sie läuft über die Felsen, das überfrorene Moos. Das Tuch um ihren Hals flattert. Ihren Wildledermantel hat sie gegen eine Daunenjacke getauscht. An den Füßen trägt sie wetterfeste Schuhe.

Sie ruft mich zurück.

Wind reißt an den Planen. Aus den Eispfützen spritzt Wasser auf. Atemlos hält die blaue Frau vor mir an.

Sie möchte mich auf die andere Seite der Unterführung begleiten. Wenn ich wolle, sagt die blaue Frau, komme sie mit.

Das nehme ich ihr nicht ab. Ich glaube ihr nicht. Sie würde nie auf die andere Seite der Unterführung gehen.

Ob ich mir das nicht seit Tagen wünsche.

Sie hat recht. Ich wünsche mir das, seit wir uns begegnet sind. Aber nach all der Zeit; warum jetzt, warum ausgerechnet heute?

Manche Dinge müsse man tun, wenn sie sich ergeben.

Was sich ergibt, sage ich, ergibt sich nicht ohne Grund.

Die blaue Frau pflichtet mir bei. Sie möchte nur ihre Gründe nicht jederzeit kundtun.

*

Unter uns knistert das Moos.

Sala geht mir plötzlich durch den Kopf. Und dann muss ich den Namen wohl auch ausgesprochen haben, laut und so unvermittelt, dass es uns beide überrascht. Die blaue Frau macht einen Schritt zurück. Sala, wiederhole ich, auf der Suche nach einer Erklärung, die uns beide zufriedenstellt und mir die Angst nimmt, die Angst, sie könnte wieder wortlos verschwinden. Der Name, sage ich, komme mir in den Sinn, sobald ich an sie denke.

Sala.

Sie richtet den Blick auf die Schuppen, auf denen die Dachpappe regennass glänzt.

Der Name gefällt ihr.

Er könnte aus dem Spanischen, dem Italienischen oder dem Lettischen sein, aus vielen Sprachen. Das zeuge von seinem weltumspannenden Gebrauch. Wie ein Mensch heiße, sage nicht unbedingt etwas über seine Herkunft, noch weniger über seinen Verbleib.

Sala hält sie für passend. Sie kann es sich vorstellen: Es könnte ihr Name sein.

Ich sage ihr, dass mich das freut.

*

Die blaue Frau holt eine Tüte mit roten Früchten hervor. Das hilft mir, meine Erleichterung zu verbergen.

Ob das Vogelbeeren seien.

Nein, sagt die blaue Frau, die haben die Vögel gefressen. Jenseits der Schnellstraßen, im nebelgrauen, unterschwemmten Rest der Stadt, scheiden sie die Samen aus, die eingekapselt auf dem harten Boden überwintern. Erst unter günstigen Bedingungen gehen sie auf.

Bei den Früchten in der Tüte handele es sich um Kirschen.

Es ist unmöglich, um diese Jahreszeit so weit im Norden Kirschen zu bekommen.

Sie greift in die Tüte und gibt mir ein paar Früchte ab zum Beweis, dass sie essbar sind. Auf den Weg fallen Kerne und Stiele.

*

Vor Einbruch der Dunkelheit, sagt die blaue Frau, wäre sie gern zurück. Am Eingang des Tunnels bleibt sie stehen. Sie betrachtet mich. Eine Seite von ihr ist hell, während die andere schon in das Dunkel des Tunnels fällt.

Die blaue Frau möchte wissen, was mich zum Weinen gebracht hat.

Ich habe nicht geweint.

»Du hattest Tränen in den Augen, soeben, als ich nach dir rief.«

Das streite ich ab. Ich protestiere. Nur Augenwasser sei mir über das Gesicht gelaufen. Die Augen hätten mir vor Kälte getränt.

Die blaue Frau lässt solche Ausflüchte nicht gelten. Ihr Blick hält mich fest. Ohne eine Erklärung, sagt sie, betrete sie den Tunnel nicht.

Da erzähle ich ihr vom Albtraum der vergangenen Nacht. Der Eisregen hatte ans Fenster geschlagen. Wie verprügelt wachte ich auf. Alle Zähne waren mir aus dem Mund gebrochen.

Die blaue Frau ermuntert mich mit einem Nicken.

Ich hole weit aus. Während wir den Tunnel betreten, gehe ich bis in die Kindheit zurück. Ich erzähle ihr von den siebziger Jahren, von der Ohnmacht der Kinder und einer Pädagogik, die aus Kriegszeiten stammte. Den Müttern wurde geraten, ihre Säuglinge schreien zu lassen. Die Mütter kamen nicht ans Kinderbett, um sie zu trösten, sie haben auf das Schreien nicht reagiert. Damit das Kind sein Verhalten änderte, ließ man es allein. Eine ganze Generation ohnmächtiger Kinder. Die Mütter haben nicht geantwortet, als die Kinder gerufen haben. Genauso, erkläre ich der blauen Frau, ergehe es mir. Niemand antworte auf mein Rufen. Als suchte ich mir zur Bestätigung meiner Ohnmacht aussichtslose Fälle, laufe ich ihr hinterher. Sie entziehe sich. Sie weiche mir aus, sie lasse sich tagelang nicht blicken. Sie zu vermissen habe weh getan.

Die blaue Frau wendet nichts ein. Sie nimmt meine Hände in ihre.

Die aussichtslosen Fälle, sagt sie leise, haben Glück. Eine ganze Generation, die sich jetzt um sie kümmere.

*

Wir sind dabei, die Straße zu unterqueren.

Der Weg ist abschüssig, bis er in der Mitte der Röhre wieder an Höhe gewinnt.

Wohin wir gehen, bleibt unklar. Es ist, als komme die blaue Frau nur in diesem Hafen vor, jenseits der Unterführung. Als existiere sie anderswo nicht.

Sie in meine Wohnung zu bitten kommt nicht in Frage. Im Bad hängt noch Unterwäsche auf der Heizung. Der Sofatisch ist voller Bücher, ganz oben eines von Leonides. Der Schrank mit dem Abtropfgitter ist offen. Obwohl diesen Schränken die Bodenplatte fehlt und sie von unten belüftet werden, widerstrebt es mir, die Schranktüren zu schließen. Es kommt mir falsch vor, das nasse Geschirr in einen Schrank zu sperren, auch wenn es in finnischen Haushalten üblich ist, Teller und Tassen dort zu trocknen, wohin man sie verräumt. Oder es ist eine Erfindung aus Osteuropa. Seit ich das Vertrauen in Leonides verlor, weiß ich nicht mehr, welches von beides zutrifft.

Die blaue Frau möchte nicht in meine Wohnung. Sie schlägt die Bibliothek im Einkaufszentrum vor. Sie weiß nicht, ob es die Bibliothek noch gibt. Es ist lange her, seit sie sich jenseits der Schnellstraßen aufgehalten hat.

Ob es Zufall sei, wo man lande.

Nur die Wenigsten, sagt die blaue Frau, können sich etwas anderes leisten.

Dann setze Geld den Zufall außer Kraft? Geld oder Glück?

Die blaue Frau erinnert daran, dass Glück nur ein anderes Wort für Zufall ist. Beide würden zutreffend den Verlauf eines Lebens beschreiben.

Ihre Stimme hallt von den Wellblechen wider, die mit Stahlschrauben am Felsen befestigt sind.

Das schließe nicht aus, über die eigene Bestimmung nachzudenken. Erst der Zufall ermögliche eine Wahl. Auswahl und

Absicht aber vermitteln das Gefühl von Sinn. So erscheine die Absicht, eine Straße zu unterqueren, als schlüssige Folge vorheriger Ereignisse.

Da sind wir schon am Ausgang der Unterführung, an der Schwelle zum Tageslicht.

*

Das Licht ist stärker als im Hafen, am Ende der Bucht.

Die blaue Frau würde das für Einbildung halten.

Ich sage ihr, dass ich begonnen habe, über das Licht zu schreiben, seit sie es vor einigen Tagen vorgeschlagen hat.

Dass ich vom Licht hoffentlich mehr verstehe als vom Deuten eines Traums. Meinen Mutmaßungen könne sie keinen Glauben schenken.

Die Sachlichkeit, mit der sie spricht, versetzt mir einen Stich.

Ob ich einer überholten Pädagogik tatsächlich eine solche Macht über meine Gefühle einräumen möchte, dass mir nachts die Zähne aus dem Mund brechen. Oder dem Krieg eine solche Macht über die Mütter. Ob mich das reicher mache. Uns mache das ärmer, sie und mich.

Gewalt, entgegne ich, werde über Generationen hinweg vererbt. Die Wissenschaft habe dafür Beweise.

Wesentlicher sei aber doch, sagt die blaue Frau mit einem Lächeln, das mich trifft, ob Sehnsucht ebenfalls vererbbar sei.

Vom Tunnel führt ein Gehweg zu den Plattenbauten. Die Straßen sind nach militärischen Dienstgraden benannt. Majurinkatu. Komentajankatu. Durch die Majorstraße fahren Busse. Die Haltestellen liegen nur wenige hundert Meter voneinander entfernt, damit der Weg zum Bus bei schlechtem Wetter nicht beschwerlich ist.

Die blaue Frau richtet ihren Blick nach vorn, auf die Menschen, die von der Arbeit nach Hause kommen, mit Rucksäcken und Einkaufstüten und Schnappschüssen von Ehepartnern, Kindern und Haustieren im Portemonnaie, die sie gelegentlich herausholen, um bei Fremden ihre Sorgen abzuladen, ehe ihre Haltestelle durchgesagt wird.

Ich versuche, Schritt zu halten.

*

Dort, wo die Kommandantenstraße die Majorstraße kreuzt, weicht ein Mann auf einem Mountainbike knapp vor ihr aus. Die blaue Frau schenkt ihm keine Beachtung. Für mich ist der Mountainbiker ein Beweis, dass sie da ist, dass sie neben mir geht. Auch zwischen den Plattenbauten wirkt sie ungreifbar.

Ich erzähle ihr von dem Viertel, in dem ich aufgewachsen bin, das diesem hier ähnelt. Auch dort standen fünfstöckige Neubaublocks im Planquadrat. Nur waren damals die Keller der Häuser mit Stahltüren gesichert, um aus den Holzverschlägen voller Eingewecktem Luftschutzbunker zu machen. Ich versuche, das Wort Luftschutzbunker ins Englische zu transportieren. Auf Deutsch hat es den Anschein, es sei allein die Luft, vor der es sich zu schützen gelte. Dabei konnte die Bombe jederzeit aus heiterem Himmel auf den Wäscheplatz fallen. Die Atombombe hat meine Kindheit bestimmt. Abends vor dem Einschlafen hatte ich Angst, sie würde nachts zwischen den Neubaublöcken niedergehen, auf dem Platz mit den Wäschestangen hinterm Haus. In den frühen Morgenstunden wachte ich mit Bauchschmerzen auf. Einmal waren die Krämpfe so stark, dass mich meine Eltern in die Notaufnahme fuhren, wo die Ärzte nichts fanden. Die Bauchschmerzen mochten keine medizinisch feststellbare Ursache haben, aber sie hatten einen Grund: Ich war bereit, unseren Wäscheplatz unter Einsatz meines Lebens zu verteidigen. Die Straßennamen, sage ich der blauen Frau, erinnern mich an das Verherrlichen des Krieges in der DDR.

Sie macht mich darauf aufmerksam, dass ich vom Krieg rede, seit ich vom Traum gesprochen habe, als wäre der Krieg eine unumstößliche Größe. In Finnland habe es den Zweiten Weltkrieg gar nicht gegeben.

Die blaue Frau spricht mit der Ruhe vom Hafen.

Es habe auch keinen Großen Vaterländischen Krieg gegeben wie in der UdSSR. Zwischen 1939 und 1945 habe es drei Kriege gegeben, den Winterkrieg gegen die Sowjets, den Fortsetzungskrieg mit den Deutschen gegen die Sowjets und den Lapplandkrieg zur Vertreibung der deutschen Wehrmacht. Statt von der Härte der Mütter spreche man von der Zähigkeit und Schläue des Zwergen. Die Straßennamen spiegeln das Vermögen eines kleinen Landes wider, sich zweier übermächtiger Feinde entgegen aller Wahrscheinlichkeit erfolgreich zu erwehren.

Ich sage ihr, dass jeder Frieden, für den man täglich in den Kampf ziehen müsse, eine Erfindung von Soldaten sei, von Majoren und Kommandanten, ein permanenter Kriegszustand. Nach der Wende habe man bei uns solche Straßen umbenannt.

Mit den Straßen werde das gemacht. Wie es mit den Menschen sei. Sie interessiere, ob die Menschen dem folgen.

Das könne ich nicht wissen. Aber die Wörter, die wir im Kopf haben, seien die Welt, in der wir uns bewegen.

Da pflichtet sie mir bei.

Das kann auch Rücksichtnahme sein. Sie ist gewarnt. Sie hat keine Lust mehr auf Tränen.

*

Vor dem Haus ordnet die blaue Frau ihr Haar.

Wenn sie wolle, könne sie gern unten warten. Ich müsse mein Portemonnaie aus der Wohnung holen, in den Hafen nehme ich nie etwas mit.

Wir stehen einander gegenüber, am zweiten Hausaufgang in der Kirjurinkuja, was auf Deutsch Schreiberstraße heißt. Auf dem Treppensockel ist eine Schuhputzvorrichtung mit drei Besenköpfen festgeschraubt.

Die blaue Frau schlägt vor, mit hinaufzukommen.

Das ist mir nicht recht.

In der Haustür stoßen wir fast zusammen. Ich widerstehe dem Drang, zurückzuweichen vor der plötzlichen großen Nähe.

Sie geht voran.

Im dritten Stock bleibt sie stehen. Sie macht einen Schritt auf die Tür zu, hinter der ich vorübergehend meine Bleibe habe. An jedem der drei Klingelschilder stehen finnische Namen, auch bei mir.

Diesen Schuhabtreter, sagt die blaue Frau, erkenne sie wieder.

In die Matte aus Kokosfaser vor der Tür ist ein Schriftzug getränkt. *Tervetuloa komeat miehet.* Die blaue Frau lacht. Dass der noch hier sei. Den habe sie damals aufs Gesicht gedreht.

Sie hält den Kopf gesenkt, wie um zu lauschen. Kein Laut kommt aus dem Inneren der Wohnung.

*

In den Flur fällt Tageslicht. Beim Ausziehen der Schuhe stoßen wir aneinander. In der Enge des Flurs, der Wärme der Körper sind die Ausweichmöglichkeiten begrenzt. Als sie den Mantel ablegt, blitzt an ihrem Unterarm ein Armreif auf, ein breiter Streifen gehauenen Silbers. Ich dachte, sie trage keinen Schmuck.

Sie lächelt. Was ich noch denke.

Dass sie den Schuhabtreter kennen könnte, kommt mir seltsam vor. Wie sie erraten hat, hinter welcher Tür ich wohne. Ich erwähne nichts davon.

Auf Socken betritt sie die Küche. Meine Socken sind grau, ihre schwarz. Der Schrank mit dem Abtropfgitter steht offen.

Vor den Postkarten hält sie inne. Auch die Postkarten erkenne sie wieder.

Ich sage ihr, dass ich die Karten erst neulich gefunden habe. Ich habe sie aufgehängt, weil ich sie mir an diesen Orten gut habe vorstellen können, Paris, New York. In der Zeit ihrer Abwesenheit habe mir das geholfen.

Die blaue Frau sagt, dass Motive wie diese eine geläufige Sehnsucht bedienen.

Nicht das Fernweh, entgegne ich, habe mich die Karten aufhängen lassen, nicht die Sehnsucht nach New York und Paris.

Ihr Blick ist undeutbar. Im Kontrast zu ihr ist die Küche sehr hell. Die Helligkeit kollidiert mit ihrem dunklen Pullover, den Schatten in den Augenwinkeln. Ich frage sie, ob die Walkingstöcke im Flur etwa auch ihre seien. Ob sie die Spinnen im Balkonregal kenne und alle Namen an den Klingelschildern. Und die Unterwäsche im Bad? Die Schlüpfer und die BHs, gehörten die ebenfalls ihr, so wie die Postkarten und der Schuhabtreter?

Die blaue Frau bittet um ein Glas Wasser. Nah beieinander stehen wir in einer Küche, die nichts ist als ein schmaler Schlauch.

Wegen des Meeres sei sie geblieben, sagt die blaue Frau ohne Groll. Sobald sie sich vom Meer entferne, kehre der Durst zurück.

Ob mein Ausbruch sie kränkt, ist nicht erkennbar.

Sie leert ihr Glas.

Ich frage sie, woher das komme mit dem Durst. Wie lange sie dieses Problem schon habe. Ob sie deswegen bei einem Arzt gewesen sei. Durst könne ein Hinweis auf Diabetes oder andere Krankheiten sein.

In ihr Gesicht tritt ein nachsichtiger Ausdruck. Es strengt mich an, sie in der Wohnung zu haben.

Statt vom Ursprung des Durstes erzählt sie, woher das Trinkwasser stammt, das durch einen hundertzwanzig Kilometer langen Granittunnel nach Helsinki strömt. Die siebzig Millionen Kubikmeter Wasser, die jährlich die Hauptstadt versorgen, werden aus dem Päijänne-See gepumpt. In den letzten zwanzig Jahren ist der Verbrauch um vierzig Prozent gestiegen. Das Wasser dieses Sees sei so weich, dass sie noch nie ein Küchengerät habe entkalken müssen, und so sauber, dass es im Verdacht stehe, Allergien zu begünstigen.

Sie klingt wie eine Angestellte der städtischen Wasserverwaltung.

Manche Dinge, erwidert sie lächelnd, gelte es präzise in Erfahrung zu bringen.

*

Mein Ausbruch beschämt mich. Schweigend verkosten wir das Helsinkier Wasser. Ich möchte sie fragen, ob sie hier gewohnt hat, wann und wie lange. Ich würde gern wissen, was der Schriftzug auf dem Abtreter zu bedeuten hat. Aber es kommt mir vor, als wäre die Gelegenheit dazu verstrichen.

Kurt Tucholsky kommt mir in den Sinn. Wir reden über ihn.

Sie mag den scharfzüngigen Autor, dem sogar das Wasser in der Fremde anders schmeckte, eine Beobachtung, die ihr gefällt. Sie bedauert nur, dass Tucholsky diese Erfahrung nicht als Reisender, sondern als Staatenloser machte. Da sind wir uns einig.

Die Küche ist auf einmal wie verwandelt. Als zeugten die Gegenstände von meiner Abwesenheit. Seit die blaue Frau sie benutzt haben könnte, die Gläser, die Spüle, das Abtropfgitter im Schrank, enthalten sie eine Zeit, in der es mich nicht gibt. Die Espressokanne, die sie nie entkalken musste, Bett und Badewanne, in denen sie gelegen hat. Sie wieder zu benutzen kommt mir nun wie eine Überschreitung vor, eine unmögliche Intimität. Ich verletze die Grenzen der blauen Frau, indem ich das Leben berühre, das sie ohne mich hatte.

Das Wassertrinken besänftigt mich.

Untermietsverhältnisse setzen voraus, dass Möbel, Geschirr und Toilettenbrille bereits benutzt worden sind. In den meisten Wohnungen hat schon jemand vor einem gewohnt. Das hat mich nie gestört. Nur einmal habe ich mir darüber Gedanken gemacht, Mitte der neunziger Jahre, als ich ein kleines Zimmer in einem Studentenwohnheim bewohnte. Das war in Potsdam-Golm, auf einem Campus inmitten von Feldern mit einer kleinen Bahnstation, die Campus und Dorf mit der brandenburgischen Landeshauptstadt verband. Ein Wächter in einem Pförtnerhaus bediente den Schlagbaum an der Einfahrt zum Gelände. Die Gebäude waren in den fünfziger und sechziger Jahren errichtet worden und noch nicht saniert. Auch die Einrichtung stammte aus den sechziger Jahren, bis hin zu den Kacheln in den Gemeinschaftsduschen. Mein Zimmer war spärlich möbliert. Ein Tisch aus Pressspanplatte mit braunem Furnier und eine abgewetzte rote Liege standen darin. Auf der Sprungfedermatratze hatten vor mir Männer geschlafen, die in psychologischer Kriegsführung ausgebildet worden waren an der damaligen Hochschule des Staatssicherheitsdienstes der DDR. Wenn sich die Matratze unter meinem Körper erwärmte, stiegen unsichtbare Dämpfe auf, der Nachtschweiß, die Albträume jener Offiziere. Damals war ich krank geworden. Ich hatte hohes Fieber bekommen, das mich wochenlang ans Bett gefesselt hatte, ehe ich begriff, dass ich längst hätte ausziehen sollen. Die Haut ist ein durchlässiges Organ.

Die blaue Frau schaut mich an. Sie kann mich nicht deuten. Das ist ihr mit mir noch nie widerfahren. Nach unseren Begegnungen am Hafen, nach all den Gesprächen erscheine ich ihr in meinem Schweigen rätselhaft. Dabei ist es ganz einfach. Im selben Bett zu schlafen, in dem sie zuvor geschlafen hat, nimmt mir die Luft.

Das heißt nicht, dass ich ihr glaube.

Dass die blaue Frau ausgerechnet hier gewohnt haben soll, Aufgang D, dritter Stock der Schreiberstraße 4, nehme ich ihr nicht ab.

Die blaue Frau würde sagen, Zweifel seien mir unbenommen. Für die Wahrheit gebe es ebenso wenig eine Garantie, wie es ein Wort für den Zustand des gestillten Durstes gebe. Man könne sich volllaufen lassen. Satt werde man nur vom Essen.

Sonne fällt von der Seite auf ihr Gesicht und bringt die hellen Wimpern zum Glitzern.

Sie führt mich ans Fenster. Am Fensterbrett lehnend, möchte sie wissen, ob ich gern Pilze esse. Es gebe viele im Süden hinter der Bucht. Sie gehe häufig Pilze sammeln, seit sie dort wohne. Nur manchmal quäle sie noch der Gedanke an die giftige Wolke. Sie hält es für möglich, dass immer noch Radioaktivität im Grundwasser ist.

Ich sage ihr, dass ich südlich des Hafens kein Wohngebiet vermutet habe, nur Wald, Schilfgürtel und historische Weiden. Dass in der Ferne aber manchmal ein Blitzen in der Luft zu sehen sei.

Sie nickt. Das seien die Teleskope der Vogelgucker. Auf Hochständen im Schilf halten sie Ausschau nach seltenen Arten.

Ob sie deshalb aus der Schreiberstraße weggezogen sei. Wegen der Pilze. Oder wegen der Vögel im Schilf.

Sie sei nicht weggezogen.

Die blaue Frau meidet meinen Blick.

Sie habe nicht hier gewohnt?

Wie ich darauf komme.

Nicht in diesem Plattenbau, Aufgang D, dritter Stock?

Sie lebe in einem Holzhaus südlich des Hafens.

Schon immer?

Sie nickt.

Wieso sie diese Wohnung dann so gut kenne.

Die blaue Frau entschuldigt sich und geht ins Bad.

*

Ihr Schweigen bringt mich aus der Fassung. Es wirft mich auf meine Kindheit zurück. Die blaue Frau rührt an Schichten, die versunken schienen. Als hinge mein Leben an einem einzigen roten Faden, hangele ich mich an meiner Herkunft entlang zurück. Ich träume wieder von mir als Kind.

Dabei hat mich die DDR nicht mehr beschäftigt, seit ich einen Roman über die Entführung einer polnischen Tupolew von Gdansk nach Berlin-Tempelhof veröffentlichte. Da war ich dreißig Jahre alt und hatte genauso lange in der Bundesrepublik gelebt wie in der DDR. Der deutsche Diskurs langweilte mich. Als ostdeutsche Autorin zu gelten war fad. Es schien immer nur eine zu geben, denn bis die nächste kam, war sie schon wieder vergessen. Niemand musste sich die Mühe machen, zwischen der Tochter eines Offiziers, der Tochter eines Staatskünstlers oder einem Lehrerkind wie mir zu unterscheiden. Wenn es im Feuilleton um unsere Bücher ging, hatten wir alle den gleichen grobmaschigen, undifferenzierten Hintergrund. Das Feuilleton war westdeutsch besetzt. Die überregionalen Zeitungen waren westdeutsch. Die gesamte Kultur wurde westdeutsch betrieben. Auch die Verlage saßen in Westdeutschland. Die einzige ostdeutsche Autorin mit einer Stimme im Nachwende-Deutschland wurde von der überregionalen Presse skandalisiert. Der Vorwurf der Stasitätigkeit brachte sie zum Schweigen. Diese Unwucht zwischen Ost und West bestätigte zu allem Übel jene, die im westdeutsch geprägten Diskurs eine Meinungsdoktrin sehen wollten, die ihnen im Land der Redefreiheit das Reden verbot.

Nach entsprechender Zeit war ich selbst westdeutsch geworden, als wäre Sozialisation eine Art Smog, der einen ihm ausgesetzten Körper durchdringt. Erst im Brodeln von Paris, New York und Helsinki, in der Salzluft des Pazifiks und den eisigen Weiten Lapplands löste er sich auf.

Ich habe nicht das Glück gehabt, an all diesen Orten gewesen zu sein, um jetzt den fadsten aller Fäden wieder aufzugreifen.

Ich bin wegen der Geschichten hier, die ich bisher übersehen habe. Vielleicht habe ich auch die einzigartige Situation übersehen, in der ich mich befinde, die, wie Leonides denkt, mit der Finnlands vergleichbar ist. Im europäischen Kontext ist Finnland eine Schnittstelle zwischen Ost und West, auch wenn ich das zwischendurch verworfen habe.

Eine Politikwissenschaftlerin am Kolleg hatte mir dafür die Augen geöffnet. Wir saßen im Aufenthaltsraum und tankten Tageslicht unter der Tageslichtlampe. Die Wissenschaftlerin dachte über einen Artikel nach, den sie für das *European Journal of International Relations* verfassen wollte. Was sie erzählte, war mir neu, und manches vergaß ich noch am selben Tag. Aber ein Aspekt hat sich mir eingebrannt: Ost- und Westeuropa sind nicht nur geographisch, sondern auch vom Tempus her verschieden. Während der Westen die Ausbildung einer europäischen Identität mit der Bewältigung der Erfahrungen des Zweiten Weltkriegs für abgeschlossen hielt, tauten in den Ostblockländern die jahrzehntelang im organisierten Vergessen eingefrorenen Erinnerungen an den Krieg erst nach dem Zusammenbruch des Sowjetregimes auf. Zuvor war das Erinnerungsverbot so gewaltig gewesen, dass man nicht einmal Erlebtes für wahr zu halten wagte.

So kommt es, dass die einen nach vorn und die anderen zurückschauen. Gegenseitig wirft man sich Kolonialismus oder Orientalismus vor. In Finnland hingegen kann man problemlos in beide Richtungen schauen. Finnland, im Kalten Krieg das sozialistischste kapitalistische Land Europas mit einem Schulsystem wie in der DDR und einer sozialen Marktwirtschaft wie in der BRD, ist ein Gehirn mit zwei Gedächtnissen.

Leonides hat meinen Blick dafür geschärft. Bei ihm werde ich nicht zum Reden veranlasst. Er käme nie auf die Idee, mich zum Zentrum der Gespräche zu machen. Meine Rolle als Zuhörerin ist für Leonides völlig selbstverständlich.

Die blaue Frau gestattet mir diese Rolle in keinem Augenblick.

*

Ob sie die Wohnung kennt, bleibt ungewiss.

Ich unterstelle ihr kein Kalkül.

Aber ich werde sie wieder im Hafen treffen. Solange wir in dieser Wohnung sind, geht mir die Distanz verloren.

Ich höre sie sagen, auf meine Ausrede sei sie gespannt.

*

Auf der Uhr an der Wand ist es zehn nach acht. Das kommt mir seltsam vor, draußen zieht sich das Licht gerade erst zurück. Um diese Jahreszeit setzt die Dämmerung schon nachmittags ein. Gegen drei verblasst im November das Licht, um vier ist es Nacht.

Die Uhr sei stehengeblieben, sagt die blaue Frau, die mich beobachtet hat. Ich schrecke zusammen, weil ich sie noch im Bad vermute.

Sie tritt aus den Schatten. Der Silberreif glänzt an ihrem ausgestreckten Arm, als sie die Uhr vom Haken nimmt. Ihre Gestalt vor der weißen Wand raubt mir meine Geistesgegenwart.

»Auf dieser Uhr dauert eine Weltumrundung nur eine Minute. Schneller um die Welt als mit einer Raumkapsel, die anderthalb Stunden braucht. Das hat ihr gefallen. Das entsprach ihrem Verhältnis zu dem, was hinter ihr lag.«

Von wem die Rede sei.

»Wohingegen eine Minute in dieser Wohnung auf ihrer geistigen Zeitanzeige mindestens einer Stunde entsprach.«

Die blaue Frau dreht die Uhr aufs Gesicht.

»Sie hätte mir nie erlaubt, die Uhr aufs Gesicht zu drehen.«

»Wer?«

Sie klappt das Batteriefach auf und löst die leeren Batterien von ihren Polen.

»Sie hätte befürchtet, die Zeiger könnten abbrechen. Das Flugzeug könnte vom Himmel fallen.«

330

Von wem die Rede sei.

Nennen wir sie Sala, sagt die blaue Frau mit einem Lächeln und sieht auf.

Es war ein Mittwoch, als Sala Kristiinas Büro betrat. Sie trug Boots mit groben Sohlen und einer Schnalle über dem Knöchel. Ihre Schritte waren fest und sicher. Ihr Blick war es nicht. Er irrte über die Wände, die großen getönten Fenster, über die Bücher und Ordner in den Regalen und blieb an einem Poster hängen. Auf dem Poster liefen Menschen in leuchtend blauen Burkas über verschneite finnische Schäreninseln.

»Da bin ich.«

Kristiina war dabei, einen Zehn-Punkte-Plan zur Verbesserung der Lage rumänischer Leiharbeiter auf den Nerzfarmen in Ostbottnien auszuarbeiten. Er sollte auf der nächsten Fraktionssitzung vorgestellt werden. Aber sie konnte sich nicht konzentrieren. Zum einen hatte sie am letzten Abend zu viel geraucht und nicht schlafen können. Zum anderen war Leiharbeit kein Thema im Regierungsprogramm. Außerdem machte ihr der Flyer einer Tierschutzorganisation zu schaffen, den eine Kollegin am Vormittag hereingereicht hatte. Die Tierschützer forderten ein Verbot der ostbottnischen Nerzfarmen, wo Minks, Füchse und Marderhunde zum Pelzgewinn vergast oder durch anale Stromschläge getötet wurden. Bilder zeigten kleine weiße Tiere mit klaffenden Wunden und abgebissenen Ohren in winzigen Käfigen. Tierschutz fiel nicht in ihren Bereich. Aber es war nicht zu übersehen: Die Tiere waren schlimmer dran als die Leiharbeiter.

Als die Tür aufging, schob sie den Flyer erleichtert unter die Akten. Sie kannte diese junge Frau. Sie hatte sie schon irgendwo gesehen. Das war trotz der Kapuze erkennbar. Dann fiel Kristiina die E-Mail ein.

»Der letzte Mohikaner?«

»Ja.«

Sie zögerte nur eine Sekunde. »Genauso hatte ich ihn mir vorgestellt.«

Das stimmte nicht ganz. Jeden Morgen überflog sie den Posteingang. Die eine oder andere E-Mail sprang ihr dabei ins Auge, und vorgestern war eine dabei gewesen, die sie bis zur Unterschrift durchgelesen hatte. Die Unterschrift war ungewöhnlich. Aber Kristiina musste zu einer Besprechung. Sie hatte die Sekretärin gebeten, die Termine zu machen, auch einen Termin mit dem Absender dieser etwas ungelenken E-Mail, und keinen Gedanken mehr darauf verwendet.

Der Blick der jungen Frau fiel auf das Poster an der Wand. Der Schnee darauf war rot vor Sonne, was in einem tiefen Kontrast zum Blau der Burkas stand.

»Eine Freundin von mir hat das Foto gemacht. Das Original war letztes Jahr in einer Ausstellung im Kiasma zu sehen. Burkas verändern die finnische Landschaft.«

»Sie verstecken sich«, sagte die junge Frau, ohne die Kapuze abzunehmen.

»Findest du?«

»Sie sollten aus dem Versteck raus.«

»Ich finde sie schön. Die Frauen haben ihr Elend verlassen. Aber das Wesentliche haben sie mitgebracht: sich selbst. Ihre Heimat ist die ganze Welt«.

»Ihr Elend ist die ganze Welt.«

»Okay«, sagte Kristiina, der beim Anblick der Kapuze ein Vergleich in den Sinn kam, den sie sofort verwarf, weil es die unterschiedlichsten Gründe für Kopfbedeckungen gab. »Worum geht es?«

Die junge Frau streifte die Kapuze vorsichtig ab. Die Haare darunter waren kurz und stoppelig. Sie setzte sich auf die Kante des Stuhls, der vor Kristiinas Schreibtisch stand. Für einen Augenblick war es still.

Da geriet Kristiina ein Staubkorn ins Auge. Sie beugte sich vor, machte die Augen kurz zu und drückte ihre Finger auf die Augäpfel. Im Dunkel der geschlossenen Lider wurde sie sich eines Blickes bewusst. Es war der Blick der jungen Frau ihr gegenüber. Er lag brennend auf ihr, er brannte.

Als sie die Augen öffnete, hielt die junge Frau das Streichholz noch in der Hand. Sie pustete es aus, schob es zurück in die Schachtel und legte die Schachtel in die Schale, in der auch Büroklammern und eine angerissene Packung Kaugummis lagen. Dann rückte sie die große Stumpenkerze, die nie angezündet worden war und jetzt brannte, aus der Mitte des Tisches heraus. Sie hob den Kopf. »Es geht um Gerechtigkeit.«

Kristiina hatte einen Spruch auf der Zunge, verkniff ihn sich aber. »Die Kerze ist ein Geschenk.«

»Sie ist ganz verstaubt.«

»Möchtest du sonst noch was im Pikkuparlamentsgebäude anzünden, bevor wir uns deinem Anliegen widmen?« Kristiina blies die Kerze aus. »Wenn wir Pech haben, geht der Rauchmelder an. Wenn wir noch mehr Pech haben, gibt's Feueralarm. Die Anlage muss sich erst einspielen, das tut sie allerdings schon seit Monaten. Weshalb diese Kerze nie brennt. Was mich daran erinnert, dass ich nie wieder in so einem Büro hatte sitzen wollen.«

Es gab keinen Feueralarm. Aber während dieses Nachmittags, von dessen Fortschreiten verschiedene Lichtflecken an der Wand kündeten, musste sie sich wiederholt fragen, woher das Bedürfnis kam, sich bei der jungen Frau für dieses Büro mit den Akten und der Sekretärin im Vorzimmer zu entschuldigen, als wäre ihr die Rolle, die sie seit der neuen Legislaturperiode innehatte, peinlich.

Sie versuchte, sich zu erinnern, woher sie die junge Frau kannte, kam aber nicht darauf.

»Wenn es nicht um Gerechtigkeit ginge«, sagte Kristiina

schließlich, »hätte ich nie wieder einen Fuß ins Pikkuparlament gesetzt.«

»Was heißt Pikku?«

»Pikku bedeutet klein. Das kleine Parlamentsgebäude.«

»Warum bist du nicht im großen?«

Kristiina musste lachen. Im Raum hing noch der angenehme Geruch nach verbranntem Streichholz, und sie bekam Lust, eine zu rauchen. Die Mittagspause war schon eine ganze Weile her. Und dann fiel es ihr ein. Beim Gedanken an die Zigarettenschachtel in ihrer Tasche sah sie die Rathaustreppe vor sich und sich selbst mit Zigarette und Feuerzeug am Fußende der Treppe stehen und einem Taxi hinterherschauen. Die junge Frau in ihrem Büro war dieselbe, die Leonides zum Empfang im Schloss begleitet hatte. Deshalb kam sie ihr bekannt vor. Obwohl sie sich verändert hatte. In ihrem schwarzen Aufzug und mit den raspelkurzen Haaren war sie kaum wiederzuerkennen. Nur ihr Temperament schien noch dasselbe zu sein. Etwas Impulsives haftete ihr an, das schon im Rathaus zu bemerken gewesen war. Zwischen all den satten, empfangsverwöhnten Gästen mit ihren eingeschliffenen Höflichkeiten hatte sie einen unfertigen Eindruck gemacht. Kantige Züge, ein flackernder, unbeherrschter Blick; das fiel auf. Sie hatte ein Designerkleid getragen, ein ärmelloses Kleid im Marimekko-Stil, daran erinnerte sich Kristiina jetzt, aber es hatte mehr wie eine Requisite an ihr gehangen und sie um so jungenhafter wirken lassen. Die nackten Oberarme und die kräftige Struktur der Beine waren ohne überflüssiges Gewebe, aber nicht zu dünn, was sie jünger machte, als sie sein konnte. Aber auch dann war sie zu jung für Leonides. Für Männer wie ihn war das symptomatisch, eine Symptomatik, die sich mit zunehmendem Alter zu verschärfen schien. Dass er auf androgyne Frauen stand, hatte Kristiina allerdings überrascht.

Sie hatte mit Sala eine rauchen wollen und war stehen gelassen worden. Das passierte ihr nicht oft. Meistens war sie es, die sich loseiste von Leuten, die auf Veranstaltungen oder Konferenzen um sie herumscharwenzelten, seit sie im Parlament saß, wieder vermehrt, aber sobald es hinterher darum ging, die großspurigen Beteuerungen umzusetzen, machten sie schlapp. Ihr offen zu widersprechen wagten die wenigsten. Das lag an einer gewissen Schönheit, die man ihr nachsagte, die sie selbst allerdings nicht zu den persönlichen Errungenschaften zählte; seit der Kindheit hatte sie dieses unbezähmbare Haar. Außerdem flößte eine Frau, zu der selbst Männer aufschauen mussten, Respekt ein. Nachdem sie das herausgefunden hatte, verachtete sie in ihrer Ablehnung von Autorität nicht länger die Respektspersonen, sondern die, die sie dazu machten.

»Wenn du willst, gehen wir rüber ins große und schauen es uns an.«

Die junge Frau aus dem Rathaus jetzt mit Igelschnitt und ungesunder Gesichtsfarbe in ihrem Büro zu haben, überraschte Kristiina. Das konnte nur heißen, dass etwas vorgefallen war.

»Das Gebäude ist einer der schrecklichsten Irrtümer des Neoklassizismus. Wenn ich durch die Wandelhalle in den Plenarsaal gehe, komme ich mir vor wie im falschen Film.«

Lichtpunkte flackerten an der Wand, ein Zeichen, dass die Sonne die gegenüberliegenden Fenster im oberen Stock getroffen hatte und am Untergehen war. Der Zehn-Punkte-Plan zur Leiharbeit würde bis morgen warten müssen.

»Du hast ihn dir vorgestellt?«, fragte die junge Frau leise.

»Wen?«

»Den letzten Mohikaner.«

»Um ehrlich zu sein –«

»Wie?«, fragte sie.

»Wie?«

»Ja, wie hast du ihn dir vorgestellt?«

»Das kommt darauf an.«

»Worauf?«

»Es kommt doch immer darauf an, was man sehen will, oder?«

»Und was willst du sehen?«

Kristiina schaute auf die Uhr. »Erzähl mir doch erst mal, warum du hier bist. In einer halben Stunde muss ich nämlich leider los. Da wartet schon der nächste Termin auf mich.«

»Du hast also gar nichts gesehen.«

Die junge Frau schaute sie beim Sprechen nicht an. Sie fixierte die Kerze, die ausgepustet am Rand des Schreibtisches stand, und unwillkürlich fragte sie sich, wie Leonides mit dieser Hartnäckigkeit zurechtkam.

»Ich sehe einen Menschen mit dem Vermögen, der eigenen Stimme zu folgen«, sagte Kristiina sanft und ohne nachzudenken. »Einen starken und schönen Menschen, ob im Marimekko-Kleid oder mit Kapuze.«

Die junge Frau schwieg. Sie schob die Hände in die Bauchtaschen ihres Pullovers.

Dann sagte sie an ihre Knie gewandt: »Wenn du auf Leonides anspielst, Leonides gibt es nicht mehr.«

»Du bist Sala, nicht wahr? Leonides hat uns letzte Woche miteinander bekannt gemacht.«

»Er ist raus.«

»Schade, dass du so früh gehen musstest. Aber auch beneidenswert. Am liebsten wäre ich mitgekommen!«

Leonides war ihr an diesem Abend noch sehr gut in Erinnerung. Er war ausgelassen gewesen, witzig und charmant wie selten, mochte der überstürzte Abgang später im Taxi dazu passen oder nicht. Es stand zu vermuten, dass der Abend für die junge Frau nicht so charmant verlaufen war. Etwas musste nach der Begrüßung auf der Treppe vorgefallen sein. Kristiina beschloss zu warten. In Situationen wie dieser, die sie jetzt intuitiv als eine tiefer Verwundbarkeit erfasste, war der Weg vom Gedanken zum Sprechen brüchig, das Wortfindungsvermögen so empfindlich, dass weder Licht noch Luft im Raum bewegt werden durften, und sie hoffte, auch die Sonne würde sich daran halten.

»Er darf nicht wissen, dass ich hier war«, stieß Sala hervor.

Kristiina nickte.

»Er darf es nicht erfahren.«

»In Ordnung.«

In Salas Gesicht spielte sich etwas ab, das auch unaufmerksamere Menschen als Kristiina einen inneren Kampf genannt hätten.

»Weißt du was«, schlug Kristiina nach einer Weile reglosen Wartens vor, »ich sage den nächsten Termin einfach ab.«

Als sie zum Telefon griff, bemerkte sie die Gliederkette, die an einem Karabiner von der Gürtelschlaufe hing. Sie verschwand in Salas rechter Hosentasche. Beim Betätigen der Durchwahltaste fragte sie sich, ob es sich um eine Taschenuhr oder um ein Messer handelte. Im Falle eines Messers hätte ihr der Sicherheitsdienst aber die Kette bestimmt abgenommen.

Ich solle sie mir nicht als Schönheit vorstellen. Die Stimme der blauen Frau hängt in der Dämmerung.

Entscheidend sei das Gesicht, das beim Sprechen manchmal aus den Worten heraustrete. Als hebe es sich von den Worten ab, so, wie sich ein Blatt wieder vom Schlammboden löst, wenn der Schlamm steinhart geworden ist.

Man bekunde den Willen, etwas zu tun, und das Gesicht tue das Gegenteil.

Am Ende verrate ein Gesicht die Worte.

»Es gibt kein Zurück«, sagte Sala in Kristiinas Büro und brach ein Stück von der Lakritzschokolade.

Kristiina hatte die Sekretärin gebeten, der Migrationsbeauftragten für heute abzusagen und Mineralwasser und Obst zu besorgen und Schokolade, denn Schokolade half über die schlimmsten Mangelerscheinungen hinweg.

Noch immer in der Annahme, es handele sich um Trennung, um einen Trennungsschmerz, musste Kristiina lächeln über die Endgültigkeit in Salas Äußerung. Kein Zurück. Die junge Frau, die blass vor ihrem Schreibtisch saß und die Tafel Fazer-Schokolade in fünf Minuten aufgegessen haben würde, wenn sie in diesem Tempo weitermachte, rührte sie. Dieser impulsive, kantige Mensch brachte ausgerechnet Gefühle für einen unbeholfenen, pedantischen und im bei Männern üblichen Maße ichbezogenen Mann auf, den nichts so interessierte und überzeugte wie seine eigenen Argumente. Andersherum schien das weniger der Fall zu sein. Vielleicht war Leonides ihrer überdrüssig geworden. Sie hatte begonnen, Forderungen zu stellen, oder reichte nicht an seinen Bildungsstand heran, bildungsferne Schicht war ein in diesem Zusammenhang gern verwendeter Begriff, osteuropäischer Migrationshintergrund ein anderer. Oder sie war ihm auf die Dauer doch zu jung gewesen. Ihr war der Trennungsschmerz noch etwas völlig Neues, dachte Kristiina. Sonst hätte sie nicht ernsthaft geglaubt, dahinter gäbe es kein Zurück, er wäre der letzte seiner Art, woraus sich ein interessanter Rückschluss auf die Unterschrift unter der E-Mail ergab, diese von James Fenimore Cooper erfundene, höchst alarmierende Figur. Für Sala schien sich mit diesem Mohikaner etwas Neues zu verbinden.

Aber Kristiina arbeitete seit acht Uhr morgens unter dem Einfluss der Klimaanlage. Das waren lebensfeindliche Bedingungen für jemanden, die daran gewöhnt war, mit offenen Fenstern zu arbeiten, wenn sie überhaupt an einen Schreibtisch gefesselt war, statt wie in den vergangenen zwei Jahren im Land unterwegs zu sein, an der frischen, von Pflanzen gekühlten und reichlich mit Sauerstoff versorgten Luft, die den Gesetzen der Schwerkraft folgte. In der künstlich entfeuchteten Luft des Büros trocknete der Geist völlig aus. Es war möglich, dass sie schon etwas verschraubt an die Dinge heranging.

»Möchtest du, dass ich dich Mohikaner nenne?«, fragte sie sanft.

Für einen Moment war es still. Nur das Brechen der Schokolade war zu hören, als Sala sich ein weiteres Stück nahm, und das Knacken im Drehgelenk des Stuhls. Sala schob sich das Schokoladenstück in den Mund und kaute. Dann schüttelte sie den Kopf, den sie gesenkt hielt.

»Es gibt keinen Grund, Leonides zu erzählen, dass du bei mir warst«, sagte Kristiina im Versuch, das Gespräch wieder in Gang zu bringen. »Ich wüsste nur gern, warum ich es verschweigen soll.«

Sala blieb stumm.

»Erklär es mir.«

Die junge Frau schaute weiter auf ihre Knie. »Leon behauptet, er setzt sich für Menschenrechte ein.«

»Das macht er, ja. Das ist richtig.«

»Solange es ihm nicht weh tut«, sagte sie leise.

»Wie meinst du das?«

»Er ist rücksichtslos. Oder er merkt nichts. Er merkt überhaupt nichts.«

Kristiina nahm den Flaschenöffner vom Tablett und öffnete zwei Mineralwasser, von denen sie eines über den Tisch schob.

»Der Egoismus nimmt mit dem Alter zu. Die Freude daran nimmt allerdings ab.«

Die junge Frau rührte das Wasser nicht an.

»Was hätte Leonides denn merken sollen?«

»Dass er einem Kriminellen die Hand gibt«, brach es aus Sala heraus, ähnlich heftig wie zuvor, als sie darauf bestanden hatte, dass ihr Besuch nicht weitererzählt werden durfte. »Wenn er das nicht merkt, wie will er dann die Gespenster vor den Europäischen Gerichtshof bringen?«

»Gespenster?«

»Das hat er gesagt.«

»Trink was«, sagte Kristiina. Die junge Frau tat ihr leid. »Oder nimm einen Apfel.« Sie hätte gern mehr angeboten, aber alles, was es gab, stand schon auf dem Tisch. »Welchem Kriminellen hat er denn die Hand gegeben?«

»Einem Deutschen.«

»Einem deutschen Kriminellen? Leonides?«

»Im Schloss.«

»Das sieht ihm überhaupt nicht ähnlich.«

»Wahrscheinlich hast du ihm auch die Hand gegeben.«

»Ich?«

»Ja.«

»Ganz bestimmt nicht.«

»Macht man sich da nicht mitschuldig?«

Sala rührte nichts von dem, was auf dem Tisch stand, an. In ihren Augen war eine fiebrige Spannung, Schatten lagen auf dem Gesicht, und Kristiina registrierte zerstreut, dass die Sonne mittlerweile untergegangen war.

»In Finnland ist das Händeschütteln nicht üblich«, sagte sie. »So schnell geb ich niemandem die Hand.«

Das war ein Ausweichmanöver, das in ihren eigenen Ohren seltsam und abweisend klang.

»Abgesehen von den Gepflogenheiten«, besserte sie nach

und schaltete die Stehlampe neben ihrem Schreibtisch an, »macht ein Händedruck allein, soweit ich weiß, nicht schuldig.«

Das übergriffige Anzünden der Kerze und die Erwähnung eines Kriminellen auf einem Bürgermeisterempfang waren Übersprungshandlungen, dessen war sich Kristiina bewusst. Sie dienten dazu, eine Dünnhäutigkeit zu verbergen, einen wunden Kern. Unter die Gäste im Schloss hätte sich kein Unerwünschter mischen können. Die Teilnahme war nur auf persönliche Einladung hin möglich, die Einladungslisten wurden geprüft, jeder Gast hatte *rsvped*. Aber wenn man es genau nahm, und auf der Suche nach einer Erklärung für ihren unterschwelligen Ärger nahm Kristiina es jetzt sehr genau, hatte sie sich gerade gerechtfertigt. Und eine Rechtfertigung setzte eine Anklage voraus. Als ihr das durch den Kopf ging, schwand das Mitgefühl. Die junge Frau tat ihr weitaus weniger leid.

Da kam ihr die Segelyacht in den Sinn. Eine zwanzig Meter lange, elegante Holzyacht mit weißen Segeln und einem viktorianischen Salon, auf der Leonides seinen fünfunddreißigsten Geburtstag gefeiert hatte, vor einigen Jahren im Juni, als die Nächte hell waren, er, ein Kind der Mitternachtssonne. Mit einem Freund hatte er die Yacht von Käsmu nach Helsinki über die Ostsee gesegelt und sich damit einen Wunsch erfüllt. Die Yacht ankerte in der Marina von Tervasaari. Nur Leonides zuliebe war sie an Bord gegangen.

Kristiina kam an diesem Tag von einer Großbaustelle. Sie hatte keine Zeit gehabt, nach Hause zu fahren, und sich auf der Toilette der Marina umgezogen, raus aus der bespritzten grauen Arbeitshose, rein in eine saubere Bluejeans, dazu ein schlichtes, weißes Hemd. Sie kam von dort, woher man kommt, wenn man die Welt verbessern will, aus den Baracken der Drei-Euro-Jobber, und ging dorthin, wo alles bleiben soll, wie es ist, die Welt der Reichen und Schönen.

Sie betrat das Schiff über die schmale Landungsbrücke. Das

Fest war in vollem Gang, und obwohl Kristiina einige Leute persönlich und andere vom Sehen oder aus dem Fernsehen kannte, den ehemaligen amerikanischen Botschafter in Finnland, den estnischen Botschafter, ein paar Staatssekretäre, Politologen und andere Leute der Wissenschaft, die meisten älter, Kulturfunktionäre, Kolleginnen von FINGO und KIOS, die Vorsitzende des Nationalen Frauenrats, hielt sie sich nicht mit Gesprächen auf. Sie hatte vor, nicht lange zu bleiben.

»Niemand hat das vor«, sagte Leonides, als sie ihn fand. Er testete ein Mikrophon, das am Fockmast aufgebaut war. »Aber alle sind scharf auf den Kaviar. Echter Beluga aus dem Kaspischen Meer.«

Leonides ging es nicht um Statussymbole. Es ging ihm nicht um Besitz. Weder er noch sein Freund aus Kindheitstagen machten sich etwas aus dem, was der Gazprom-Mann, der mit ihnen auf der kleinen Bühne am Fockmast stand, die Ästhetik des Luxus nannte. Als Bühne diente das Dach der Kapitänskajüte. Die Kajüte, die Masten, die Takelung und die originalen Möbelstücke im viktorianischen Salon waren aufwendig restauriert worden. Finanziert hatte das der Gazprom-Mann, eine Investition, die, wie man erfuhr, seiner Leidenschaft für historische Boote zu verdanken war. *Eine Wiedergutmachung an meiner Familie* sagte der Kindheitsfreund in seiner kurzen Ansprache dazu. Seine Familie stammte aus Käsmu, einem kleinen Ort an der Ostseeküste im Norden von Estland. Der Großvater mütterlicherseits hatte dort an der Seeschifffahrtsschule studiert und war Kapitän geworden. Der Enkel kannte ihn nur von einem Foto, über dem eine schwarze Schleife hing. Diesen Schoner zu segeln, sagte der Kindheitsfreund, bevor er Leonides das Mikrophon überließ, war, wie den Großvater nach Jahrzehnten von der Trauerschleife zu erlösen. Dafür dankte er dem Gazprom-Mann.

Leonides' Dankbarkeit hielt sich in Grenzen. Er erzählte,

wie er seinen Freund mit elf Jahren beim Spielen in einem Ruderboot kennengelernt hatte, als er für einige Sommerwochen im Pionierlager von Käsmu gewesen war, *beschützt und bewacht von sowjetischer Patrouille*. Solche Grenzpatrouillen hatte es seit der ersten Besatzungszeit gegeben. Es waren stumme, bewaffnete Männer, mit denen es schon der Großvater des Kindheitsfreundes zu tun gehabt hatte. Trotz ihrer Stummheit hatte der Großvater es geschafft, mit ihnen ins Gespräch zu kommen. Wozu ihn die Kapitänsausbildung befähigt hatte oder seine soziale Ader. Das machte ihm Hoffnung. Von Menschen, mit denen man redete, wurde man nicht erschossen. Also hatte er ausgeharrt. Er war nicht wie die Nachbarn mit Hab und Gut nach Finnland gesegelt mitten im Krieg und hatte auch den zweiten großen Exodus seiner Landsleute über die Ostsee überdauert. Von einer dieser Grenzpatrouillen wurde er eines Tages gewarnt. Seine Familie stand auf einer Liste. Auf den Listen standen die Namen von Personen, die deportiert werden sollten, der halbe Ort. Am nächsten Tag würde man die Kapitänsfamilie um zwei Uhr mittags abholen kommen. Das war 1949. *Was euch mein Freund verschwiegen hat*, wie Leonides während seiner Rede mehrfach sagte.

Zu dem, was der Kindheitsfreund verschwiegen hatte, gehörte auch, dass seine Mutter zwölf Jahre alt gewesen war, als ihr Vater eines Morgens ankündigte, hinüber in die Sauna zu gehen. Stunden später kam die Haushälterin aufgelöst zu ihr, weil der Vater nicht aus der Saune zurückkehrte. Er kam nicht mehr. Er hatte sich erhängt, und zwar kurz vor zwei Uhr mittags, als der Lastwagen der sowjetischen Geheimpolizei vor dem Kapitänshaus hielt. Der Strick hing von einem Balken neben dem Saunaofen. Die Haushälterin, die Russisch sprach, hörte die Geheimpolizisten sich draußen besprechen. Schließlich fällte einer die Entscheidung, sie nicht mitzunehmen, sie bei dem Toten zu lassen.

»Diesem Großvater«, sagte Leonides, »ist es zu verdanken, dass ich meinen Freund kennenlernen konnte, dass er zur Welt kam und zwar gesund, was nicht der Fall gewesen wäre, hätte man seine Mutter wie Tausende andere nach Semipalatinsk deportiert, in ein Atomwaffentestgebiet der Sowjetunion.« Damals mit elf, in einem lecken Ruderboot, hatten sie beide Kapitäne werden wollen wie der junge Mann auf dem Bild mit der schwarzen Schleife.

Das war keine Geschichte für einen so festlichen Abend. Das Wasser glitzerte, die Luft war schon sommerlich mild, der Kaviar drohte zu schmelzen, was auch der Frau im hellen Kleid bewusst zu sein schien, die sich aus der ersten Reihe löste, auf Leonides zutrat und ihren Arm unter seinen schob. Es war Geburtstag, man wollte feiern, die Gratulanten standen Schlange, und sie wollte als seine Frau den Anfang machen. Sie war temperamentvoll und lebensfroh, und es war das einzige Mal, dass Kristiina Leonides' Ehefrau begegnet war. Auf der Yacht in der Marina von Tervasaari.

Die eine Wiedergutmachung an der Familie des Kindheitsfreundes war. Mit der sich Leonides einen langgehegten Wunsch erfüllte. Die teilfinanziert wurde von einem Manager von Gazprom, dem Unternehmen eines Staates, der Minderheiten unterdrückte, kritischen Journalismus verbot, Folter erlaubte und als bewaffneter Aggressor Massenmord verübte, kurz, in dem der Stalinismus weiter existierte, ohne rote Ideologie. Der Charakter eines solchen Staates durchdrang den Charakter derjenigen, die ihm nahekamen, wie Smog. So gesehen, war die gesamte Yacht, waren alle, die an Bord gingen, kriminell.

Sala hustete. Sie hatte sich an der Schokolade verschluckt.

»Auf solche Empfänge kommen keine Kriminellen«, sagte Kristiina, vom Husten in die Gegenwart zurückgeholt. »Dahin kommt man nur mit Einladung.«

Als die junge Frau wieder Luft bekam, griff sie zum Mineralwasser. Sie trank. Sie leerte die Flasche, ohne abzusetzen, und sagte: »Ich bin hier, weil – ich will, dass er vor Gericht kommt.«

»Leonides?«

»Nicht Leonides. Der andere. Der Deutsche.« Mit einer Hand fasste sie nach der Kapuze. »Sonst ist meine Angst immer vor mir.«

Dass die Kapuze dazu diente, nicht erkannt zu werden, ging Kristiina im Laufe dieses Abends auf. Die Kopfbedeckung war ein Schutz. Beim Verlassen des Pikkuparlamentsgebäudes – auf den Fluren brannte schon die Nachtbeleuchtung, die meisten Kollegen hatten längst Schluss gemacht –, setzte Sala die Kapuze auf. Auf der Straße zog sie sie tief ins Gesicht. Dabei war Helsinki keine gefährliche Stadt. Finnland galt als eines der sichersten Länder Europas. Der Sicherheitsindex lag bei achtzig Prozent. Die allgemeine Kriminalitätsrate war seit Jahren sehr niedrig. Kristiina kannte die neuesten Erhebungen. Neunzig Prozent der Kinder fuhren regelmäßig allein Bus oder Straßenbahn und bewältigten den Schulweg ab der ersten Klasse ohne Eltern. Auf dem nächtlichen Nachhauseweg von einer Party hatte sich Kristiina noch nie gefürchtet, kein einziges Mal. Aber diese junge Frau hatte im belebten Stadtzentrum Angst. Und trug vielleicht sogar ein Messer in der Tasche.

An diesem Abend ging Kristiina einiges auf. Zunächst stieß sie an eine ihr bis dahin unbekannte Grenze. Normalerweise machten Schwierigkeiten ihr nichts aus. Sie brachte sich oft in unbequeme, zuweilen auch riskante Lagen. Sie setzte sich für Leiharbeiter und Billiglöhner ein, was nicht immer ohne Anfeindungen vonstattenging, und da sie die neueste Forschung zur Traumabewältigung und die jüngsten Statistiken zu Armut und Ausgrenzung kannte, war sie auch für Elend gewappnet. Aber als Sala mit Blick auf das Poster an der Wand zu sprechen begann, stockend zuerst, dann flüssiger, aber ohne jede Regung, als sie sachlich berichtete, was ihr in einem Gutshaus in Deutschland widerfahren war, zog Kristiina reflexartig den Flyer unter den Akten hervor. Auch den Minks ging es dreckig. Aber die Minks waren ein Vierfarbdruck auf Papier, und sie musste sich eingestehen, dass sie die Unmittelbarkeit eines Menschen, der vergewaltigt und gefoltert worden war, überforderte.

Kristiina ging auch auf, dass sie es war, die helfen würde. Das wusste sie in dem Moment, als sie sich an der Ampel verabschiedeten. Sala streckte ihr die Hand hin. »Danke.« Und Kristiina dachte, wenn das einer machen muss, ihr helfen, dann ich und zwar nicht aus Heldenmut oder Pflichtgefühl und auch nicht aus Mitleid, sondern weil ich es kann. Gleichzeitig hatte sie das Gefühl, Sala vor Beschämung nicht in die Augen schauen zu können, und schaute mitten hinein in ihre große dunkle Iris, als sie ihre Hand ergriff.

»Kommst du allein nach Hause?«

»Ja.«

»Weißt du, mit welcher Bahn?«

»Ja.«

»Hast du ein Ticket?«

»Ja.«

»Soll ich nicht lieber mitkommen?«

Die junge Frau lächelte zaghaft, vielleicht auch spöttisch. Es war das erste Lächeln, das Kristiina an ihr sah. Dann verschwand sie in den Lichtern des Bahnhofs.

Kristiina kannte ein paar Leute. Genau genommen kannte sie viele. Sie war gut vernetzt. Manchmal traf sie sich mit einer Anwältin zum Lunch, die als Fachanwältin für Strafrecht in Fällen von sexueller Gewalt auch Zeuginnen der Nebenklage vertrat.

An diesem Abend ging sie zu Fuß nach Hause. Nur für das letzte Stück Schnellstraße nahm sie den Bus. Zu Hause öffnete sie die Fenster und rief ihre Mutter an. Ihre Mutter hatte sich Matsutake-Pilze zubereitet, die sie im Sommer neben der Treppe am Haus gefunden hatte. Sie machte sich einen japanischen Abend. Sie hatte keinen Sake, aber die Pilze galten in Japan als teure Delikatesse. Ihre Mutter wusste alles über Pilze. Wo man sie fand, wie man sie zubereitete und dass sie achtzigtausend Geschlechter hatten. Über fünfzig verschiedene Pilzarten erkannte sie, ohne nachzuschlagen, und den gewöhnlichen Butterpilz ließ sie meistens zugunsten des Schiefen Schillerporlings oder des großen Schmierlings für unerfahrenere Pilzsammler stehen. Als Heranwachsende hatte sie sich dieses Wissen mit Hilfe eines Pilzkundebuches beigebracht. Es war das Einzige gewesen, was den Vater je zu einem Lob veranlasst hatte bei vier großen Brüdern, die alles besser konnten, nur einen Hexenröhrling von einem Satansröhrling unterscheiden, das konnten sie nicht.

Kristiina sah zum Mond hinter den Bäumen. Der Geschmack von Krause Glucke mit Rührei kam ihr auf die Zunge, ein Gericht, das in ihrer Kindheit noch vor den gebratenen Steinpilzen rangiert hatte. Steinpilze hatte ihre Mutter oft gemacht. In den Wäldern gab es so viele, dass sie leicht zu finden gewesen waren. Kristiina hatte ihre Mutter gern begleitet. Nur wenn sie kleine Stücke von den Rotkappen oder den weißen Semmelstoppelpilzen abbiss und zerkaute, um am Geschmack die Frische zu erkennen, war Kristiina schlecht geworden vor Angst, ihre Mutter könnte sich langsam vergiften.

»Du, hör mal, wenn's nichts Wichtiges gibt, spring ich noch schnell in den See, bevor es dunkel wird.«

»Es ist schon dunkel, Elena. Und es ist zu kalt«, sagte Kristiina. Da hörte sie die Außentür knarren und das harte Einatmen der Mutter auf der glitschigen Holztreppe, die über die

Felsen zum See hinunter führte, und wusste, ihre Mutter wäre wie immer von nichts abzuhalten.

Sie gab die Nummer einer Bekannten ins Handy ein. Die Bekannte arbeitete im Deutschen Kulturzentrum in Tampere, und Kristiina wollte wissen, ob ihr der Name Johann Manfred Bengel etwas sagte. Während die Bekannte nachdachte, zündete sie sich eine Zigarette an. Am offenen Fenster, in einer seltsamen Stimmung aus Mitleid und Ekstase, schickte sie den Rauch zum Mond.

Der Name sagte der Mitarbeiterin des Deutschen Kulturzentrums nichts. Zu lange war sie nicht mehr in Deutschland gewesen. Aber ihrer Ansicht nach wimmelte es dort von solchen Typen, weshalb sie damals nach Finnland ausgewandert war. »Auf die Gefahr hin, verrückt zu werden!« Es war spät an diesem Mittwochabend, und die Bekannte lachte ein bisschen zu ausführlich dafür, dass sie nichts getrunken haben wollte. »Wer als Frau in den Achtzigern aus Deutschland nach Helsinki kam, wurde zuverlässig verrückt.« Nur sie wäre nicht verrückt geworden, was man angesichts ihrer wilden Frisur glauben konnte oder nicht. Kristiina wurde ungeduldig. »Natürlich hat sich Finnland inzwischen gewaltig gewandelt«, sagte die Bekannte mit ihrem niedlichen, vom Selbstgebrannten schlurrigen Akzent und versprach, sich umzuhören.

Leonides kontaktierte Kristiina an diesem Abend nicht. Nachts bekam sie Hunger. Außer der Lakritzschokolade und dem Apfel hatte sie nichts im Magen. Sie lag hungrig im Bett, einem Doppelbett, beide Hälften waren bezogen, aber nur eine benutzt, und dachte an die junge Frau. In was für einem Bett sie schlief. Ob sie schlafen konnte. Wie es ihr gehen mochte. Wie viel Selbststilisierung nötig sein würde, um den Narben einen Sinn zu geben, aber das war schon die erste falsche Frage. Kristiina wusste, dass Sala noch nie jemandem von dem Missbrauch erzählt hatte. Das würde etwas mit ihr machen. Das macht auch was mit mir, dachte Kristiina und wälzte sich herum, stand schließlich auf und kramte im Küchenschrank nach Knäckebrot und Abba-Kallen-Kaviar, wovon sie größere Mengen vorrätig hatte für den Fall, dass sie wieder vergaß einzukaufen.

Sala ging ihr nicht aus dem Kopf. Auch am nächsten Tag, in zwei langatmigen Meetings und im Gespräch mit der Migrationsbeauftragten über die größte Hürde bei der Arbeitssuche, das fließende Finnisch, das Arbeitgeber selbst auf dem Bau verlangten, kam ihr Sala in den Sinn, der Händedruck beim Abschied, ihr blasses, von der Kapuze verschattetes Gesicht. Die Hürden, die sie würde überwinden müssen. In ihrem Kleid im Rathaus war sie anziehend gewesen, unabhängig, vielleicht gerade weil sie nicht so wirkte, als ob sie häufig Kleider trug. Chingachgook, der letzte Mohikaner. Auf dem Heimweg machte Kristiina einen Abstecher in die Bibliothek, um nach einer Ausgabe des historischen Romans zu suchen, und versenkte sich in die Betrachtung des charismatischen, zerfurchten Gesichts auf dem Cover, zwei Federn im Haar.

Ob die blaue Frau lügt, bleibt offen. Wir bewegen uns im konturlosen Raum sich auflösender Schatten.

Ich unterstelle ihr, dass sie die Wohnung aus eigenem Erleben kennt. Dass sie hier gewohnt hat. Aufgang D, dritter Stock.

Die blaue Frau sieht mich an.

Ich frage sie, ob sie meinetwegen die Unwahrheit sage. Ob sie die Fakten verdrehe. Ob sie sich etwas ausdenke, um mir zu gefallen. Ob sie mir gefallen wolle.

Darauf reagiert sie nicht.

Ob ein Missverständnis denkbar sei.

Sie wird nicht laut, als sie widerspricht. Das verhindert unsere große körperliche Nähe.

Bezichtigungen dieser Art, sagt die blaue Frau, dienten nur dazu, Abgründe gefällig zu kaschieren. Unangenehmes werde in genehme Gewänder gehüllt.

So entstehen Mythen wie der Mythos von der lügenden Frau.

»Mir ist da jemand zugelaufen«, sagte Kristiina beim Lunch. Heizstrahler brannten auf der Terrasse des Restaurants am Lasipalatsi. Das Restaurant war eines von vielen im neuen Kamppi-Gebäude, das ein Mittagsbüfett und eine Auswahl an Getränken zum halben Preis anbot. Die Kanzlei der Anwältin befand sich im selben Gebäude, und für Kristiina war es nur ein kurzer Spaziergang. Trotzdem hatten sie sich seit zwei Wochen nicht gesehen. »Eine junge Frau aus Tschechien. Sie hat eine Odyssee hinter sich.«

»Love Interest?«

Im Tonfall der Anwältin lag Herablassung. Das war nicht ihre Art. Es war auch nicht angemessen, denn am Telefon hatte Kristiina angekündigt, ein fachliches Gespräch führen, den Rat einer Sachkundigen einholen zu wollen. Der Anruf war ihr nicht leichtgefallen. Nach mehreren verzweifelten Schlafversuchen mit Johanniskraut, einer Meditations-CD und Tryptophan war sie um fünf Uhr morgens schließlich aufgestanden und hatte sich im Pyjama an den Tisch im großen Wohnraum gesetzt. Draußen lag ein fahler Morgen. Statt sich auf den Zehn-Punkte-Plan zu konzentrieren, hatte sie über ihrem Kaffee zum Fenster hinaus in die Dämmerung gestarrt, bis die Sonne wie ein roter schwammiger Pilz hinter den Birken aufgegangen und es nicht mehr zu früh gewesen war, zum Telefon zu greifen.

Auf der Terrasse war es herbstlich kühl, der Heizstrahler wärmte nur von einer Seite. Kristiina versuchte, sachlich zu bleiben, was ihr in Gegenwart dieser Frau mit dem lebhaften Lachen, ihrem silbergrauen, auf die Schultern fallenden Haar und dem Charme, den sie versprühte, selten gelang. Sie war ihr ebenbürtig. In der Leidenschaft, mit der sie beide ihren Überzeugungen folgten, standen sie einander in nichts nach. Und doch hatte ihr die Anwältin so viel an Eleganz, Tiefe und Wissen voraus, wie sie ihr an Jahren voraus war. Für Herablassung war sie zu klug.

»Ich wüsste gern, welche Chancen sie vor Gericht hätte.«

Auf dem Tisch standen zwei Schüsseln Salat. Die Anwältin hatte ihren Salat noch nicht angerührt, sie hörte aufmerksam zu. Die Antwort, die sie schließlich gab, war in der für sie typischen Entschiedenheit formuliert, von Herablassung keine Spur mehr.

»Man wird sie fragen, warum sie nicht schon vor anderthalb Jahren Anzeige erstattet hat.«

»Solche Traumata können ganz unterschiedlich verlaufen.«

»Wovon lebt sie?«

»Das wird sich finden.«

In die Augen der Anwältin trat ein Ausdruck, den Kristiina kannte; besonnen, konzentriert.

»Sie könnte hier zur Polizei gehen. Ich weiß, dass die Kollegen das ohne unnötige Grobheiten abwickeln. Besser wäre Deutschland. Dort würde auch das Verfahren stattfinden.«

Einige späte Mittagsgäste kamen mit gefüllten Tabletts vom Büfett und setzten sich an einen Tisch in der Nähe.

»Meines Wissens werden in Deutschland von hundert angezeigten Vergewaltigungen aber nur zehn verurteilt. Das ist unterdurchschnittlich im europäischen Vergleich. Die meisten Sexualstraftäter kommen frei.«

»Das wird sie nicht abschrecken.«

»Deshalb werden nur fünf Prozent aller Sexualstraftaten angezeigt. Im skandinavischen Raum sind es fünfzig.«

»Und da verteufeln sie das Rauchen?«, rief Kristiina. »Überlegt sich niemand, was die Gewalt der Männer die Gesellschaft kostet? Die jahrzehntelangen Therapien? Der Arbeitsausfall?

Der Ausfall an kreativem Potenzial? Das dürfte uns weitaus teurer zu stehen kommen als ein paar Lungenkranke!«

Die Anwältin blieb ruhig.

»Sie braucht jemanden, der sie begleitet.«

»Ich weiß.« Dieser Gedanke war Kristiina schon gekommen. Er hatte sie letzte Nacht vom Schlafen abgehalten. Aber ehe sie etwas entgegnen konnte, ergriff die Anwältin mit beiden Händen ihre rechte Hand, die mit der Zigarettenschachtel spielte.

»Schaffst du das?«

»Das kann ich nicht wissen.«

Das Braun der Augen blitzte auf, wurde aber sofort wieder verschattet, als die Anwältin ihr Handy herausholte, um etwas einzutippen.

»In einem Kühlschrank eingesperrt zu werden erfüllt den Tatbestand der Körperverletzung, der Freiheitsberaubung und der Nötigung«, sagte sie mit Blick auf das Display. »Sie muss nahe am Ersticken gewesen sein.«

»Sie hatte schlimmen Durst.«

»Gibt es Zeugen? Es wäre gut, wenn sie es gleich jemandem erzählt hätte. Hat dieser Gutsbesitzer ihr vielleicht eine Nachricht geschickt, weil es ihm hinterher leidtat?« Die Anwältin legte das Handy zurück. »Im Nachgang in den Kühlschrank gesperrt zu werden wäre strafschärfend. Die Frage«, sagte sie, »ist allerdings eine andere.«

Kristiina nahm eine Zigarette aus der Schachtel und musste dreimal Feuer geben, ehe die Zigarette brannte.

»Die Frage ist, schafft sie das.«

»Auch das kann ich nicht wissen.«

»Sie braucht therapeutische Hilfe.«

»Sie will keine Therapie. Sie will eine Aussage machen.«

»Das ist ein Offizialdelikt. Sie kann dann nicht zurück.«

»Sie sagt, es gibt für sie kein Zurück.«

»Sie soll sich das gut überlegen. Sie hat kein Zeugenverweigerungsrecht.«

Kristiina ertappte sich dabei, wie sie den Händen der Anwältin bei jeder Bewegung folgte. Es waren schlanke, kräftige Hände, und in der rechten war ein kleines, unkontrollierbares Schütteln. Jede Stelle ihres Körpers, an denen diese Hände gewesen waren, reagierte. Die Sicherheit und stille Macht dieser Hände hatten sie aufgebrochen, eine Nacht lang und morgens vor dem Frühstück noch einmal, worauf sie das Bett gemacht, aber nicht neu bezogen hatte, weil der Geruch in den Laken und der Bettdecke hing, die Hingabe, die Tränen, der Duft dieser Frau, mit der eine Nacht wie diese einmalig bleiben würde.

»Schärf ihr das ein!«

»Das wird ihr nichts sagen«, gab Kristiina in einem ähnlich scharfen Tonfall zurück.

»Es kann sein, dass der Beschuldigte direkt in ihrem Rücken sitzt, keinen halben Meter entfernt.«

»Im selben Raum?«

»Sein Verteidiger flüstert ihr möglicherweise Beleidigungen zu, die das Gericht nicht hört. Sie schon.«

»Seit wann muss eine Betroffene mit ihrem Peiniger zusammen im Gerichtssaal sein?«

»Der Verteidiger wird versuchen, sie zu demontieren. Wenn sie Pech hat, benutzt er ähnliche Methoden wie der Täter, nur andere Worte.«

»Vor Gericht?«

Die Anwältin fuhr sich durchs Haar. Als sie Kristiinas Blick gewahr wurde, ließ sie die Hand mit dem Ring, über dem ein zweiter Ring mit einem silber eingefassten Diamanten saß, auf ihren Tweedrock unterhalb der Tischplatte sinken.

»Kollegen in Deutschland werden ausgelacht, wenn sie auch nur einen räumlichen Abstand zwischen Angeklagtem und

Opfer einfordern. Für psychische oder seelische Verletzungen haben die Deutschen keinen Sinn, ob wegen ihrer Geschichte oder der Kartoffel, jedenfalls schlägt sich das nicht in der Gesetzgebung nieder. Die Unversehrtheit der Person ist *pikkupikkupikkuseikka*.« Sie beschrieb mit Daumen und Zeigefinger einen Abstand von der Größe eines Flohs. »Was zählt, ist Besitz. Wenn du die Strafmaße vergleichst, wird dir schlecht. Jeder Diebstahl wird schärfer bestraft als Körperverletzung. Du solltest einer Deutschen nicht das Portemonnaie klauen, ihr dagegen zwischen die Beine zu fassen: *tervetuloa*!«

»Beim geklauten Portemonnaie fragt keiner, ob du dem vermeintlichen Dieb nur was anhängen willst. Da glaubt man dir sofort. Wenn du missbraucht oder vergewaltigt wurdest, glaubt dir keiner. Das ist in Finnland doch genauso!«

»*Das* ist auf der ganzen Welt so. Sexualisierte Gewalt gilt überall als sicheres Verbrechen.«

»Und da sitzen wir hier noch und flirten?«, entfuhr es Kristiina.

Die Anwältin griff nach ihrer Gabel. Sie benutzte die Rechte mit dem kleinen Schütteln und konzentrierte sich auf den Salat, Roter Mangold, Lollo Rosso, Rapunzel. Sie hob die Gabel nicht zum Mund. Sie ließ sie in die Schüssel hängen und stützte das Kinn auf die Hand, die sie hielt. Ihr Blick traf Kristiina.

»Du bist wie Starkstrom. Man atmet schneller. Man lebt schneller«, sagte sie mit der ihr eigenen Wärme. Das Braun ihrer Augen war nicht länger verschattet. »Ich liebe meinen Mann, Kristiina.« Das Braun lag frei, als stünde die gemeinsame Nacht am Grund dieser Augen. »Kristiina?«

»Ja. Das hast du mir gesagt.«

»Mehr als einmal kann ich ihn nicht so verlassen.«

Die Frau, mit der Kristiina am Lasipalatsi Mittag aß, war eine der hartgesottensten Anwältinnen Helsinkis. Einige Richter, hieß es, fürchteten sie. Und Kristiina traf es jedes Mal ins Mark, wenn diese knallharte, schöne Frau sich öffnete, sich offenbarte und ohne Angst, das Gesicht zu verlieren, ihre Unsicherheit zu erkennen gab.

Ihr fiel etwas ein. »Nicht selten hängt das, was du kannst, von dem ab, was du willst, Liv. Das hat mir die junge Frau mit Nachdruck ins Gedächtnis gerufen.«

»Bring deinen klugen Schützling doch das nächste Mal mit.«

Beim Gehen nahm die Anwältin Kristiina am Arm und ließ sich leicht gegen sie fallen. Näher würden sie einem Geständnis nicht kommen.

Auf der Mannerheimintie übersah Kristiina eine Straßenbahn. Erst das Klingeln riss sie in die Gegenwart zurück, und sie entkam knapp auf den Bürgersteig. Es war Freitag. Die Stadt war voller Menschen. Als die Straßenbahn anfuhr, legte Kristiina einen Schritt zu. Sie hatte einem Ruf gerecht zu werden. Dem Ruf zufolge atmete und lebte es sich schneller mit ihr, wobei sie die Spur Bitterkeit in diesem Gedanken vorsätzlich ignorierte. Die Luft tat ihr gut. Das Licht tat ihr gut. Die Fraktionssitzung würde sie schwänzen. Sie wollte lieber eine Weile gehen. Sie konnte nach rechts oder nach links gehen. Links führte der Weg zurück zum Parlament, also ging sie nach rechts, an Stockmann vorbei zum schwedischen Theater und zur Esplanade, um eine Runde durchs Universitätsviertel zu drehen. Vom Dom aus ließ sich ein schöner Bogen durch die vernachlässigte Gegend hinter dem Bahnhof zurück zur Mannerheimintie schlagen.

Es war nicht ausgeschlossen, dass Leonides am Institut war. Sie war nicht in der Stimmung, ihn zu sehen. Aber einmal auf dem Weg, konnte sie auch kurz bei ihm vorbeischauen. Der jüngste Gesetzesentwurf ihrer Fraktion war im Parlament gescheitert, obwohl sie im letzten halben Jahr die zugigsten

Orte Finnlands besucht hatte, und sie konnte seinen Rat gebrauchen. Die Wohnsituation von Leiharbeitern hatte für den Koalitionspartner der Regierungspartei keine unmittelbare Priorität. Da würden ein paar strategische Hinweise nicht schaden. Es gab noch einen anderen Grund, bei Leonides vorbeizuschauen, aber die Rechenschaft darüber verschob sie auf später.

Während sie das Institutsgebäude zuerst von der falschen Seite aus betrat, um dann von einem Pförtner zur richtigen Seite gewiesen zu werden, hielt sie ihren Unmut nur mit Mühe zurück. Es war ein Fehler gewesen, sich noch einmal ins Parlament wählen zu lassen. Mit Demos, Petitionen und Protesten erreichte man kaum mehr. Die Befriedigung über das Erreichte war allerdings tiefer, wenn die Größe der Ziele nicht im Mahlwerk der Interessenkonflikte, von Deals und Machenschaften kleingerieben wurde. Dass sie sich hatte überreden lassen, war allein der Imposanz und dem untrüglichen Gerechtigkeitssinn der wiedergewählten Präsidentin geschuldet. Aber auch Tarja Halonen, dachte Kristiina, würde nur ein Wunder vorm Zerriebenwerden retten. Leonides hatte es richtig gemacht. Er hatte sich etwas bewahrt, das ihn unter Berufspolitikern naiv wirken ließ, eine Ehrlichkeit und den Glauben an moralische Instanzen, der zwingend war, wollte man die Verhältnisse verbessern.

Er war im Mantel, und sie übersprang die Höflichkeitsfloskeln. »Einer meiner Entwürfe wurde gekippt. Ich brauche dringend deinen Rat.«

Es war ein leichter Übergangsmantel, der ihm ausgesprochen gut stand.

»Tut mir leid, Kristiina. Ich bin schon aus der Tür.«

»Das bist du, seit ich dich kenne.«

»Aber heute geht es ausnahmsweise nach Tartu«, sagte Leonides und zog den Reißverschluss an seiner Ledertasche zu. »Ich erinnere mich kaum, wann ich das letzte Mal übers Wochenende zu Hause war.«

»Ihr Helden«, sagte Kristiina. »Die kleinste Beule in der Rüstung, und schon lauft ihr nach Hause, um euch auszuweinen.«

Das war unüberlegt. Die Luft im Raum war trocken, und nur auf diesen Mangel an Feuchtigkeit, auf diesen Feuchtigkeitsentzug schob Kristiina ihren einfältigen Kommentar.

»Dann hat es sich also herumgesprochen.«

»Was?«

»Dass ich ein verlassener Mann bin«, sagte Leonides mit einem für ihn ungewohnten Pathos. »Zielte deine Anspielung nicht gerade darauf ab?«

Im Fenster hinter ihm leuchtete die Hauswand gegenüber auf, und etwas daran veranlasste sie, einen Schritt auf ihn zuzumachen.

»Entschuldige.« Sie legte ihm eine Hand auf den Arm. »Das ist mir so rausgerutscht. Ich habe Sala ins Taxi steigen sehen neulich im Rathaus. Eigentlich wollte ich mit ihr eine rauchen, als sie die Treppe heruntergestürmt kam –«

»Dieser leidige Empfang!«

»Sie wirkte wie auf der Flucht.«

Sein Mantel war ausgesprochen elegant. Das fiel Kristiina auf, weil Leonides bei der Wahl seiner Kleidung ziemlich oft danebenlag.

»Ich mache mir Vorwürfe«, sagte er.

»Wieso? Hast *du* sie in die Flucht geschlagen?«

Er machte ein unglückliches Gesicht, und Kristiina zog ihre Hand zurück, ohne den Gedanken weiterzuverfolgen, dass der Mantel dem Geschmack seiner Frau zu verdanken sein konnte. »Du musst zur Fähre«, sagte sie. »Ich will dich nicht aufhalten.«

»Ich wünschte, ich hätte sie nie überredet, mich zu begleiten.«

»Du hast sie überreden müssen? Warum wollte sie denn nicht?«

»Keine Ahnung. Ich weiß es nicht. Inzwischen bin ich völlig überfragt.« Leonides stellte seine Ledertasche wieder ab. Auf einmal machte er keine Anstalten mehr zu gehen. »Es ging ihr gut. Sie hat mir noch versichert, dass es ihr gut geht.«

»Ich fand sie ausgesprochen nett. Sie machte nicht den Eindruck, als würde es ihr schlecht gehen.«

»Das ist es ja, was ich nicht verstehe. Auf einmal war sie verschwunden.«

»Habt ihr euch gezankt?«

»Wenn es Missverständnisse zwischen uns gab«, sagte Leonides, »waren sie meistens sprachlicher Natur. Aber an diesem Tag? Nein! Wir hatten Spaß. Wir haben noch über die Limousine gelacht, die uns abholte. Chauffeur in Livree, du kennst das.«

»Glanz und Gloria aus Zeiten, die für die Mehrheit in diesem Land nie existiert haben.«

Leonides wischte sich unter der Brille über die Augen.

»Wenn sie vor mir flieht«, sagte er, »habe ich wohl keinen Grund, nach ihr zu suchen.«

»Es sei denn, du willst wissen, warum sie geflohen ist.«

»Ich habe nicht den kleinsten Anhaltspunkt.«

Kristiina schwieg.

»Ich weiß nicht einmal, wo ich suchen sollte«, sagte Leonides. »Wer hätte gedacht, dass mich das in eine solche Krise stürzt.« Er sank auf den Schreibtisch, als hätte jemand die Luft aus seinem Körper abgelassen.

»Eine Krise kann jeder Idiot haben.« Kristiina wollte dringend das Thema wechseln. »Was mir zu schaffen macht, ist der Alltag, um mit den Worten eines großen russischen Dichters zu sprechen. Deshalb brauche ich deinen Rat, Leon.«

Leonides sah auf die Uhr, ohne die Uhrzeit oder auch nur

die Geste wahrzunehmen. »Sie hätte sich wenigstens verabschieden können. Das kann man doch erwarten, dass sich jemand verabschiedet. Oder nicht? Sie hat mir nicht einmal die Zeit zugestanden, sie richtig kennenzulernen!«

Kristiina fummelte in ihrer Aktentasche nach den Zigaretten.

»Kein Wort der Erklärung, nicht ein einziges. Wäre das nicht das Mindeste, was man erwarten kann? Offenbar macht sie sich keinen Begriff von dem Schmerz, den mir ihr wortloser Abschied verursacht. Abschied. Oder wie soll ich das nennen.«

Leonides' Stimmung drohte zu kippen. Sie konnte jeden Moment umschlagen in eine Rührseligkeit, von der seine Brillengläser beschlugen. Aber das war leicht als Befürchtung zu durchschauen, die sich aus früheren Beobachtungen speiste, aus Erfahrungen mit Männern, die von ihrer Verletzlichkeit so ergriffen waren, dass sie darüber sentimental wurden, dachte Kristiina, eine Sentimentalität, die auf der Überzeugung beruhte, die Welt existierte nur wegen ihnen, was sie nicht aussprechen oder auch nur andeuten mussten, weil es so selbstverständlich war, dass sie gänzlich ohne Einfühlungsvermögen auskamen. Zwischen Sentimentalität und Gewalt gab es einen Zusammenhang. Kristiina hatte nicht die Absicht, Leonides der Fehler anderer zu bezichtigen. Trotzdem löste sein Jammern einen Widerwillen aus, dessen Heftigkeit sie überraschte.

»Weiß Sala, dass du verheiratet bist?«

»*Das* könnte der Grund sein, glaubst du?« Der Schrecken stand ihm deutlich im Gesicht. »Hast du es ihr gesagt?« Ehe sie etwas entgegnen konnte, winkte er ab. »Ich möchte es einfach nur verstehen.«

»Ich hatte keinen Anlass, ihr das zu sagen.«

»Vielleicht war es einer der Kollegen. Dieser leidige Empfang!«

»Das ist nicht dein Ernst, oder?« Kristiina hatte die Zigaretten erwischt und fing an, nach dem Feuerzeug zu tasten. »Sie wusste es nicht?«

»Ich wollte ihr Käsmu zeigen und sie nach Tallinn mitnehmen«, sagte er. »Das hat sie abgelehnt.«

»Was ist mit deiner Frau?«

Leonides, akut in seinem Schmerz gestört, sah auf. »Wieso? Ich schicke ihr eine Nachricht, dass ich die spätere Fähre nehme.«

»Kann sie damit leben, dass du sie mehr als eine Nacht so verlässt?«

»Meine Frau?«

»Kann sie damit leben?«

»Wir sind freie Menschen, Kristiina.«

Kristiina registrierte eine leichte Veränderung des Tonfalls.

»Wir haben uns das erkämpft«, sagte er. »Das Individuelle, das Eigene, das Idiosynkratische an uns, das uns einzigartig macht und unteilbar ist.« Er klang wie auf einem Podium. »Das kann uns auch eine bürgerlich-kapitalistische Werteordnung nicht mehr wegnehmen.«

»Manche glauben, damit nicht leben zu können.«

»Ist das nicht das Freie am Freisein, sich auch dagegen entscheiden zu können?«

Das Nachmittagslicht warf ein goldenes Abbild des Fensterrahmens an die Wand, und Kristiina musste sich eingestehen, dass ihr Widerwille nicht Leonides betraf. Sie hatte diesen Widerwillen mit hierher gebracht. Seit dem Lunch plagte sie sich damit herum. Der Widerwille richtete sich gegen ihre eigene Wehrlosigkeit. Sie hatte gehofft, sie unterhalb der Wahrnehmungsschwelle zu belassen, bis sie sich auflöste wie Smog nach dem Regen. Liv machte sie wehrlos. Liv, die sich mit ihrer beringten Hand durchs Haar fuhr, Liv mit den zarten, charakteristischen Falten am Hals und ihrer Schärenbräune, die ihr Blicke zuwarf, von denen sie wusste, dass sie wehrlos machten und jemanden wie Kristiina, die eine solche Wehrlosigkeit nicht gewohnt war, aus der Fassung brachten.

Eine Möwe kreischte im Innenhof des Instituts.

»Hatte Sala Probleme mit Nähe?«, fragte sie so beiläufig wie möglich.

Leonides starrte sie durch seine dicken Brillengläser entsetzt an. Die Pupillen sahen aus wie zwei ins Aquarium gesperrte kleine Fische.

»Ich meine, konnte sie dir nahe sein? Körperlich nahe? Nackt?«

Sie waren nicht miteinander befreundet, nicht im engeren Sinn, nicht eng genug, als dass sie ihn, dem schon der eigene Körper mit seinen Geräuschen und Gerüchen zu nahe trat, mit einer Frage nach dem Liebesleben behelligen konnte. Aber wenn er damit weitermachte, wenn er noch lange so ungläubig und sprachlos durch seine Brille starrte, würden alle Fähren nach Estland abgefahren sein, bevor sie hier fertig waren. Kristiina hatte jetzt ein starkes Interesse daran, zu erfahren, was dieser Mann, der Abgeordneter in Brüssel war, von Sala gewollt hatte, abgesehen vom Sex. Aber der Sex konnte, wenn man Sala glauben wollte, nicht ohne weiteres möglich gewesen sein, und Kristiina glaubte ihr. Sie hatte ihr schon bei der ersten Begegnung im Rathaus geglaubt.

Leonides trat ans Fenster. Er öffnete es, und auf einmal war es möglich, im ausgetrockneten Raumklima wieder zu atmen.

»Du überforderst mich.«

Kristiina ließ die Zigarettenschachtel los und zog ihre Hand aus der Tasche. »Entschuldige. Aber manchmal passieren Dinge, die mit dem geliebten Menschen nichts zu tun haben müssen. Und trotzdem wirken sie sich auf alles aus.«

»Du Rätsel der Sphinx.«

»Laut Statistik erlebt jede dritte Frau sexuellen Missbrauch oder Gewalt.«

»Sala?« Leonides fuhr herum. »Nein. Niemals! Das glaube ich nicht.«

»Jede dritte.«

»Was willst du damit sagen?«

»Ich sage nur, wie es ist.«

»So was wird schnell mal behauptet.« Leonides korrigierte den Faltenwurf des rechten Vorhangs, der sich verheddert hatte.

»Ist das nicht eine Wahnsinnszahl?«

»Das kann schon sein, Kristiina. Aber lass mich dich auf etwas hinweisen, das wahrscheinlicher ist als deine Statistik«, sagte er und hatte sich wieder gefangen. »Die Generation, der Sala angehört, wurde mit einer Freiheit konfrontiert, die es seit Generationen nicht gab. In den gesetzlosen Jahren nach Ende der Sowjetära mag es schwierig gewesen sein, damit umzugehen. Orientierungslosigkeit machte sich breit. So mancher ist blauäugig in die Welt hinausgerannt. Aber Sala war auf einem guten Weg. Mir zuliebe hat sie so getan, als würde sie studieren. Und ich denke, irgendwann kommt sie auf den Geschmack.«

»Deine Frau, Sala und ich. Eine von uns dreien.«

»Du siehst zu viel soziales Elend.«

»Nein, Leon, ich begreife langsam, dass ich eine absolute Ausnahme bin.«

»Tatsache ist«, sagte Leonides nach kurzem Überlegen zögerlich und ohne Kristiina anzusehen, »Tatsache ist«, sagte er und machte eine Pause. »Sala hat etwas Geld mitgenommen.« Er rückte die Brille zurecht. »Ich schätze etwa fünfhundert Euro. Und wenn ich nicht die dumme Angewohnheit hätte, Geldscheine als Lesezeichen zu benutzen –«

»Ist das wahr?«

»Ich hätte ihr das Geld jederzeit gegeben.«

Das Abbild des Fensters glühte rot auf. Aber als Kristiina sich Sala ins Gedächtnis rief, ihr zaghaftes, spöttisches Lächeln, löste das nur einen einzigen Impuls in ihr aus. Der Impuls war stark, obwohl noch nicht einmal ihre Mutter, was ungewöhnlich war, davon wusste. Es war der Impuls, sie zu schützen.

»Die soziale Abwertung, die mit einem Systemwechsel einhergeht«, sagte Leonides, »damit kenne ich mich aus. Das Geld nur noch halb so viel wert und die Menschen nur noch halb so viel wert. Es kränkt mich, dass sie mir nicht vertraut hat.«

»Tatsächlich.«

Es war ein merkwürdiger Freitagnachmittag.

»Ich ahne, was du denkst.« Leonides zog seinen Mantel aus und hängte ihn über einen der Besucherstühle, als machte er sich kampfbereit. »Aber verheiratet oder nicht, spielt hier für mich keine Rolle.«

Die Fraktionssitzung hatte längst begonnen. Im Sitzungssaal hätte Kristiina den größeren Teil ihrer Aufmerksamkeit der Planung ihres Wochenendes gewidmet, auch wenn da nicht viel zu planen war. Schon ein flüchtiges Überschlagen ergab, dass für einen Saunabesuch oder den längst fälligen Kajakausflug in die Schären keine Zeit bleiben würde, weil der Zehn-Punkte-Plan fertig werden musste, ehe sie am Sonntag nach Leppävaara fahren und einer jungen Frau erklären würde, wie es um ihre Rechte stand, um die Rechte einer jungen Frau in einer westlichen Demokratie, die Gewalt erfahren hatte.

»Beschuldigst du Sala des Diebstahls, weil sie dich sitzengelassen hat?

»Bist du verrückt? Ich habe dir das im Vertrauen erzählt!«

»Dass man beklaut wurde, wird ja schnell mal behauptet.«

Es dauerte nur einen Augenblick, dann konnte sie sehen, wie bei Leonides der Groschen fiel.

»Bei all den Brennpunkten, mit denen wir täglich zu tun haben, Kristiina, wird der Argwohn zu unserem größten Widersacher. Fehle ich dir?«

Es war vier Uhr an diesem Freitagnachmittag, und die Tatsache, dass sich Leonides, nachdem er schon die Fähre verpasst hatte, zu einer solchen Frage verstieg, zeigte, dass sie die Gangart wechseln mussten. Für Cognac war es noch zu früh. Aber Leonides bewahrte immer eine Flasche auf. In jedem Büro, auch wenn er es nur kurz benutzte, stellte er Cognac parat für Situationen wie diese, die nach einem starken Getränk verlangten, einem Herrengedeck aus Kaffee und Cognac, und es überraschte sie nicht, als er den Vorschlag machte, in der Mitarbeiterküche zwei Kaffee zu besorgen, schwarz, ohne Zucker.

Das Fenster stand offen. Auf dem gesamten Unigelände herrschte Rauchverbot. Aber als Leonides das Zimmer verlassen hatte, konnte Kristiina dem Drang nicht länger widerstehen. Sie kramte die Zigarettenschachtel hervor und beugte sich beim Anzünden der Zigarette weit hinaus. Sie nahm einen kräftigen Zug, und kein Rauchmelder setzte ein, und keiner rief ihr von unten eine Verwarnung zu, und auf der anderen Seite sah sie ein Stockwerk über sich ebenfalls eine Frau mit Zigarette am offenen Fenster. Beinahe hätte sie gewinkt.

Sonne und Rauch tauchten den Hof in ein toxisches Licht. Vor Kristiinas innerem Auge erschien das zerfurchte Gesicht auf dem Buchdeckel, das sie in der Bibliothek lange betrachtet hatte. Chingachgook. Ein Buch, das kaum noch ausgeliehen wurde, hatte die Bibliothekarin gesagt, heute lasen die Kinder Mangas, wenn überhaupt. In einer Überblendung nahm das Gesicht des Mohikaners langsam Salas Züge an, bis Sala mit den Augen des alten Ureinwohners vom Cover schaute. Kristiina beschloss, auch das am Sonntag in Leppävaara zum Thema zu machen. Trotz aller Mutmaßungen leuchtete ihr nicht ein, warum Sala ein Pseudonym wie dieses benutzte. Schon vom ethischen Gesichtspunkt her war es schwierig. Schließlich hatte niemand die Bevölkerungsgruppe, der sie angehörte, bis auf den letzten Menschen ausgelöscht. Und auch anders betrachtet, war Sala noch lange nicht die Letzte. Mit den Erfahrungen, die sie hatte machen müssen, war sie eine von dreien.

Kristiina drückte die Zigarette an der Hauswand aus. Als sie vom Fenster zurücktrat, fiel ihr Blick auf den Schreibtisch. Mehrere Schriftstücke lagen dort, eines hing halb über der Kante. Sie schnickte es wieder an seinen Platz, wodurch es in den darunter befindlichen Papierkorb fiel. Kristiina hatte nicht die Absicht, es zu lesen. Aber als sie sich danach bückte, schnappte sie eine Zeile auf. ... *my unreserved recommendation* ... Inhalte von Schriftstücken erfasste sie mittlerweile auf einen Blick. Sie besaß eine schnelle Auffassungsgabe. Schon früh hatte sie ihre Mitschüler in verstehendem Lesen weit hinter sich gelassen, weshalb es ihr unmöglich war, den Brief nicht innerhalb der bruchlosen Bewegung, mit der sie ihn zurück auf den Schreibtisch beförderte, zu überfliegen.

Es war ein Anschreiben ans Kultusministerium. Das Kultusministerium vergab gemeinsam mit der Universität alle zwei Jahre einen international ausgerichteten Preis für Menschenrechte und Redefreiheit. In diesem Jahr sollte der Preis einem Mann verliehen werden, der sich um Residenzstipendien für verfolgte Journalist*innen, Wissenschaftler*innen und Künstler*innen im Exil verdient gemacht und ein Netzwerk gegründet hatte, dem bisher sieben EU-Staaten, die Ukraine und die Schweiz angehörten, von denen fünf eine solche Residenz bereits eingerichtet hatten, unter anderem am zur Universität Helsinki gehörenden Wissenschaftskolleg, während sich eine sechste im ostdeutschen Brandenburg im Aufbau befand.

Leonides Siilmann sprach Johann Manfred Bengel seine vorbehaltlose Empfehlung aus.

D ie blaue Frau will die Uhr wieder zum Laufen bringen. Sie sucht in der Küche nach Batterien.

Sie öffnet alle Fächer. Sie zieht die Besteckschublade auf in Unkenntnis darüber, dass sich dort kein Besteck, sondern ein Schneidebrett zum Ausziehen befindet. Dass sie die Wohnung kennt, ist nicht länger ersichtlich.

Ich bemühe mich, eine einfache Frage zu stellen. Ich frage die blaue Frau, ob sie sie mag.

Wen?

Sala.

Die blaue Frau nickt. »Mit der Zeit habe ich sie immer besser verstanden.«

Im Spülschrank liegt ein angerissenes Päckchen Batterien. Sie nimmt zwei heraus und steckt sie in die dafür vorgesehenen Fächer.

Die Federn an den Minuspolen spannen sich.

Kristiina war nicht genug Zeit geblieben, zu überlegen, wie sie die Sache angehen wollte, nur dass sie sie angehen musste, hatte sie keine Sekunde bezweifelt. Auf dem Tisch standen zwei Styroporbecher mit Kaffee, die Flasche Cognac und zwei Gläser.

Leonides schenkte ein. Es war ein französischer Cognac, eine edlere Marke als die, die er sich früher gekauft hatte.

»Beziehst du deinen Cognac neuerdings von solchen Leuten?« Kristiina nahm das Schreiben vom Tisch und hielt es Leonides hin.

»Von Bengel? Nein. Diese Flasche hat mir ein französischer Kollege in Brüssel geschenkt. Probier ihn.«

»Wie kommt ihr ausgerechnet auf diesen Mann?«

»Du meinst, wie wir unsere Preisträger auswählen?«

»Ich meine, dass es immer noch besser wäre, mich zu empfehlen, als den.«

Leonides lachte. »Wo ist deine Bescheidenheit, Kristiina?«

»Komm mir nicht mit dieser uralten Finte der männlichen Moral.«

»Heißt es von den Finnen nicht, sie wären scheu?«

Das Schreien der Möwe vor dem Fenster kündete vom Wochenende, von Sonne und Meersalz auf dem Spritzschutz der Bootshaut, woraus nichts wurde, und zwar wegen eines Mannes, der aufgrund der schlichten Tatsache, dass er ein Mann war, glaubte, sich nicht an Regeln halten zu müssen. *Du sollst nicht!* galt für ihn nicht. *Du sollst nicht schlagen. Du sollst nicht töten. Du sollst nicht vergewaltigen.* Männer wie er ignorierten solche Gebote nicht nur; sie wurden auch immer wieder von der Gesellschaft belohnt. So dicht lag alles beieinander, auch in diesem Büro, bei Leonides.

370

Das brachte Kristiina weit mehr auf als sein kleiner Seitenhieb. Typen wie Bengel sorgten dafür, dass die Welt blieb, wie sie war, obwohl weder sie noch die Welt reich oder schön waren. Sie verfügten darüber und zogen daraus ihren Lebenssaft, und wenn sie transpirierten – ein plastischeres Verb wollte Kristiina hier um jeden Preis vermeiden –, gaben sie ihn in Tröpfchen an ihre Umgebung ab, die allen in ihrem Dunstkreis über die Schleimhäute in den Organismus sickerten, wo sie sich zu einem Tran verdickten, der den Blutkreislauf verlangsamte und die Synapsen verklebte, und diese Tranigkeit war schuld daran, dass Typen wie Bengel zu Autoritäten werden und an Schaltstellen gelangen konnten, an denen sie ihren Dunstkreis immer mehr ausweiteten.

»Was kümmert mich die Bescheidenheit der Finnen«, sagte sie. »Als Frau habe ich kein Land, keine Nation. Als Frau ist mein Land die ganze Welt! Hast du Virginia Woolf nicht gelesen?«

Leonides hob abwehrend die Hände. Natürlich hatte er Virginia Woolf nicht gelesen. Jemand wie er las Zygmunt Bauman oder Umberto Eco oder Jacques Le Goff. Das Anschreiben ans Kultusministerium lag zwischen ihnen auf dem Tisch, und Kristiina versuchte, ihre Gedanken zu sammeln.

»Habt ihr keine Angst, den Falschen zu erwischen?«

»Sich unabhängig von Ruhm und Ehre machen; war das nicht immer dein Credo? Wieso interessierst du dich auf einmal für unseren Eeva-Liisa-Manner-Preis?«

»Wie könnt ihr sicher sein, euch in euren Preisträgern nicht zu täuschen?«

»Keine Sorge«, sagte Leonides geduldig. »Die Entscheidung fußt auf monatelangen Recherchen. In der Findungskommission sitzen Experten.«

Auch seine Geduld brachte Kristiina auf, die Seelenruhe, mit der sich Leonides immer bis zum Zähwerden um Verständigung bemühte, wobei er aber offenkundig Wesentliches übersah: Wer einen Preis, der im Namen der Menschenrechte vergeben wurde, missbrauchte, missbrauchte auch die Menschenrechte. Am meisten aber brachte sie ihr eigenes Schweigen auf. Es war nicht länger klug, Salas Bitte zu erfüllen, jetzt, da sie von diesem Preis erfahren hatte. Es stand zu befürchten, dass ihr Schweigen nicht Sala, sondern ihren Peiniger beschützte. Dafür aber wäre Leonides mit verantwortlich, sie würde ihn nicht aus der Verantwortung entlassen. Ihr kam die Segelyacht in den Sinn, der Gazprom-Mann, Leonides' kostspielige Wünsche, sein ausgedehntes *socializing*. In jedem Menschen konnte man sich täuschen. Aber ein solcher Argwohn war Kristiina letztendlich zu fremd und zu dunkel, weshalb sie ihn verwarf.

»Deine Empfehlung ist das Zünglein an der Waage, habe ich recht?«

Leonides hielt das Glas ins Licht, ein einziges goldglänzendes Leuchten.

»Man muss dem Leben immer um mindestens einen Cognac voraus sein.«

Kristiina, im Rausch der Empörung, hielt nur deshalb eine scharfe Entgegnung über seine Selbstgefälligkeit zurück, weil sie von einem interessanten Gedanken abgelenkt wurde: Das Diktum von der weiblichen Bescheidenheit rührte vom Keuschheitsgebot her. Sich zurückzunehmen, zu schweigen, sich hinter Pseudonymen zu verbergen war ein Erbe dieses uralten Gebots zur Verhüllung, das erst dafür gesorgt hatte, dass jemand wie Leonides ins Licht rücken und sich als Wegbereiter des Lebens begreifen konnte. Ließ man diesen Gedanken zu, und das tat Kristiina, seit die Migrationsbeauftragte ihr zum Geburtstag Virginia Woolfs Essays geschenkt hatte, war nur eine verschleierte Frau eine gute Frau. Dieser Grundsatz galt auch heute. Obwohl die Wirkung, von der sich jemand wie Leonides nie einen Begriff machen würde, viel subtiler war, war das Ergebnis ähnlich; die Bescheidenheit war ein geeignetes Instrument, um Frauen solche Preise vorzuenthalten. Das brachte Kristiina zu Sala zurück.

Sie nahm erneut das Empfehlungsschreiben zur Hand, mit spitzen Fingern, wie ein Stück Klopapier.

»Johann Manfred Bengel. Der war doch auch auf dem Empfang.«

In Leonides' Züge trat ein wachsamer Ausdruck.

»Darf man das? Einen guten Freund empfehlen?«

»Dass ein deutscher Kollege gefunden wurde, der sich in Brüssel für eine gerechte europäische Erinnerungskultur starkmacht, freut mich natürlich. Bei den Deutschen stößt das historisch bedingt nicht nur auf Zustimmung. Die Entscheidungsgewalt liegt allerdings nicht allein bei mir.«

»Nein, bei dir gibt es einen Interessenkonflikt.«

»Ein Preis mit internationaler Ausrichtung zielt aufs große Ganze, Kristiina.«

»Bist du nicht ein Diktaturen-Aufarbeiter?«

»Die meisten der verfolgten Journalisten und Autoren kommen nicht aus Diktaturen, sondern aus autoritären Staaten.«

»Es macht mich ganz elend, dich das sagen zu hören.«

»Meine Rede! Angeführt von autoritären Staaten sind wir auf dem besten Weg in eine globale Diktatur.«

»Das große Ganze! Das hat dem 20. Jahrhundert bergeweise Leichen eingebracht. Ausgerechnet du benutzt diese Formulierung?«

Sie ließ das Papier zu Boden gehen, wobei es den Papierkorb verfehlte. Für einen Augenblick war es still.

»Wie kommt es, dass du eine solche Schatzkammer geheimen Wissens bist und sie mir so selten zugänglich machst«, sagte Leonides und schob seinen Stuhl zurück.

Sein Interesse war erloschen. Er war verärgert und wandte sich zum Gehen.

»Da du mir Salas Aufenthaltsort nicht verraten willst, werde ich versuchen, die Vier-Uhr-Fähre noch zu erwischen.«

Sie musste lachen.

»Was ist?« Verletzt schaute er sie an. »Wenn du nicht wüsstest, wo sie ist, wärst du nicht hier!«

»Du bist ein gewiefter Stratege, Leonides Siilmann. Aber ich kann dir nicht helfen.«

»Was willst du mit Bengel überhaupt insinuieren?«

»Latein hilft uns da auch nicht weiter.«

Das war ein Ausweichmanöver, das lag auf der Hand. Draußen versuchte die Möwe kreischend, dem Innenhof des Gebäudes zu entkommen.

»Im Hotel war ich schon«, sagte Leonides, und ihre Blicke trafen sich. »Sala kennt niemanden in Helsinki. Falls sie nicht nach Hause zurückgekehrt ist, wird sie sehr wahrscheinlich dich aufsuchen, wenn sie Hilfe braucht.«

Bei allem Ärger und allem Schmerz machte er sich Sorgen. Er machte sich ernsthafte Sorgen um Sala, und diesen Ernst, diesen unbeirrbaren Fokus auf etwas, das ihm wichtig war, hatte Kristiina an ihm immer am meisten geschätzt.

»Sie hat dich im Internet gefunden, habe ich recht?«

Aber sie hielt ihr Versprechen. Sie sagte Leonides nichts. Beinahe nichts.

»Wann ist die Preisverleihung?«

»Am Mittwoch. Die Einladungen sind raus.«

»Ich muss sie meiner Sekretärin weitergeschenkt haben.«

»Das ist schade«, sagte Leonides. »Dann verpasst du meine glänzende Laudatio.«

Er stand neben ihr, auf halbem Weg zur Tür, und es war diese Information, die Kristiina schließlich zu einem Bekenntnis bewegte.

»Sie wird dein Untergang.«

Jetzt war es Leonides, der lachte.

»Diese Laudatio bricht dir das Genick.«

Die Möwe drehte eine Runde über den Dächern und flog in Richtung Meer davon.

Kristiinas Denken war scharf wie unter einem Brennglas. Kristalline Konzentration, gefolgt von einem Temperaturanstieg, einer inneren Hitze. Sie war ganz bei sich. Verglich man den Zustand, in dem sie sich befand, als sie Leonides' Büro im letzten Abendlicht verließ, mit dem Zustand der vergangenen zwei Jahre, dann hatte das innere Feuer bereits die Ausmaße eines Flächenbrands. Sie würde in den kommenden Nächten noch weniger schlafen. Der Adrenalinpegel war hoch. Sie konnte in ihr volles Wochenende eine Stippvisite bei ihrer Mutter einbauen, ohne die Termine durcheinanderzubringen. Ihre Mutter war ein guter Abgleich. »Ruf mich an, wenn du nicht mehr weißt, wer du bist«, hatte sie einmal gesagt, spaßeshalber, als Kristiina sich beklagte, dass sie sich über ihrem Zorn manchmal vergaß, dass der Zorn an ihren Muskeln zerrte, den Sprechmuskeln, den Denkmuskeln, bis sie unfähig wurde, sich zu artikulieren und außer sich geriet. »Ruf mich an, und ich sag's dir.« Ihre Mutter mochte es spaßeshalber gemeint haben, aber Kristiina hatte die Aufforderung dankbar gespeichert. Auch diesmal wäre ihre Mutter in der Lage, die Verhältnismäßigkeit zu sehen. Salas Schicksal war schlimm. Aber es war das Schicksal so vieler. Es mochte sinnvoller sein, die Strukturen und Gesetze auszuhebeln, die solche Schicksale ermöglichten, statt sich mit Einzelfällen zu verzetteln.

Leonides, kaum hatten sich ihm die furchtbaren Zusammenhänge erschlossen, auch mit Hilfe von Erinnerungsbruchstücken, die sich wie Puzzleteile in Kristiinas Bericht fügten, war wie ausgewechselt. Einen Moment lang hatte es ihm tatsächlich die Sprache verschlagen. Nachdem er sich gefangen hatte, anfangs irritiert, dann hilflos, schließlich aktionistisch wurde, Papiere anhob und zurücklegte, nach Telefonnummern suchte, ohne sie zu finden, sich schließlich geistesabwesend einen Keks in den Mund schob, der trocken auf einem Unterteller lag, erklärten sich ihm nach und nach Verhaltensweisen, die er zuvor an Sala nicht hatte enträtseln können. Er ging nicht ins Detail, er rief sie sich nur ins Gedächtnis.

Mörderisches war den Menschen zuzutrauen, auch jenseits mörderischer Diktaturen. Davon ging Leonides aus. Und an diesem Tag spürte er das sogar an sich selbst; zum ersten Mal im Leben hatte er Mordgelüste. Aber seine Arbeit ergab für ihn nur deshalb Sinn, weil Menschen Hemmungen hatten. Einander weh zu tun, davor scheuten sich die meisten. Man musste sie darauf trainieren, sie abrichten mit Drill und abstumpfen mit Drogen, ganze Systeme errichten, ideologische Apparate installieren, um die Menschen ihrer Scham zu entkernen und sie unter Druck zu setzen, ehe sie einander Gewalt antaten. Nicht von Natur aus war der Mensch ein böses Tier, wie D. H. Lawrence behauptet hatte.

»Mensch?«, rief Kristiina. »Welcher *Mensch*?«

Bengel traf er regelmäßig auf Konferenzen, mit Bengel saß er in Mensas, in Bars und auf parlamentarischen Frühstücken. Dieser Mann kam aus einem freiheitlichen System. Er stand nicht unter Druck. Keine Ideologie trieb ihn zu brutalem Handeln, eine Brutalität, die mit Sala zu verbinden Leonides kaum über sich brachte. Unzählige Male hatte er diesem Mann die Hand geschüttelt, selbst danach, unwissentlich, denn den Händen war nichts anzumerken, aber das spielte in seinen Augen keine Rolle. Er hätte etwas spüren, eine Ahnung haben müssen, wenn er Sala wirklich liebte, und das tat er, das wusste er jetzt, ohne das Wort Liebe leichtfertig zu verwenden. Er wollte sich die Hände waschen, sofort, am besten mit Benzin, oder sie abhacken, sich selbst oder dem anderen, hier kam er kurz ins

Schleudern und nahm einen großen Schluck Cognac. Doch als Kristiina ihm erzählen wollte, wie Bengel sich der jungen Frau bemächtigt hatte, verweigerte er sich. Er schnitt ihr das Wort ab. Auch hier wollte er keine Details. Er hätte sie nicht verkraftet.

»Du und ich. Wir müssen diesen Preis verhindern!«

Die physischen Wirkungen des Schocks zeigten sich erst nach einer Weile: ein Glänzen auf Stirn und Nasenwurzel, das er mehrmals mit einem Stofftaschentuch tilgte. Eine Gesichtshaut, die noch weißer zu werden schien. Und am Geruch, der auf einmal im Raum hing, war nicht die trockene Luft Schuld. Es roch nach lange nicht ausgeschwitztem männlichem Schweiß.

»Ich weiß«, sagte Kristiina. »Welchen Wert hätte unsere Arbeit sonst?«

»Ich fühle mich von Bengel persönlich hintergangen.«

»Ist das dein einziges Gefühl?«

Leonides bezweifelte, dass der Preis zu verhindern war. Der Einwand kam zu spät. Ob sich Beweise finden würden, war unklar. Beweise, wie sie das Gesetz verlangte. Das Gesetz aber schloss den einzigen Beweis aus, den es bisher gab: Sala. Außerdem stand der Wille des gesamten Gremiums hinter der Entscheidung.

»Sie haben meinen Willen noch nicht kennengelernt!«, hielt Kristiina dagegen, störrisch, ein weiterer Ausbruch ihres unhaltbaren, irrationalen Zorns. Sie hatten nichts in der Hand. Sie konnten nicht einmal davon ausgehen, dass es überhaupt zu einer Strafanzeige kam, und selbst wenn es dazu käme, würde die Strafsache, obwohl Johann Manfred Bengel, wie sich herausgestellt hatte, noch in Finnland war, höchstwahrscheinlich an Deutschland übergeben.

»Du willst die Schrecken des 20. Jahrhunderts aufgedeckt und anerkannt wissen; und was ist mit den Schrecken deines eigenen Jahrhunderts?«

»Hast du nicht gehört, Kristiina?«

»Was?«

»Er beraubt uns unserer Würde! Jahrhundertelang hat der westliche Mensch das Mörderische in ihm outgesourct und davon profitiert. Fern von zu Hause brechen die Dunkelstellen auf, zu Hause aber ist er voller guter Taten. Da muss ich mich fragen: War ich blind? Unbedarft? Kopflos?« Er wurde fahrig. »Haben mich die süßen Lügen der Selbsttäuschung davon abgehalten zu erkennen, wie sehr die Geopolitik des Westens auf einer Versklavung der Körper beruht? Nichtwestlicher Körper? Von Frauen, von Kindern?«

Kristiina lächelte. »Nicht allein die Politik des Westens!«

Mit wirrem Haar und einer Gesichtsfarbe, die so toxisch wirkte wie zuvor Sonne und Rauch, war er in seiner improvisierten Rede beinahe beängstigend. Was ihr enorm gefiel.

So groß war ihr Gefallen, dass sie ihn am liebsten umarmt hätte. Aber eine Finnin und ein Este umarmten sich nicht, jedenfalls nicht so schnell. Mit seinem Vorschlag war sie einverstanden. Er würde die anderen Kommissionsmitglieder abtelefonieren und die Rolle des Hiobsboten übernehmen. Wenn Bengel an den Pranger kam, konnte das die Verhandlungen zur europäischen Erinnerungspolitik um Monate zurückwerfen, wichtige Verbindungen in Brüssel würden verlorengehen. Aber er würde eine Grundsatzrede, eine ganz grundsätzliche Rede halten.

»Vorher möchte ich sie sehen. Bitte sag ihr das. Oder verrate mir, wo ich sie finde.«

Die blaue Frau hängt die Uhr an die Wand zurück. Entscheidend sei es, auf die Widersprüche in der Selbstauskunft zu achten.

Unserer Unaufmerksamkeit entgehen die Widersprüche in den Erzählungen der anderen. Manchmal, sagt die blaue Frau, könne das allerdings von Vorteil sein.

Sie lächelt.

Als beträfe das auch sie und mich.

Auf der Wanduhr ist es zehn nach acht. Die Sonne glänzt an den Drähten des Sendemastes. Sie erreicht den tiefsten Punkt über den Dächern, die ihre Schatten bis zum Sofa werfen. Wo Kristiina gesessen hat, wirft der Bezug Falten. Sie lassen das Zimmer bewohnt aussehen.

Vor wenigen Minuten erst hat Kristiina die Wohnung verlassen. An der Tür, schon im Mantel, drehte sie sich noch einmal um mit der Ermahnung, nicht aufzugeben, *verlier jetzt nicht den Mut.* Vom Balkon wäre noch zu sehen, wie sie die Straße hinuntergeht, in die Majurinkatu einbiegt und hinter der Hausecke in Richtung Bahnhof verschwindet, wo es einen Zahnarzt, eine Bibliothek, eine Post und einen Supermarkt gibt.

Die Uhr an der Wand ist stehengeblieben. Das rote Flugzeug tickt auf der Stelle. Es fliegt schon seit Tagen nicht mehr. In der Küche ist noch ein Rest Kaffee in der Kanne übrig, und sie gießt ihn in die Tasse mit den Großbuchstaben. Schnaps nimmt sie nicht. Die Flasche im Kühlschrank ist fast leer. Sie ist froh, dass Kristiina die Flasche nicht gesehen hat. Sie war auf dem Balkon eine rauchen, während sie, Adina, die Lebensmittel in die Schränke und den Kühlschrank räumte; mehr Lebensmittel als ein einzelner Mensch auf einmal bewältigen kann.

»Salut, Sala, auf dich!« Sie hebt die Tasse und nickt dem fleckigen Fenster zu. »Auf dich und weiter so.«

Das ist der Wille.

Auf den Balkon geht sie nicht. Sie will nicht sehen, wie Kristiina von ihr wegläuft, diese hochgewachsene, lässige Frau. Die nichts von Rickie hat. Aber als sie dort auf dem Sofa saß, wurde das Fehlen von Rickie auf einmal spürbar, obwohl sie es gleichzeitig gelindert hat.

Im Flur hängt noch der fremde Geruch.

Sie kontrolliert die Wohnungstür, die abgeschlossen ist. Die Sicherheitskette klappert. Kristiina ist da gewesen und wieder gegangen, und zwischen ihrem Betreten und ihrem Verlassen der Wohnung können kaum zwei Stunden verstrichen sein. Keine zwei Stunden hat es gedauert, das zu zerstören, was die Dunkelstellen besiegt und worin sich eine Absicht für die Zukunft geäußert hat, in der sie ihre Mutter wiedersehen wird, Futur I, einfach so, *ahoj*, da bin ich. Zwei Stunden haben jegliche Aussicht daurauf zunichte gemacht.

Sie wird keine Aussage machen. Daran hat Kristiina keinen Zweifel gelassen. Sie hat erklärt, wie die Umstände sind, und es liegt auf der Hand, dass unter solchen Umständen niemand eine Aussage macht. Es ist vorbei. Aber noch dringt es nicht ins Bewusstsein vor. Noch ist die Sonne da und wirft einen letzten goldenen Strahl in den Flur.

Sie hakt die Sicherheitskette aus und schließt die Tür wieder auf. Im Treppenhaus ist es still. Auf der Treppe niemand. Auch nicht der Nachbar, der den Aufgang wie sein Revier bewacht. Keine Spur mehr von Kristiina. Es ist, als wäre nie jemand hier gewesen. Der Abtreter liegt auf dem Gesicht. *Tervetuloa komeat miehet.* So steht es auf der zu Boden gewandten Seite, drei Worte, deren Bedeutung sie nicht kennt. Sie hätte Kristiina fragen können, aber weil der Abtreter falsch herum liegt, hat sie nicht daran gedacht. Er ist ein Beweis, dass sie die Wohnung tatsächlich verlassen hat, vor wenigen Tagen, am Mittwoch, als endlich eine Antwort im Posteingang war. Als auf dem Monitor eine förmliche Anrede erschien, darunter eine Adresse im Stadtzentrum mit Datum und Uhrzeit und der Aufforderung, sich beim Pförtner zu melden. Am Tag, als der Mohikaner das Kommando übernommen hat.

Das ist das Gute.

Beim Verlassen der Wohnung hat sie den Abtreter aufs Gesicht gedreht, um bei ihrer Rückkehr daran erinnert zu werden, dass sie draußen war. Denn was immer geschehen würde, was immer sie erwarten würde bei ihrem Besuch im Parlament; hinterher wollte sie sich glauben können, es geschafft zu haben.

Sie war zeitig aufgebrochen. Es war früher Nachmittag, als sie den Neubaublock verließ. Sie steuerte zuerst den Supermarkt im Flachbau am Bahnhof an. PRISMA prangte auf allen Regalen, auf Obst-und Gemüsekisten und auf den Kühltruhen, in denen ganze Fische lagen und Hummer auf Eis. Zwischen den Regalen standen Wühltische mit Sonderangeboten, Schlüpfer, Servietten, Smarties und Hoodies. Ein Wühltisch zog sie magisch an. Die Hoodies darin waren schwarz. Die kleinste Größe war eine Nummer zu groß für sie, und als sie den Hoodie überzog, schlackerten die Ärmel über die Gelenke. Das war wie bei ihrem grünen Pullover, ihrem Lieblingspulli, dem Pullover einer Forscherin, den sie in der Nacht ihrer Ankunft, nach acht Stunden Zugfahrt in der leeren Bahnhofshalle in einem Mülleimer versenkt hatte. Der Gestank nach Haschisch war auch mit der Flüssigseife auf der Zugtoilette nicht aus der Wolle rausgegangen, und man hätte sie leicht für eine Obdachlose halten können. Und obdachlos war sie nicht. Sie hatte nur vorübergehend nicht gewusst, wohin.

Den Hoodie behielt sie an, nachdem sie verstohlen das Etikett abgerissen hatte. Manchmal half es, nicht zu zögern. In einem Gang mit Haushaltswaren und Küchengeräten fand sie die Messer, Taschenmesser in allen Formen und Größen, eines teurer als das andere. Aber keines hatte so viele Funktionen wie ihr altes, das Ira ihr gestohlen hatte. Sie entschied sich für ein rotes. Als sie sich bückte, um den Karton aus dem Regalfach zu nehmen, fiel ein Mädchen auf ihre Boots, das wie aus dem Nichts aufgetaucht war. Das Mädchen blieb auf ihren Stiefeln sitzen und schaute mit tränenverschmierten Augen zu ihr hoch. Es war allein. Niemand folgte ihm, keiner suchte das Kind, keine schreckensbleichen Eltern kamen angerannt. Es war, als wäre es ganz allein auf der Welt, dabei konnte es erst zwei oder drei Jahre alt sein. Bei Kindern war das schwer zu schätzen. Ihr rutschte der Karton aus der Hand. Das Herz schnellte in den Hals hoch, wo es flatterte und ihr die Luft nahm, und sie wollte sich umdrehen und weglaufen, aber das Kind saß auf ihren Boots. Es war ein Fehler gewesen, die Wohnung zu verlassen. Sie war noch nicht so weit. Das Kind machte es deutlich: Sie beherrschte die einfachsten Dinge nicht. Ein harmloser Zwischenfall, und schon verlor sie die Beherrschung. Wie sollte sie da eine Aussage machen, zumal es ihr an Format und Lässigkeit mangelte.

Der Mohikaner behielt die Nerven. Er riss den Karton auf und schob ihr das Messer rasch in die Hosentasche. Dann hob er das Mädchen entschlossen hoch und lehnte es aufrecht sitzend ans Regal. »Keine Angst«, hörte sie ihn sagen, so eindringlich, als könne allein die Dringlichkeit den Sinn seiner Worte verständlich machen, »*I'll go and find your Mama!*« Da ging sie mit der ganzen erbeuteten Ware am Körper einen PRISMA-Angestellten suchen.

Beim Hinausgehen piepte es. Sie hatte eine Packung Fleischbällchen und eine Apfelbrause bezahlt. Den Hoodie trug sie am Leib. Auf das Piepen hin streckte der Mohikaner den Kassenbon in die Luft, die andere Hand in der Hosentasche, am Messer, das sie nie wieder loslassen würde. Aber das verlangte an diesem Tag auch keiner von ihr, nicht einmal die Security im Parlament. Im Supermarkt wurde sie nicht aufgehalten. Ganz PRISMA suchte nach der Mutter.

Der Mohikaner schlug nicht den Weg zum Bahnhof ein. Er

ging in die entgegengesetzte Richtung. Für den Fall, dass der Räusperer noch in der Stadt war, mussten sie die Hauptverkehrsmittel meiden. Sie gingen durch eine Unterführung, unterquerten die dreispurige Straße und gelangten auf der anderen Seite ans Meer. Lärmschutzwände schirmten es von der Schnellstraße ab. Am Ufer führte ein Asphaltweg entlang, eine Pontonbrücke überspannte niedrig das Wasser einer Bucht. Sie kamen an eine Badestelle und über einen Trampelpfad in ein teures Villenviertel, dessen Uferpromenade ein Schilfgürtel säumte. Und wenn sie lange genug liefen, würden sie an die Friedhofsmauer stoßen, an dieselbe Mauer, die kein Ende genommen hatte, als sie mit Leonides dort entlang spaziert war, *es sei denn, du stirbst und wirst hier begraben*, hatte Leonides geflucht, weil ihn die Blasen plagten.

Vorher gelangten sie an die Endhaltestelle einer Straßenbahn. Eine grüngelbe Bahn stand abfahrtbereit am Bordstein. Und weil es auf der elektronischen Zeitanzeige schon spät war, stieg sie in den letzten Waggon, die Kapuze tief ins Gesicht gezogen. Sie war nicht länger die Argwöhnische, wie Leonides ihr vorgeworfen hatte. In Boots und schwarzem Hoodie rief sie jetzt den Argwohn der Leute hervor. Aber im Waggon saß nur eine einzelne ältere Frau, die keine Notiz von ihr nahm. Ihr Gesicht war wetterfest, eine Miene zum Ausruhen.

Im Treppenhaus hängt Abendlicht. Geländer und Stufen schimmern in der Sonntagsstille. Bevor sie in die Wohnung zurückgeht, dreht sie den Abtreter wieder herum. *Tervetuloa komeat miehet*. Sie hat es geschafft. Sie ist rausgegangen. Sie ist draußen gewesen, sie war im Parlament.

Das ist das Glück.

Wer es schafft, sich vor dem Parlament zu äußern, hat *sakra* auch das Recht auf einen Schnaps.

Sei nachsichtig mit dir, hat Kristiiina gesagt. *Iss was. Schlaf dich aus. Niemand verlangt Menschenunmögliches von dir.*

Kristiina. Die mit einer Papiertüte im Arm vor dieser Tür gestanden hat und nicht hereingebeten werden musste. Die sich einfach vorbeidrängelte. Die mit dem Hinweis auf das Gewicht der Tüte unaufgefordert den Flur betrat, sich die Schuhe von den Fersen streifte und den Einkauf in der Küche geräuschvoll auf die Arbeitsplatte stellte.

»So. Das müsste eine Weile reichen.«

In der Tüte waren Eier, Milch und Käse, Ölsardinen und Nudeln, Kaffee, Tomaten und Äpfel, zwei Tafeln Schokolade und Knäckebrot. Ganz unten lag eine blaue Tube.

»Was ist da drin?«

»Kaviar.«

»In einer Tube?«

»Kosmonautennahrung«, sagte Kristiina. Auf der Tube war ein lachendes Kindergesicht. »Das Zeug hält sich ewig. Wenn man nichts im Haus hat, hat man immer was zu essen.«

»So viel auf einmal. Wie soll ich das alles schaffen?«

Kristiina winkte ab. »Lass dir Zeit.« Als wäre es völlig normal, eine Tüte voller Essen mitzubringen, wenn man jemandem besuchte. Aber das war nicht normal, und während sie die Sachen aus der Tüte nahm und Milch, Käse und Eier in den Kühlschrank räumte, ging Kristiina auf den Balkon, um zu rauchen. Beim Verräumen der Almosen wollte sie nicht zusehen. Das hatte sie zu oft gesehen bei den Armen, den Verlierern, die Almosen verachteten, aber gern annahmen, weil Mitleid zwar das Schlimmste ist, aber doch jemand sieht, wie es um die Dinge steht. Trotz aller Skrupel hatte Kristiina eingekauft. *Eine Spende kommt nicht nur den Bedürftigen zugute,* hatte Leonides gesagt, *sondern auch der Spenderin.* Vielleicht stammte der Satz nicht von ihm. Vielleicht hatte Kristiina sich das ausgedacht.

»Ich könnte einen Kaffee gebrauchen«, sagte sie, als sie zu Ende geraucht hatte und zurück ins Zimmer kam. »Würdest du einen machen? Mein Tag heute hatte schon mehr als vierundzwanzig Stunden.«

Kristiina. Die wie eine Innenarchitektin durch die Wohnung ging, während der Espresso in die Kanne sprudelte. Die ein Kissen auf dem Sofa zurechtrückte, ein Hochglanzmagazin aufschlug, die Wanduhr betrachtete und dann den kaputten Stuhl in die Sonne stellte, um sich hinzusetzen, woraufhin die Sitzfläche verrutschte und sie die Luft einzog. Schließlich ließ sie sich aufs Sofa fallen.

»Für einen Plattenbau gar nicht so übel.«

Der Sofabezug warf Falten. Sie waren scharf im Sonnenlicht zu sehen.

»Aber Ende kommender Woche musst du hier raus, stimmt's?«

Die Frage kam unerwartet. Sie kam von vorn, sie klatschte ins Gesicht wie ein kalter Lappen, während der Kaffee im Rücken heiß sprudelte.

»Wieso?«

»Ich habe mit der Wohnungsverwaltung gesprochen.«

»Über mich?«

»Zwei Wochen Warmmiete kosten vierhundert Euro.«

»Na und?«

»Ich fand das viel für einen Plattenbau.«

»Ich bin nicht arm.«

»Ich weiß.«

»Und warum interessiert dich das?«

»Weil dir nur einhundert zum Leben geblieben sind. Das ist nicht genug. Und was wird Ende kommender Woche?«

»Du hast mit Leonides gesprochen.«

»Nein. Doch«, sagte Kristiina. »Ja, das hab ich.«

Einen Moment lang schauten sie sich schweigend an. Lauernd.

»Warum?«

»Um dir zu helfen.«

»Warum denkst du, dass du mir helfen musst?«

»Hast du mich nicht darum gebeten?«

»Nein.«

»Nein?«

»Ich habe dich gebeten, den Deutschen vor Gericht zu bringen.«

Die Sonne blendete, und Kristiina rutschte auf die Kante des Sofas vor, ein niedriges Sofa, auf dem sie mit abgeknickten Beinen saß, was ihr den Anschein einer Bittenden gab. »Ganz ehrlich? Es beruhigt mich, dir zu helfen. Ich schlafe besser.«

»Hast du ein Helfersyndrom?«

»Brauche ich das?«

Jemand wie Kristiina musste um nichts bitten, niemanden, auch nicht um Verzeihung. Es war anstrengend, sie in der Wohnung zu haben.

»Ich habe mir das Geld nur geborgt. Er kriegt es wieder.«

»Ich weiß.«

Erneut entstand eine Pause, die sich in die Länge zog. Der Kaffee hatte aufgehört zu sprudeln, und sie ging zum Herd, um die Kanne von der Kochplatte zu nehmen. Der Plastikgriff war heiß, und sie verbrannte sich die Hand.

»Mit Leonides zu reden hilft nicht.«

»Das dachte ich auch«, sagte Kristiina aus dem Wohnzimmer. »Es hat sich als Irrtum erwiesen.«

Kristiina. Die tut, was sie für richtig hält. Und sie hat es für richtig gehalten, mit Leonides zu reden. Als sei sie diejenige, die das entscheiden darf. Als wäre sie über Nacht zur Hauptentscheiderin in dieser Angelegenheit geworden, als wäre die Aussage, um die es geht, ihre. Dabei ging es darum, dass Leonides nichts erfahren sollte, der jetzt alles weiß. Auch dafür hat Kristiina nicht um Verzeihung gebeten.

Sie füllte den Kaffee in zwei IKEA-Tassen. »Du hattest mir versprochen, ihm nichts zu sagen.«

»Er möchte dich sehen.«

»Und trotzdem hast du ihm alles erzählt.«

»Das war nicht nötig. Er wollte gar nicht alles wissen.«

Kristiina saß mit gesenktem Kopf auf dem Sofa und sah nicht auf, als sie ihr den Kaffee reichte. Sie schaute auf ihre Hände, die sie vor überkreuzten Knien ineinander verschränkt hatte. Einer ihrer Daumen wippte. Und das war fast ein Eingeständnis. Die Frau, die ins Signalhorn stößt, hatte etwas falsch gemacht, sie war nur nicht in der Lage, das zu formulieren.

»Es geht ihm nicht gut. Oder? Leonides? Deshalb hast du es ihm gesagt.«

Kristiina schüttelte den Kopf.

»Du wolltest nicht, dass es ihm schlecht geht.« Kristiina war ins grüne Haus am Stadtrand gefahren und hatte ihn in der Küche vorgefunden, am Küchenblock, verändert und in falschen Socken, in Socken, die sich mit seinem Outfit bissen, allein vor einer Flasche Muscadet. So musste es gewesen sein.

»Er würde dich gern sehen«, sagte Kristiina.

»Das liegt an mir.«

»Natürlich. Das musst du entscheiden.«

»Dass es ihm schlecht geht, liegt an mir.«

»Verlassen zu werden bringt oft Komplikationen mit sich.«

»Was hatte er an?«

»Hör zu, Sala. Er macht sich Sorgen.«

»Hatte er komische Socken an?«

»Er möchte, dass du ihm vertraust. Er will dich sehen.«

»Nein.«

Kristiina nickte. Dann sagte sie: »Du wirst es noch oft erzählen müssen. Der Polizei, vor Gericht, vielleicht einem Gutachter. Hast du daran schon gedacht?«

Leise schließt sie die Wohnungstür. Die Sicherheitskette

klappert, und sie dreht den Schlüssel zweimal um. So schnell lässt sie niemanden mehr ein. Die Wohnung gehört ihr, ihr und dem Vogelbeerbaum vor dem Schlafzimmerfenster.

Im Wohnzimmer ist es noch hell. Das Sofa ist da, und die Falten auf dem Sofa, und sie setzt sich mit etwas Abstand daneben. So sitzt sie eine Weile, bis die Dämmerung das Zimmer langsam in eine weiche Unschärfe hüllt.

Es zeugt nicht von fehlendem Format, auf eine Aussage zu verzichten. Das hat Kristiina gesagt. Gerichte sind keine gerechten Instanzen. Gerichte sind dazu da, unabhängig Urteile zu fällen. Aber einem deutschen Gericht traut Kristiina nicht einmal diese Fähigkeit in allen Fällen zu. In ihren Augen besitzen deutsche Gerichte in der Bewertung von Sexualstraftaten keinerlei Glaubwürdigkeit.

»Bengel würde mit hoher Wahrscheinlichkeit freigesprochen. Davon musst du ausgehen, Sala.«

»Dann ist das, was er mir angetan hat, keine Untat?«

»Ich bin mit der Anwältin noch im Gespräch.«

»Und was soll ich dann machen?«

»Wenn sie Anzeige erstatten will, um ihn hinter Gitter zu bringen, sollte sie es lassen.«

»Das hat die Anwältin gesagt?«

»Wenn sie möchte, dass eine staatliche Behörde ihre Geschichte erfährt und er ein bisschen Angst bekommt, kann sie es tun.«

Wenn sie möchte, dass er ein bisschen Angst bekommt?

Sie muss auf die Toilette. Sie muss dringend aufs Klo.

Sie springt auf und läuft in den jetzt dunklen Flur. Die Leuchtstoffröhre über dem Spiegelschrank im Bad springt flackernd an. *Ein bisschen Angst.* Ein bisschen Angst kann sie ihm jederzeit machen. Ein bisschen Angst bekäme er auch so, da muss sie nicht vor ein Gericht. Mit diesem Gesicht, das ihr aus dem Spiegel entgegenschaut, mit so einer Miene, so einer bleichen Grimasse kann sie ihm überall auflauern, da macht er sich ganz von alleine in die Hosen, bepinkelt sich seinen Kulturbotschafteranzug vor Angst, die dann mehr als nur ein bisschen ist. Sie muss nur seinen Aufenthaltsort in Erfahrung bringen.

Niemand verlangt Menschenunmögliches von ihr, hat Kristiina gesagt, auch eine Richterin nicht. Die Richterin ist nicht auf ihrer Seite, aber objektiv. Objektiv gesehen, hat sie nichts zu verlieren, auch wenn der Verdacht besteht, dass sie etwas zu gewinnen hat.

»Etwas zu gewinnen? Hast du nicht gerade das Gegenteil gesagt?«

Sie könnte einen Vorteil davon haben, Bengel anzuzeigen. Einen finanziellen Vorteil. Einen beruflichen Vorteil. Einen Vorteil durch die Aufmerksamkeit in den Medien.

»Dann muss sie denken, ich lüge.«

Eine Richterin ist nicht für oder gegen sie, hat Kristiina gesagt, darauf kann man sich verlassen.

»Aber sie denkt, dass ich lüge.«

Für die Richterin zählt das Gesetz. Vor dem Gesetz gilt es, Widersprüche offenzulegen, Fehler in der Erinnerung aufzudecken. Widersprüchliche Erinnerungen weisen darauf hin, dass das Erinnerte nicht wahr ist, nicht wahr sein kann, dass etwas daran gelogen sein muss. Auch gilt es, bestimmte Sachverhalte auszuschließen. Ausgeschlossen werden muss, dass sich die Zeugin der Nebenklage freiwillig in eine solche Lage begeben hat. Aus freien Stücken. Aus eigenem Antrieb. Von selbst.

»Verstehst du, was das heißt?«, hat Kristiina gefragt. »Die Zeugin der Nebenklage, das bist du.«

Sie versteht, dass sie noch einmal im selben Raum mit dem schlimmsten der Gespenster sein muss. Sie wird bis zu der Stelle im Leben zurückspulen, wo sie sich selbst mit zerfetzter

Bluse und zerrissener Seele begegnet, und er schaut lächelnd zu. Während die Richterin, die Staatsanwälte und Verteidiger, das gesamte eingeschworene Gericht nicht ihn verdächtigen, sondern sie. Ihr wird unterstellt, dass sie lügt. Sie entblößt sich in zerfetzter Bluse und bei Tageslicht vor all diesen Leuten, die sie dennoch der Lüge bezichtigen. Wovon auch Leonides erfahren wird. Leonides, von dem sie weiß, dass er Vertrauen in demokratische Gerichte hat.

»Gesetze«, hat Kristiina gesagt, »sind wie die Menschen, die sie machen. Und Menschen, wie man weiß, sind löchrig. Die heutigen Gesetze sind Ableitungen der Gesetze, die einmal von Männern gemacht wurden. Deshalb fallen nicht sie durch die Löcher, sondern du, egal, was im Grundgesetz steht. Das ist in Finnland nicht anders.«

»Sie glauben, ich lüge!«

»Man redet von Glaubwürdigkeit. Sie wollen deine Glaubwürdigkeit überprüfen.«

»Und sie? Was ist mit ihnen? Wie glaubwürdig sind Leute, die glauben, man hätte sich freiwillig quälen lassen?«

Da schlüpfte Kristiina, längst nicht mehr in der Haltung einer Bittenden, in die Rolle der Richterin.

»Kann der Beschuldigte gedacht haben, Sie wären einverstanden? Sie sagen selbst, Sie könnten die Sicht des Angeklagten auf den osteuropäischen Kulturkreis nicht beurteilen. Wäre es nicht denkbar, dass der Angeklagte das, was Sie als Vergewaltigung erlebten, für ›wilden Sex‹ gehalten hat?«

Freiwillig ist ein dehnbares Wort.

Ihr Kopf im Spiegel sieht aus wie gejätet. Am Ohr ist ein Stück Haut entzündet, an manchen Stellen schimmert die Kopfhaut durch. Ihre Großmutter hätte gelacht. Was für eine Katastrophe, hätte sie gesagt, nichts mehr da zum Toupieren und Festsprühen!

Die Sicht des Angeklagten auf den osteuropäischen Kultur-

kreis. Die kann sie nicht beurteilen. Da hat die Richterin recht. Dazu kennt sie ihn nicht gut genug. Sie weiß nur, dass das Russische für den Angeklagten ein Fetisch ist. Und wenn das Russische ein Fetisch wird, wird aus einer Vergewaltigung vor Gericht wilder Sex. Das hat sie jetzt verstanden. Wenn a, dann b. So funktionieren die Lehrsätze in der Physik. Ein Lehrsatz aber hat nur Gültigkeit, wenn er sich vielfach anwenden lässt. Er muss sich auch auf das Geld anwenden lassen, das sie von Leonides mitgenommen hat. Wenn sie *a* bei ihrer Sicht auf den baltischen Kulturkreis das, was Leonides als Diebstahl erlebte, für Gastfreundschaft gehalten hat, wird *b* aus gestohlenem Gut ein Geschenk. Und die Angeklagte kommt frei.

Das ist das Ende.

So funktionieren Zaubertricks.

Sie steht still vor dem Spiegel, der das Sichtbare festhält und aufbewahrt.

Die Heizung rauscht. Die Heizungsrohre feuern. Ohne Gedanken steht sie da, ehe ihr einfällt, dass sie pinkeln muss. Die Muskeln sind verkrampft. Die Blase sendet kein Signal ans Gehirn. Aber Gehirne lassen sich austricksen. Wenn a, dann b. Als sie im Sitzen den Hahn aufdreht, rieselt Wasser ins Becken, plätschert auf die Keramik, gurgelt im Ausguss. Das Pinkeln ist ein Kraftakt, keine Erleichterung.

Sie wird ihre Aussage nicht machen. Mit dem Kraftakt dringt das Wissen auch in ihr Bewusstsein vor. Sie wird nie vor einem Gericht stehen. Verzierte Stühle mit hohen Lehnen, Geschworene, eine Richterin, das alles wird es nicht geben. Das gibt es nur in den amerikanischen Serien der Barkeeper. Ihre Aussage wird nicht zu den Akten genommen, sie wird unausgesprochen bleiben. Welcher wohl sterben muss, wird nicht gefragt, und es wird auch niemand eingesperrt. Man kann keine Aussage machen, wenn man am Ende als Lügner dasteht. Es würde für immer so aussehen, als hätte sie sich das, was passiert war, nur ausgedacht.

»Theater!«, sagt sie laut.

Plumpsend sackt das Abwasser in die Wände.

In einem Kampf mit ungleichen Waffen, hat der Mohikaner gesagt, *ist der stärkste Krieger chancenlos.* Er wäre nie vor ein Gericht gegangen. Er hätte gar kein Recht dazu. Man hätte ihn nicht anerkannt, trotz seines Körpers, den sie an sich und um sich spürt, mit Haut und Haar. Kristiina hatte ihn sofort erkannt. Noch an der Tür, beim Betreten des Büros hatte Kristiina ihn gesehen.

Möchtest du, dass ich dich Mohikaner nenne?

Keine Sekunde hatte sie gebraucht, am Mittwochnachmittag im Parlament, trotz der verunglückten Frisur und der fehlenden Erinnerung. Denn Kristiina erinnerte sich nicht an sie. Ihr schien nicht klar zu sein, wer dieser Mensch im schwarzen Hoodie war. Die Gestalt in der Tür brachte sie nicht mit der Begegnung im Rathaus in Zusammenhang. Und doch wusste Kristiina sofort, wen sie vor sich hatte, im Büro mit dem gläsernen Tisch, durch den man alles sehen konnte, bis hinunter zum Grund.

Soll ich Mohikaner zu dir sagen?

Kristiina mit ihrem schonungslosen Blick. Es gab niemanden sonst im Büro, auf den sich ihr Blick hätte richten können. Nur sie, Adina, die schutzlos vor diesem Schreibtisch stand. Der Mohikaner war da, er war in ihr und um sie herum, auch wenn sie in diesem Augenblick noch dachte, dass sie ihn nie hätte ins Spiel bringen dürfen, nicht vor einer Politikerin mit Kenntnis der Gesetzeslage und einer vernünftigen Biographie, und die Unterschrift unter der E-Mail gern rückgängig gemacht hätte, weil sie alles gemacht hätte, damit Kristiina ihr glaubte.

Was, wie sich herausstellte, unnötig war. Auf einmal hatte Kristiina es nicht mehr eilig. Sie drehte sich auf ihrem

Drehstuhl leicht hin und her, als hätte sie an diesem Nachmittag keine Termine, als hätte sie nur darauf gewartet, dass
eine Gestalt im Hoodie ihr Büro betrat, ihre Schokolade aß
und für jedes Wort zu lange brauchte. Das Anzünden der
Kerze, die am Rand des Tisches stand, erkannte sie sofort als
das, was es war; eine hilflose Aktion, die viel weniger Zeit in
Anspruch nahm, als es dauerte, sich zu sortieren, ihre Gedanken zu ordnen, während sie an Bäume dachte, an Birken, Fichten, Linden und Kiefern und daran, wie ruhig und scheinbar
zeitlos das Leben eines Baumes verläuft, denn wer an Bäume
denkt, muss über Untaten nicht schweigen.

*Bist du sicher? Willst du mir das jetzt wirklich erzählen? Wir
können auch woanders hingehen. Irgendwohin, wo es weniger
wie ein Büro aussieht.*

Sie blieb. Unter Kristiinas Augen war sie sich sicher.

*Dann erzähl so ausführlich du kannst. Was ist passiert?
Wann? Wie bist du in dieses Gutshaus geraten? Kannst du ein-
schätzen, wie lange es gedauert hat? Eine halbe Stunde? Eine?
Wieso bist du nicht weggelaufen? Hat er dich festgehalten? War
außer ihm noch jemand dabei? Hat er verlangt, dass du dich
ausziehst? Hat er dir gedroht? Sollen wir eine Pause machen?
Hast du versucht, um Hilfe zu rufen? Und als er dein Gesicht auf
die Ledernoppen presste, weil du versucht hast zu schreien, hast
du da in seine Hand gebissen? Warum nicht? Kam es zur Pene-
tration? Wieso hat er gelacht?*

Nicht eine halbe Stunde dauert es, nicht eine, sondern anderthalb. Sie hat auf die Uhr gesehen, auf die Fliegeruhr an seinem Arm. Als er fertig ist, ist es halb zwölf. Da sind ihre Handgelenke lose, wie aus der Verankerung gerissen. *Schnäbelchen
auf.* Nachdem er sie ins Gesicht geschlagen hat, rechts, links,
rechts, links, *Schnäbelchen auf.* Mit seinen achtzig Kilo auf
ihren etwa 53. *Schnäbelchen auf. Und schlucken.* So viel Geil-
heit. So viel Aggression.

Sie wurde müde. Ihr Oberkörper wurde schwer. Sie legte die Unterarme auf die Oberschenkel, um den schweren Oberkörper abzustützen, damit er nicht vornüber sackte. Die blauen Burkas schimmerten an der Wand. Blaue Burkas vor finnischen Schären im Schnee. Das Reden brachte nicht die Erleichterung, die sie erwartet hatte, und nach einer Weile bekam sie nicht mehr mit, was sie sagte oder was Kristiina sagte. Nur die große Enttäuschung bekam sie mit, die sie erfasste. Eine Enttäuschung, die ganz unlogisch war. Sie konnte nicht erst solche Panik davor haben, dass Kristiina Mohikaner zu ihr sagte, und dann so enttäuscht sein, als sie es nicht tat.

»Lach doch«, sagt sie in den Spiegel, als wäre da jemand, mit dem man sich streiten kann.

Adina, Nina, Sala.

Das sind die Namen.

Der Mohikaner lächelt sie an.

Die Heizungsrohre feuern. Auf den Rohren liegt Unterwäsche zum Trocknen. Seit dem Gutshaus macht sie das so. Sie hängt Slips und Sport-BHs auf die Heizung, bis der Stoff steif und hart ist. In der Küche im Kühlschrank steht die Plastikflasche. *Viru Valge.*

Das ist die Belohnung.

Dämmerung hat die Fassaden und Balkone der Plattenbauten erfasst. Die unteren Stockwerke liegen in nächtlichem Dunkel, als sie in der Küche das Winterfenster öffnet. Abendluft strömt in den Raum, überraschend kalt, obwohl immer noch September ist. Die Peitschenlampen springen an. Auf der anderen Straßenseite zeichnet sich ein Schatten ab, mannshoch und schmal wie ein Wacholderbaum. Vorhin hat kein Wacholder dort gestanden. Vorhin war da gar nichts.

Sie macht das Winterfenster geräuschlos zu. Im Kühlschrank steht der Schnaps. Sie öffnet die Flasche, den Blick aufs Dunkel vor dem Fenster geheftet, aber wer immer dort steht, geht sie nichts an. Fenster und Tür sind fest verschlossen, es kümmert sie nicht. Nichts kümmert sie mehr, jetzt, da nur ein Gedanke noch gedacht werden muss, damit er, wie alles, vorbeigeht.

Der Gedanke der Scham. Am Mittwoch, als sie zusammen das Büro verließen, um zur Straßenbahn zu gehen, hat Kristiina sich geschämt. Nicht sofort, noch nicht auf den Fluren im Parlament, auf denen schon die Nachtbeleuchtung brannte, aber unten, als sie auf die Straße traten. Sie hat die Scham verbergen wollen. Nur deshalb tat sie so, als würde sie sich Sorgen machen. Aber das war leicht zu durchschauen. Ihre Sorge war völlig übertrieben. *Hast du ein Ticket? Weißt du wohin?* Sorgen muss sich niemand um sie, schon lange nicht mehr. Wer drei Grenzen überquert hat und einen halben Kontinent, der weiß wohin. Das wusste auch Kristiina. Im Büro, hinter ihrem gläsernen Tisch, hatte sie zugegeben, dass sie Sala nicht für bemitleidenswert oder hilflos hielt, sondern für unerschrocken und stark, für fähig, der eigenen Stimme zu folgen.

Aber vielleicht hat sich Kristiina wirklich gesorgt. Vielleicht macht sie sich aufrichtig Sorgen. Ihr das abzusprechen, dafür gibt es keinen Grund. Im Gegenteil. Wenn sie Kristiina die Sorge nicht glaubt, dann hält sie sich selbst für jemanden, der bei anderen Scham auslöst. Was auch nur ein Gedanke ist. Einer, der vorbeigeht.

Sie setzt die Flasche an, das leichte Brennen am Gaumen, dann hält sie inne. Wenn Kristiina sich geschämt hat, denkt sie, dann vor ihr. Nicht für sie.

Viru Valge.

Sie setzt die Flasche wieder ab. Sie wird keinen Schnaps mehr trinken, nicht einen einzigen Tropfen.

»Sakra!«

Sie dreht sich um und schüttet den Schnaps in den Ausguss. Das ist das Überbleibsel.

D ie blaue Frau hat das Sofa entdeckt. Sie zieht die Beine an
und schlingt die Arme um die Knie.

Ich wende ein, dass Widersprüche zum Reden gehören, weil
jedes Wort sein Gegenteil enthält. Ich vertraue auf die Produk-
tivität des Widersprüchlichen. Niemand erinnere sich fehler-
frei. Erst die Fehler in der Erinnerung lassen das Erinnerte
glaubwürdig werden.

Die blaue Frau findet in ein nachsichtiges Lächeln.

Das gelte nicht vor jeder Instanz.

Als Kristiina im letzten Abendlicht das Institut verließ, war sie der Meinung, etwas erreicht zu haben. Leonides war informiert. Er war im Begriff, Alarm zu schlagen.

Auf den Straßen herrschte Betrieb. An einem Freitagabend war die Stadt voller Menschen. Sie hatte Lust, ins Kino zu gehen oder in eine Karaoke-Bar oder, besser, Liv unangekündigt aufzusuchen, vor ihrer ehelichen Haustür zu stehen wie ein furchteinflößender Schatten und sie in eines der gedimmt ausgeleuchteten Restaurants zu entführen. Hinter bodentiefen Fenstern saßen junge, hippe Pärchen vor geizig bemessenen Cocktails.

Sie tat all das nicht und fand sich erstaunlich gezügelt. Das war kein Vergleich zu der rauschhaften Erregung auf Dancefloors von Clubs und queeren Partys, als sie nächtelang verzaubert wurde von den aufreizenden Möglichkeiten spielerischer Macht, die sich unterschied von der im Liebesspiel der Heteros, an dem nichts Wagnis war, alles gesellschaftlich gebilligt, das mit seinen eingeübten Praktiken und vorhersehbaren Verläufen eine Monotonie verströmte, der zu entgehen neben den körperlichen Reizen der Grund gewesen war für ihr frühes Coming-out. Ihr hatte sich eine Erotik erschlossen, die an Subtilität, Risiko und Verheißung der zuvor gekannten überlegen war, nächtelang im Stroboskoplicht der Blicke, die gelegentlich zu etwas führten, zu einem Drink, einem Kuss, einem One-Night-Stand mit einer Polizistin, einer Filmkritikerin, einer Kapitänin der Viking Line und manchmal in kurze Affären voller Hingabe, Widerspenstigkeit und Muße. Sie hatte sich alles genommen, was diese Nächte anboten. Jetzt kannte sie Liv.

Aber Kristiina fehlte die Geduld, um sich mit solchen Reminiszenzen lange aufzuhalten. Sie nahm die Dinge sportlich. Erst am Sonntag kamen ihr die rauschhaften Nächte wieder in den Sinn. Kristiina hatte sich am Morgen intensiv auf die Begegnung mit der jungen Frau vorbereitet. Direktheit schätzte sie mehr als Rücksichtnahme, hinter der sich allzu oft ein Lavieren zum eigenen Vorteil verbarg. Hier aber galt es, umsichtig zu sein, behutsam und doch ehrlich. Ein Trauma bewusst anzugehen, konnte man einem Menschen leichter oder schwerer machen, und diese Verantwortung lag im Moment bei ihr. Im ersten Dämmerlicht war sie im angrenzenden Waldstück laufen gegangen, angstfrei, wie sie nebenbei registrierte, die große Runde, nicht die kleine, auf der sie an den üppig mit Gemüse und Blumen bepflanzten Parzellen vorbeikam, die wie eine Oase zwischen den Birken auftauchten und auf denen so früh am Morgen niemand Astern erntete oder Apfelbäume verschnitt, hatte sich dann umgezogen und war, wegen der herbstlichen Kühle im langbeinigen Neoprenanzug, nicht im kurzen, und ausgerüstet mit der luftgefüllten Boje, zur Bucht hinuntergegangen, um sie zweimal vom einen Ende zum anderen in weit ausholenden Kraulschlägen zu durchschwimmen, die Boje wie einen zweiten Kopf auf der Wasseroberfläche hinter sich.

Dann hatte sie Kaffee gemacht. Während des Kaffeetrinkens ging sie die Notizen aus dem Gespräch mit der Anwältin durch. Nach einer Weile legte sie die Zettel weg. Es war ernüchternd. Die größte Sorge machte ihr die Preisverleihung. Kein Mensch würde Sala das erklären können, auch sie nicht, egal, wie behutsam sie wäre. Also beschloss Kristiina, abzuwarten, es vorerst zu verschweigen. Da saß sie schon im Intercity, unterwegs nach Tampere, in der Tasche den Zehn-Punkte-Plan. Sie schaute aus dem Fenster, woraufhin sie eine halbe Stunde schlief. Als sie ankam, tat ihr Nacken weh.

Zum Mittagessen gab es Pilzragout mit Preiselbeeren. Ihre Mutter hatte am Vortag einen ganzen Korb frischer Pilze aus dem Wald geholt. Das Ragout war köstlich, mit Knoblauch, Sherry, frischen Kräutern und viel Butter angemacht. Im Hintergrund lief die Sonntagsmusik. Sie tauchte die Wohnküche des von Kiefern umstandenen Hauses am Jokisjärvi in melancholische Behaglichkeit. Sonntage waren für die Tangos von Unto Mononen oder die Jenkka-Lieder von »Molli-Jori« Georg Malmstén reserviert, mit denen sich ihre Mutter auf den *lavatanssi* einstimmte, ein Schwof, der am Montagmorgen um zehn Uhr im Tanzclub direkt hinter dem Bahnhof stattfand.

Nach dem Essen stellten sie Teller und Schüssel zusammen und blieben noch eine Weile am unabgeräumten Tisch sitzen. Kristiina wollte die Sonntagsstimmung nicht zerstören. Aber sie brauchte einen Abgleich. Sie musste eine Meinung hören, die sie missbilligen konnte und ernst nahm, und die ihr Verhalten schließlich wie immer stärker als alles andere beeinflussen würde. Deshalb war sie hier.

»Warum du?«, fragte ihre Mutter unvermittelt.

Kristiina hatte von einem Wir gesprochen, *es muss sich noch zeigen, was wir für Chancen haben.*

»Man würde denken, es gibt mittlerweile genügend soziale Beratungsstellen«, sagte ihre Mutter. Sie hatte ihre kurzen Haare mit etwas Gel in Form gebracht und trug eine ihrer sportlichen Lieblingsblusen, die sie nicht zu bügeln brauchte. »Kümmern die sich nicht um so was?«

Darauf gab es einiges zu erwidern, aber nichts hätte genügt. Also schwieg Kristiina, was ihre Mutter als Zustimmung missverstand.

»Was ist das überhaupt für ein Mädchen? Was weißt du von ihr?«

»Alles, was ich wissen muss.«

»Wäre es nicht einfacher für sie, nach Hause zu fahren? Sie

hat doch sicher eine Familie drüben auf dem Kontinent. Ich kann mir vorstellen, dass ihre Mutter auf sie wartet.«

»Das Verhältnis zu ihrer Mutter kenne ich nicht.«

»So oder so. Es ist ihre Mutter.«

»Sie glaubt, erst etwas wiedergutmachen zu müssen.«

Ihre Mutter stand auf, stellte die Musik aus und nahm eine Karaffe Moltebeerensirup aus dem Regal. »Hier ist sie doch in einem völlig fremden Land.« Sie gab einen Esslöffel Sirup in jedes der beiden Wassergläser, die auf dem Tisch standen, goss einen Schwapp Milch dazu und füllte sie mit frischgebrühtem, abgekühltem Kaffee auf. »Was glaubt sie denn, wiedergutmachen zu müssen?«

»Das hat sie nicht gesagt.«

Gedankenversunken rührte ihre Mutter die Getränke um, erst Kristiinas, dann ihr eigenes. Etwas beschäftigte sie. Der Sirup löste sich langsam und hellte den Kaffee auf.

»An ihr hätte die Gesellschaft einiges gutzumachen«, sagte ihre Mutter schließlich. »Das kann ich mir schon vorstellen. Aber du? Lass dich doch nicht auf solche Sachen ein. Damit kriegt man schnell einen schlechten Ruf weg.«

»Wenn das so ist, müsste doch mal jemand fragen, wem es nützt, andere in Verruf zu bringen.«

»Ach Gott, Kristiina. Musst du wirklich immer? Seit du zwölf bist, musst du immerzu kämpfen.«

»Wie du.«

Ihre Mutter winkte ab. »Mich bringt nichts mehr aus der Ruhe. Es sei denn, es regnet und ich kann nicht in den See. Oder in die Pilze.«

»Wenn du die Pilze nicht gehabt hättest«, sagte Kristiina, »hättest du jemanden wie mich damals dringend gebraucht.«

Ihre Mutter hielt mit dem Rühren inne. Sie leckte den Löffel ab und stellte die Karaffe zurück ins Regal. Von Kristiina abgewandt, schüttelte sie den Kopf.

»Sag jetzt nicht, das wäre etwas ganz anderes, Elena. Vom Prinzip her ist es genau das Gleiche.«

Ihre Mutter drehte sich mit unerwarteter Wucht um, beherrschte sich aber. »Selbst wenn das, was du sagst, seine Berechtigung hätte, meine liebe Tochter, damals gab es eben keine sozialen Beratungsstellen.«

»Und was hätten die gemacht? Dir ein Schreiben an deinen Vater mitgegeben, in dem sie ihn darüber informieren, dass ein Mädchen genau so viel wert ist wie jedes seiner vier anderen Kinder, zufällig alles Knaben? Er hätte dir das Schreiben ins Gesicht geklatscht und gesagt, nichts für ungut, ich hab dich wohl mit einem Abfalleimer verwechselt.«

»Dein Opa hätte so ein Schreiben gar nicht erst in die Hand genommen. Rede nicht so über ihn.«

»Schon gut. Aber ich hätte ihm dafür einen Denkzettel verpasst. Und das werde ich jetzt mit diesem Arsch machen.«

Die rauschhaften Clubnächte kamen Kristiina wieder in den Sinn, als sie Sala in ihrer Wohnung gegenübersaß, am Nachmittag, in einem Plattenbau im dritten Stock mit Blick auf Plattenbauten. Im Zimmer standen ein billiges braunes Sofa und ein kaputter Stuhl. Sie hatte sich das Sofa ausgesucht.

Sala lehnte im Türrahmen zur Küche. Sie trug Jeans und ein ausgeblichenes kurzärmeliges T-Shirt. Schon im Rathaus waren Kristiina die schlanken Oberarme aufgefallen mit den gut gebauten Muskeln. Früher hätten diese Muskeln sie entflammt, in einem anderen Alter, unter anderen Voraussetzungen, an einem anderen Ort, Muskeln, die im Ruhetonus kaum zu bemerken waren und bei Kontraktion überraschend und in vollendeter Rundung hervortraten.

Sala verschränkte die Arme vor der Brust und erzählte von Berlin. Knapp zwei Monate hatte sie in der deutschen Hauptstadt verbracht, ohne ein einziges Mal in den Rausch zu geraten, den Kristiina mit Anfang zwanzig so sehr mit einer Großstadt verbunden hatte. Sala hatte keine Clubs oder Bars besucht. Sie hatte nicht geflirtet und nicht getanzt, sie hatte sich nicht im erotischen Glanz der Nächte verausgabt. Sie hatte im Vierbettzimmer eines Hostels gewohnt, Geldsorgen gehabt und sich von einer Fotografin ausnutzen lassen, die ihr irgendwelche Sachen eingeredet hatte, Sachen, die sich für Kristiina so dubios anhörten, dass sie versucht war, der Fotografin eine kriminelle Handlung zu unterstellen. Aber Kristiina war nicht der Typ, sich das ungeprüft durchgehen zu lassen. Sie machte sich nur eine gedankliche Notiz. Wenn es zu einem Prozess käme, würde man diese Fotografin vorladen müssen.

Mit Berlin hatte sich für Sala das Ersehnte ins Gegenteil verkehrt. Ihr Berlin und Kristiinas Helsinki waren weit voneinander entfernt, und das lag nicht an der räumlichen Entfernung oder daran, dass die eine Großstadt als Mittelpunkt Europas und die andere an der Peripherie als politisches Leichtgewicht galt, seit ein Präsident im letzten Jahrhundert seine Amtsgespräche mit ausländischen Kollegen entspannt in der Sauna geführt hatte. Das Bild einer Sauna voller nackter Politiker hatte für Kristiina immer eines scharf verdeutlicht: Frauen waren hier nicht vorgesehen. 25 Jahre lang hatte dieser Saunapräsident regiert, während der gesamten Kindheit und Jugend ihrer Mutter. Ihre Mutter war in ein Jahrhundert hineingeboren worden, das gemäß der Wünsche und Bedürfnisse von Männern benannt, geordnet und zerstört worden war. Das brannte sich ein. Und wenn man dann noch einen Vater hatte, der im Kleinen reproduzierte, was die große gesellschaftliche Vorgabe war, kam gar nicht erst der Gedanke auf, die Wirklichkeit könnte sich auch gemäß der eigenen Wünsche und Bedürfnisse ordnen lassen. Und man musste glauben, dass, wer sich dagegen wehrte, in Verruf geriet. Kristiina hatte diese Saunageschichte schon früh auf die Barrikaden getrieben. Sie gab ihrer Lieblingsvision von einer durchweg von Frauen geführten Regierung ordentlich Zunder.

Großstädte jedenfalls lebten mehr als jede andere Stadt von der persönlichen Erfahrung. Und die Unterschiede zwischen ihrer und Salas Erfahrung waren so markant, als gehörten auch sie beide unterschiedlichen Jahrhunderten an.

Aber Kristiina befand sich in einem Plattenbau. Das luftdichte Gemäuer war eine Strapaze, wenn man mit der Muttermilch die wasserreiche Luft des Jokisjärvi aufgesogen hatte, die ungehindert durch die Holzwände diffundiert war. Ein freier Austausch der Stoffe war unabdingbar für ein fehlerfreies Funktionieren von Zellen, Hirn und Lunge; Fertigteile aus Beton ein Kerker für Körper und Geist. Es war möglich, dass sie mit zu viel Emphase in den Vorrat an Vergleichen griff.

Andererseits war es nicht falsch, an diesem Ort in Jahrhundert-Dimensionen zu denken. Die Plattenbauten waren ein Projekt der Moderne, und die Moderne war mit dem letzten Jahrhundert versunken, als die Zukunft noch auf Planquadraten hochgezogen und mit Fernwärme versehen worden war. Dass diese Zukunft weder besonders umweltfreundlich noch menschenfreundlich war, erfasste man schon bei einem flüchtigen Blick aus dem Fenster; schön anzusehen war das alles nicht. Kristiina kannte einige Kollegen beim Ausschuss für Städtebau und Wohnungswesen. Sie wusste, dass jemand den Vorschlag eingebracht hatte, die Wohncontainer auf den Nerzfarmen in Ostbottnien durch ein paar Plattenbauten zu ersetzen. Die Leiharbeiter hätten das begrüßt. Man durfte aber eines nicht vergessen: Auch soziale Maßnahmen standen manchmal paradoxerweise im Widerspruch zum Leben.

»… zum Leben erweckt wie im Märchen.«

Kristiina war die Konzentration verlorengegangen. Sie hatte nicht gehört, was die junge Frau gesagt hatte, und starrte sie benommen an.

»Du hast nach dem Mohikaner gefragt. Rickie war die Erste, die ihn gesehen hat.«

»Die Fotografin?«

»Ja. Vor dir.«

»Vor mir?«

»Du warst die zweite. Du hast ihn gesehen und mich gefragt, ob du mich Mohikaner nennen sollst.« Sala lächelte auf ihre zögerliche Art. »Weißt du nicht mehr?« Sie reichte ihr einen Becher Kaffee. »Ich konnte letzte Nacht auch nicht schlafen.«

»Sehe ich so müde aus?«

Kristiina war es unangenehm, nicht zu wissen, wie viel sie verpasst hatte. Im Grunde erinnerte sie sich nicht einmal an ihre Frage.

»Und?«, sagte sie, um sich aus dieser misslichen Lage zu retten. »Hättest du es gern, dass ich dich Mohikaner nenne?«

»Manchmal. Ja.«

Die Sonne schien Kristiina ins Gesicht und machte sie schläfrig, und irgendwoher tauchte die Vorstellung auf, wie sie sich auf dem Sofa ausstreckte und in Salas Gegenwart einschlief. Mit Sala in der Nähe würde sie gut schlafen können, trotz des Fertigbetons. Da war sie sich auf einmal merkwürdig sicher.

»Deine Uhr ist stehengeblieben«, sagte sie, als ihr Blick auf die Wand fiel.

Sala nickte. »Die Zeit steht und geht erst weiter, wenn ich eine Aussage mache.«

»Niemand verlangt Menschenunmögliches von dir«, sagte Kristiina, schon halb in einem Traum.

Sie musste tatsächlich geschlafen haben. Als sie die Augen öffnete, saß der Mohikaner auf dem Boden, mit dem Rücken zu ihr, den Hinterkopf an die Sitzfläche zurückgelehnt; sein charismatisches Gesicht. Er schaute sie an. In seinem blauschwarzen Haar leuchteten die Federn in einem irrealen Weiß, und sie streckte eine Hand nach ihm aus. Sie wusste nicht, wie Mohikaner auf Tschechisch hieß oder ob der Name auf Tschechisch anders ausgesprochen wurde. Aber wahrscheinlich war es besser, ihn englisch auszusprechen. Es gehörte zur Würde des Menschen, mit seinem richtigen Namen angesprochen zu werden, dachte Kristiina, auch wenn manche im Korrekten eine Doktrin sehen wollten, die sie dann verunglimpften. Auch sie bestand auf ihrem doppelten i, jedes Mal, wenn das eine i wieder in einem Schriftwechsel mit dem Kontinent verlorengegangen war.

»Nichts Menschenunmögliches«, hörte sich Kristiina murmeln und wachte auf.

Sala war nicht im Zimmer. Dann sah Kristiina sie auf dem Balkon und stand auf, um zu ihr hinauszugehen. Im verglasten Gehäuse war es warm von der Sonne, die auf die Scheiben fiel. Sala saß auf einem Klappstuhl und las.

»Der Schlafmangel holt einen irgendwann ein.«

Sala klappte das Buch zu, sagte aber nichts.

»Was liest du da?«

»*The Member of the Wedding*. Ich habe es mir schon mehrmals ausgeliehen.«

Der Titel sagte Kristiina nichts. »Wie kommst du eigentlich auf den Mohikaner?«, fragte sie dann, weil sie diese Sache nicht losließ.

Sala schaute zu den Bäumen gegenüber, die vor einem flachen Gebäude standen. Sie machte nicht den Eindruck, als hätte sie die Frage gehört. Aber schließlich sagte sie: »Ich habe ihn mir nicht ausgesucht. Eines Tages war er einfach da.«

»Du musst zumindest das Buch oder den Film gekannt haben.«

»Logisch«, sagte die junge Frau. »Ich hab auch früher schon gelesen.«

Der abweisende Tonfall verlangte keine Antwort. Hinter Sala stapelten sich leere Blumentöpfe in einem Regal an der Wand, die so verstaubt waren, dass sie schon ewig hier stehen mussten. Schweigend saß die junge Frau davor und wirkte mit ihrem stolz erhobenen Kopf beinahe unantastbar. Kristiina ermahnte sich. Sie durfte sie nicht unterschätzen.

»In meinem Dorf gab es keine Jugendlichen«, sagte Sala nach einer Weile, ohne den Blick von den Bäumen zu nehmen. »Keine einheimischen. Nur mich. Ich war die Letzte. Früher dachte ich, das wäre der Grund. Inzwischen glaube ich das nicht mehr.«

»Das Dorf in Tschechien, wo du aufgewachsen bist?«

»Es hat mir nie Glück gebracht, davon zu erzählen.«

»Verstehe.«

»Ja?« Sala wendete den Kopf und schaute sie an, in den Augen kühle Herausforderung.

»Ich verstehe, dass du nicht danach gefragt werden willst«, präzisierte Kristiina.

»Nein, will ich nicht.«

»In Ordnung. Und diesmal halte ich mich an mein Versprechen.«

Kristiina war sich bewusst, dass alles, was sie an diesem Sonntag zu Sala gesagt oder zu sagen versucht hatte, über die Hürden vor Gericht und die Hürden vor der Eröffnung eines Verfahrens, auf ihr lasten musste, auch wenn sie es tapfer zu verbergen suchte.

»Versprochen«, sagte Kristiina. »Man wird dich noch viel zu oft nach Dingen fragen, die du nicht gefragt werden willst.«

Sala blätterte wie absichtslos im Buch. »Der Mohikaner ist der Letzte, weil er keine Geschichte hat«, sagte sie dann, wie in Gedanken. »Das ist nicht schlimm. Man denkt immer, Geschichte wäre etwas Altes, etwas, das hinter einem liegt, in der Vergangenheit. Aber mir ist aufgegangen, dass das nicht stimmt. Es ist viel komplizierter.« Sie machte eine Pause. Und als es schon den Anschein hatte, dass sie nicht weitersprechen würde, fügte sie hinzu: »Meine Mutter und meine Großmutter sind meine Vergangenheit. Und trotzdem sind sie vor mir. Sie gehen vor mir her. Aber sind nicht eigentlich die, die hinter mir hergehen, das, was vor mir liegt? Meine Zukunft? Ist das nicht seltsam? Meine Zukunft sind die, die von mir erzählen.«

»Der Mohikaner verbindet sich für dich mit etwas Neuem?«

Sala nickte. Überrascht, als hätte sie mit so viel Verständnis nicht gerechnet, jedenfalls nicht so schnell, sah sie auf. Kristiina war der Gedanke noch nicht entfallen, den sie ganz am Anfang gehabt hatte. Sie hatte sich nicht getäuscht.

»In Berlin hat jemand zu mir gesagt, es sei nicht so wichtig, was hinter mir liege. Wo ich herkomme, spiele keine so große Rolle. Jedenfalls gebe es Gründe, daran zu zweifeln. Ich glaube aber, es geht nicht darum, woher ich komme, sondern darum, dass mir niemand folgt.« Sala zögerte. Aufrecht saß sie da mit ihren raspelkurzen Haaren, die in der späten Sonne glänzten. »Solange niemand hinter mir hergeht«, sagte sie, »wird mir nichts von dem, was passiert ist, passiert sein.«

»Wie meinst du das?«

»Ich meine, dass es besser ist, wenn ich keine Aussage mache.«

»Noch ist nicht alles verloren.« Kristiina schlug einen ermutigenden Tonfall an, der ihr, wie sie sofort merkte, nicht gelang.

»Das Selbst ist nur ein Blinzeln«, sagte Sala. »Es verfliegt.«

»Das mag sein.« Kristiina hatte das Gefühl, sich immer noch aus einem Traumzustand heraus zu kämpfen. »Aber verlier jetzt nicht den Mut.«

»Das tue ich nicht.«

»Die Anwältin, mit der ich im Gespräch bin, ist die beste in ganz Helsinki. Wir kriegen das hin!«

Sala schaute sie an.

»Wir werden es versuchen«, korrigierte sich Kristiina. »Wenn Frauen sich nicht unterstützen, unterstützt sie keiner.«

Sala schaute sie immer noch an, als wartete sie darauf, dass Kristiina weitersprach, als könnte das, was sie gesagt hatte, nur der Anfang sein.

»Der Arsch hat sich mit der falschen Generation angelegt, das wird der schon noch merken!«, sagte Kristiina. »Den Mohikaner kannst du dann immer noch ins Spiel bringen«, fügte sie hinzu, unsicher, allerdings ohne die Geduld, die Ausführungen der jungen Frau im Geiste noch mal prüfend durchzugehen. »Im Anschluss. Wenn alles geschafft ist.«

Jetzt lächelte Sala. Sie zog an ihrem T-Shirt und stopfte es fester in die Hose. Im Glasgehäuse war es kühl geworden. Die Sonne stand tief über den Dächern.

»Tja«, sagte Kristiina schließlich aus Mangel an Einfällen, wie sie der großen Erwartung, die sich auf Salas Gesicht abzuzeichnen schien, begegnen sollte, und weil es langsam spät wurde. »Wären wir zwei Etagen höher, könnten wir von hier aus die Bucht sehen und das Viertel, wo ich wohne.«

»Ist es schön dort?«

»Schöner als hier schon. Wenn du Lust hast, gehen wir mal zusammen in die Pilze.«

»Du kennst dich aus?«

»Meine Mutter ist eine begnadete Pilzkundlerin. Ich habe ein bisschen was von ihr gelernt.«

»Na ja. Pilze sind ja nicht so schwierig«, sagte Sala. »Keine Kunst, falls in Finnland nicht völlig andere Arten wachsen.«

»In Finnland wachsen finnische Pilze«, sagte Kristiina zur Aufheiterung.

Später erkannte sie den Ärger hinter ihrem Satz.

Da war sie aus dem Bus gestiegen und auf dem Weg zu ihrem Haus. Sie lief das kurze Stück den felsigen Hügel hinauf, rechts gab es die Container für Glas, links hinter den Bäumen die Aussicht auf die Bucht, die Liv vor zwei Wochen im Sonnenuntergang bewundert hatte, mehr, um das Betreten des Hauses hinauszuzögern, als aus echter Bewunderung, denn solche Aussichten waren keine Seltenheit, und als Kristiina nach dem Holzgeländer, das gestrichen werden musste, griff und die drei Stufen auf einmal nahm, strauchelte sie und stieß sich das Schienbein an der Treppe. Ihr Ärger war gleißend und unverstellt.

Sala war in pilzreichen Bergen aufgewachsen, das mochte so sein, dachte Kristiina, und doch würde sie nie so viel über Pilze wissen wie sie selbst. Niemals. Mit einer Mutter wie ihrer war das unmöglich. Arroganz durchzuckte sie, als sie den Neoprenanzug vom Geländer nahm, wo er seit dem morgendlichen Schwimmen hing. Aber diese Regung war für schlichtere Gemüter. Der Ärger, das erkannte sie, kam von woanders her.

Salas voreiliger Beschluss, keine Aussage zu machen, brachte sie auf, ihre skrupulöse Verweigerungshaltung, die beinahe schon an Hochmut grenzte. Die Wahrheit war: Kristiina fühlte sich zurückgestoßen. Sie, die es nicht nötig hatte, sich aufzudrängen, und auch keine Zeit dazu. Am meisten ärgerte es sie, sich kampflos geschlagen geben zu sollen. Aber auch diese Regung war kindisch. Also machte sie, wie immer, wenn sie solcherart Gefühle überfielen, einen Tee, um in Ruhe nachzudenken.

Viel Zeit blieb ihr nicht. Gegen sieben wollte Leonides anrufen. Es reichte für genau zwei Tassen, die sie mit Blick auf ein Foto trank, das sie von Liv besaß und manchmal aus der Schublade nahm, wo sie es mit einer Büroklammer ans Ende eines abgelaufenen Ringkalenders geheftet hatte.

Der Tee war frisch gebrüht, das Wasser dampfte in der Tasse. Er hatte das Aroma, das sie an Lapsang mochte, bitter und pelzig, und in der Retronase hing ein Duft nach Teer und

Rauch. Wie so oft, dachte Kristiina, mussten die Verhältnisse in den Fokus rücken, wollte man die eigenen Gefühle im richtigen Licht beschauen. Und was waren das für Verhältnisse, die eine junge Frau auch zu Beginn des 21. Jahrhunderts noch einen Rückzieher machen ließen im Glauben, ihr Recht nicht einfordern zu können angesichts der allseits eingeübten Bevorteilung von Männern, in der sich jede Gesellschaftsform, jede Religion und jede Hautfarbe glichen. Kristiina hatte gelernt, dagegen anzugehen. Aber sie war auch unversehrt, eine der Wenigen, denen nicht die Lebensgeister ausgetrieben, das Wasser abgegraben, die Luft abgedrückt worden waren von Vater, Onkel, Bruder, Ehemann, Lehrer oder Vorgesetztem, gebilligt, kleingeredet oder ignoriert von der weiblichen Besatzung. Allein unter den berühmten Frauen, die Kristiina kannte, waren erschreckend viele nicht nur verniedlicht und erniedrigt, sondern missbraucht oder vergewaltigt worden, Virginia Woolf eingeschlossen. Sala war der Rückzieher nicht zu verdenken. Ihn ihr übelzunehmen, hätte bedeutet, einem uralten Mechanismus zu folgen, auf den auch Frauen aus Dummheit oder Hilflosigkeit immer noch zurückgriffen: am Ende ihr die Schuld zu geben.

Milder gestimmt, trank sie den abgekühlten Tee.

Leonides hatte keine guten Nachrichten. Er wollte nicht am Telefon darüber sprechen, sondern bat sie, ihn am Montagmorgen im Café am Institut zu treffen. Am Nachmittag wollte die Findungskommission außer der Reihe zusammenkommen, und er drängte sie, ihn zu begleiten.

Am Montagmorgen war er fahrig. Er wirkte unausgeschlafen. Spätnachts erst war er aus Tartu zurückgekehrt. Auf seiner Krawatte war ein Fleck. Sie lud ihn ungefragt zu einem *kahvi* ein. Als sie saßen, Kristiina vor Krabbentoast mit Ei, Leonides vor einer Hefeschnecke, fluteten für einen Moment nur die Geräusche des Cafés um sie herum den Raum, das unbestimmte Klappern von Tellern und Tassen, das Spritzen und Zischen der Siebträgermaschine. Schließlich straffte Leonides sich. Sein Wochenende war anders verlaufen als vorgesehen. Seine Frau, die sich am Freitag extra Urlaub genommen hatte in der Aussicht auf ein langes gemeinsames Wochenende, was so selten vorkam, dass sie morgens einkaufen gegangen war, um eine ihrer Paradetorten zu backen, ehe sie rechtzeitig zur Ankunft des vereinbarten Zuges aus Tallinn am Bahnsteig stand, hatte sich, als er spätabends endlich eintraf, mit einer Freundin zum Kino verabredet und auch den Samstag so verbracht wie jeden Samstag ohne ihn. Dass sie ihn ignorierte, hatte seine Aufmerksamkeit nur beiläufig gestreift, nicht ohne ihn zu kränken. Aber die meiste Zeit hatte er in seinem Arbeitszimmer am Telefon verbracht. Erst am Abend war ihre Kühle schmerzhaft auffällig geworden. Warum er dem Mann, den er so warm empfohlen hatte, nun keinen Preis mehr geben wollte, hatte er seiner Frau bis zur Rückfahrt am Sonntagabend nicht schlüssig erklären können.

Hinzu kam der wachsende Protest einiger Studenten, die ihn des Landesverrats bezichtigten und der im Internet viral gegangen war. »Estland den Esten, du weißt schon«, sagte er. Ein Hefekrümel blieb an seiner Lippe hängen.

Von allen Seiten fühlte er sich bedrängt. Und mit der Unterstützung des Kommissionsvorsitzenden war auch nicht zu rechnen, erklärte er Kristiina schließlich, wobei das nicht anders zu erwarten gewesen war. Der Vorsitzende gehörte zu den Leuten, die nur hilfreich waren, solange die Dinge reibungslos liefen. Gab es ein Problem, tauchte das geringste Anzeichen dafür auf, machte der Vorsitzende den dafür verantwortlich, der das Problem zur Sprache brachte. »Als wäre ich schuld an Bengels schmutziger Weste«, sagte Leonides und hob einen Teelöffel Kaffee an die Lippen, um die Temperatur zu prüfen. »Ich ruiniere den Ruf der Universität und ziehe den

Preis in den Schmutz, weil ich den Mund nicht halte. So ein Denken«, fügte er hinzu, »erinnert mich an früher. Das macht mich fuchsteufelswild.«

In der Mehrheit bestand die Kommission allerdings aus vernünftigen Leuten. Deshalb war das spontane Treffen am Nachmittag so wichtig.

»Sprichst du mit Sala?«

»Worüber?«

»Du musst sie überzeugen, mitzukommen.«

»Das wird sie nicht wollen.«

»Sie ist die Betroffene. Man muss sie anhören.«

»Das würdest du ernsthaft von ihr verlangen?«

»Will sie nicht, dass er bestraft wird?«

Was Sala betraf, dachte Kristiina und biss in ihr Krabbenbrot, schien er immer noch blinde Stellen zu haben.

»Stell dir Folgendes vor«, sagte sie ruhig, nachdem sie aufgegessen hatte. »Stell dir vor, ein Rotarmist hätte dir damals auf dem Lauluväljak die Eier weggeschossen. Und du müsstest jetzt dafür werben, dass er bestraft wird, und zum Beweis deine kaputten Genitalien vorführen.«

»Rock'n'Roll-Kristiina!« Leonides hob die Hände. »Deine Drastik ist wie immer beflügelnd.«

Sie blieb ernst. »Findest du nicht, dass das unsere Aufgabe ist, die Aufgabe von Staat und Gesellschaft?«

»Ich bin nicht der Staat.«

»Doch, Leon, genau das sind wir. Übrigens verstehe ich nicht, wie du dich auf der europäischen Ebene gegen jede Ungerechtigkeit starkmachen kannst, aber sobald es dich persönlich betrifft, tust du so, als könntest du nicht bis drei zählen.«

»Ich zähle gerade bis drei«, gab Leonides hintersinnig zurück. »Und komme auf das Ergebnis, dass drei mehr und stärker sind als zwei.«

Das war nur so dahingesagt, zum Zweck eines funkelnden

Schlagabtauschs, an dem sie, wie sie beide wussten, Vergnügen hatten.

Am Nachmittag kam Kristiina zu spät. Sie musste stehen, neben der Tür, der Besprechungsraum im zweiten Stock des Wissenschaftskollegs war klein und jeder Stuhl besetzt. Als sie eintrat, warf Leonides ihr einen Blick zu, den sie später nie vergessen würde, in diesem Moment aber nur flüchtig registrierte, um den Stand der Diskussion so schnell wie möglich zu erfassen. Es war einer der dunkelsten Blicke, den sie je an ihm gesehen hatte.

Um die Diskussion stand es miserabel. Leonides musste seinen Bericht schon abgeliefert haben, jetzt saß er beinahe unbeteiligt daneben. Nach kurzem Zuhören ging Kristiina auf, warum. Seine Bedenken bezüglich des Preisträgers zog man in Betracht. Aber seine Empörung hielt man für übertrieben, eine Empörung, die sich an einem zwar durchaus bedauerlichen, aber doch recht häufigen Vorkommnis entzündete. Ihm selbst unterstellte man Überempfindlichkeit und eine ordentliche Portion Naivität. Letzteres hing unausgesprochen zwischen den Zeilen derer, die über sein Verhältnis zu Sala informiert zu sein schienen, beinahe mitleidig, als wollten sie andeuten, dass er einem nymphomanen, heimtückischen Wesen auf den Leim gegangen war. Aber diese Vermutung konnte Kristiinas eigener Empfindlichkeit geschuldet sein. Im Raum war es stickig.

Sexuelle Fehltritte unterliefen den Besten, darüber herrschte weitgehend Einigkeit. Würde man anfangen, sich an persönlichen Mängeln zu stoßen, hätte man für den Preis bald keine Kandidaten mehr.

»Der Mann wird für seine Arbeit ausgezeichnet, nicht für sein Gefühlsleben!«, wandte jemand entnervt ein, und einem Abgeordneten der Zentrumspartei, den Kristiina vom Sehen kannte, schien der Anlass zu dieser kurzfristig anberaumten Besprechung gänzlich unklar zu bleiben. »Solange gerichtlich nichts vorliegt, tangiert uns das doch überhaupt nicht. Sonst könnte in Zukunft jeder kommen, dem irgendwas an unseren Preisträgern nicht passt.«

»Wir müssen neutral bleiben«, pflichtete ihm jemand bei. »Sonst machen wir uns angreifbar. Ein willkommenes Einfallstor für jeden autoritären Führer, dem wir ein Dorn im Auge sind.«

»Und wir wollen unsere verfolgten Exilanten auf keinen Fall wieder einer Gefahr aussetzen!«, rief eine Frau mit slawischem Akzent.

»Vor einer solchen Logik bewahre uns Gott.« Kristiina konnte nicht ausmachen, wer sich zu Wort gemeldet hatte. Dann bemerkte sie den knochigen Rücken des Mannes vor ihr, der sich leicht krümmte. »Diese Logik würde bedeuten, dass wir die Verfolgten aus verhassten Staaten für wertvoller erachten als eine Frau, die sich in unserem eigenen Staatsgefüge als verfolgt betrachten muss. Muss ich euch daran erinnern, dass es die Strategie von Diktatoren und rechten Parteien ist, unterdrückte Gruppen gegeneinander auszuspielen?«

»Theoretisch hast du recht, Kjell. Aber das ist hier kein Logikseminar.«

Da unterbrach Kristiina die Runde, zu ungeduldig, um sich vorzustellen. »Der Eeva-Liisa-Manner-Preis; wenn mich nicht alles täuscht, trägt er den Namen einer Dichterin, einer Frau«, sagte sie so sachlich wie möglich. »Geht es hier nicht darum, dass einer Frau Gewalt angetan wurde? Vergewaltigung, Körperverletzung und Freiheitsberaubung sind vor Gericht eindeutige Tatbestände.«

»Du bist doch die mit der Krabbenpaste!«, rief der Mann von der Zentrumspartei. »Na klar! Vor ein paar Jahren hat sie Straßenbahnfenster mit Krabbenpaste beschmiert«, erklärte er den anderen. »Weil die Krabben und wir von den Kapitalisten zermatscht werden. Eine echte Hardlinerin.« Er lachte. »Hab ich recht?«

»Kaviarpaste«, gab Kristiina zurück. »Und gelegentlich sollte ich das wieder tun. Es ist wahnsinnig befriedigend.«

Da äußerte sich ein junger Mann in der Nähe des Fensters. »Sexistische und sexualisierte Verbrechen zu bagatellisieren höhlt unsere westlichen Demokratien aus.« Er sprach leise, aber so eindringlich, dass sich ihm alle überrascht zuwandten. »Ein Lebewesen als Ding zu betrachten ist keine Bagatelle. Das ist Sklaverei. Und wir verurteilen die Sklaverei. Die Preisvergabe muss ausgesetzt werden, bis Johann Manfred Bengel von den Vorwürfen entlastet wurde.«

Einige nickten.

»Ich verstehe die Turbulenzen nicht«, mischte sich eine ältere Professorin ein, die Probleme mit dem Atmen hatte. Kristiina wusste, wer sie war. Mit ihren zynischen Kolumnen hatte sie auch außerhalb der Universität einige Berühmtheit erlangt. »Wenn dieses Mädchen mit dem Leben nicht klarkommt, sollte sie zu Hause bleiben.«

Leonides' sonst so bleiches Gesicht lief rot an. Aber ehe er zu Wort kam und die Auseinandersetzung zu eskalieren drohte, erhob sich der Leiter des Wissenschaftskollegs. »Festzuhalten wäre, dass die Sache sich nicht mit hundertprozentiger Sicherheit klären lässt«, sagte er in der ihm eigenen bürokratischen Art, die jede Aufregung sofort erstickte. »Wenn es den geringsten Zweifel gibt, und nach allem, was wir gehört haben, gibt es Zweifel, halte ich es für einen Fehler, unser Exilprogramm zu gefährden. So leid es mir tut. Mit seinen langfristigen Zielen zur Verwirklichung der Menschenrechte und einem gesamteuropäischen Netzwerk hängen an diesem Programm mittlerweile die Existenzen vieler Verfolgter. Wie ihr wisst, werden die Gelder für solche Programme immer als Erstes gestrichen. Ich habe die große Befürchtung, das wäre der Fall, wenn wir ausgerechnet den Gründer des Netzwerks in einer überstürzten Aktion als Unmenschen brandmarken.

Ich schlage deshalb vor, wie gehabt zu verfahren. Jeder von uns hat seine Schwachstellen, jeder macht Fehler. Wenn der jungen Frau etwas Schlimmes widerfahren ist, in Deutschland wohlgemerkt, muss sie sich an die entsprechenden Behörden wenden. Lasst uns aber nicht das große Ganze aus den Augen verlieren.«

Der junge Mann, der so leise gesprochen hatte, stand ebenso leise auf und sagte nicht lauter als zuvor: »Dann stehe ich nicht länger zur Verfügung.« Er nahm seine Tasche, hängte sie sich am Tragegurt über die Schulter, als hänge er sich in ein Joch, und verließ, ohne jemanden anzusehen, den Raum, was einige Unruhe auslöste.

Aber da der Kommissionsvorsitzende mit dieser Lösung mehr als einverstanden und die Verfahrensweise die bequemste war, wie Kristiina später Leonides gegenüber bemerkte, einigte man sich darauf, den Preis wie geplant zu vergeben, allerdings mit einer Präambel am Beginn der Urkunde. Darin würde man sich noch einmal ausdrücklich zu den Prinzipien einer pluralistischen Demokratie, zu Gewaltlosigkeit und Gleichheit bekennen.

Leonides, gezähmt, aber am Boden zerstört, weigerte sich, die Laudatio zu halten.

Draußen riss der Herbstwind die ersten Blätter von den Bäumen.

»Schau uns an!«, entfuhr es Leonides, als sie gemeinsam zur Straßenbahn gingen. »Mit unserem Preis sind wir ohnehin nur ein Ablasshandel, damit die Mehrheit ruhigen Gewissens ihren schmutzigen Geschäften nachgehen kann. Und jetzt schau uns nur mal an.«

»Wer war dieser junge Mann?«, fragte Kristiina, mit den Gedanken woanders.

»Ein Doktorand. Ich weiß nur, dass er aus dem Norden kommt.«

»Ach«, erwiderte sie, zeitgleich zum Entzünden einer Zigarette im Windschutz ihrer linken hohlen Hand. Die Unbeirr-
barkeit dieses jungen Mannes hatte sie beeindruckt. Oben im
Norden, schlussfolgerte sie, hatten die Menschen Erfahrung
mit Kolonialherrengehabe. Von ihrer Radikalität, mit der sie
sich seit Jahrzehnten gegen die feindliche Übernahme ihrer
Rentierweiden, ihrer Lieder und Körper wehrten, ließ sich
noch einiges lernen.

Leonides war stehen geblieben.

»Ich muss Sala sehen, Kristiina. Unbedingt. Obwohl mir
völlig schleierhaft ist, wie ich ihr gegenübertreten soll.«

»Denk nicht an dich, denk an sie.«

»Warum sollte sie mir vertrauen?«

»Ich tue mein Bestes.«

Johann Manfred Bengel hatte eine Woche in Turku und
Tampere verbracht und danach die KONE Foundation in
Mynämäki besucht, und überall war seine bevorstehende
Ehrung auf große Resonanz gestoßen. Das war Leonides' knap-
per Nachricht am nächsten Morgen auf ihrem Anrufbeantwor-
ter im Büro zu entnehmen. Kristiina zögerte nicht lange. Sie
wählte Livs Nummer, nicht die private auf dem Handy, sondern
die ihrer Kanzlei. Livs Sekretär meldete sich, und sie verein-
barte einen Termin, von dessen Notwendigkeit sie, da war sie
sicher, Sala überzeugen und den sie aus eigener Tasche bezahlen würde, sollte Liv auf einer rein beruflichen Ebene bestehen.

Sie hatte es satt. Sie war nicht die, die sie war, um ausgerechnet in so einer Angelegenheit klein beizugeben. Sie hatte
immer etwas erstritten, zugunsten der Leiharbeiter, zugunsten
der Rechte von Migranten und für sich selbst, was letztendlich
das Entscheidende war.

Sie war genauso unbeirrbar wie der junge Mann aus dem
Norden.

I ch solle mich wappnen, sagt die blaue Frau. Es koste Zeit und Geduld.

Sie hat ihre Zurückhaltung aufgegeben. Sie will sich nicht länger entziehen. Im Spätnachmittagslicht holt sie weit aus.

Die Idee des Verwurzeltseins, sagt sie, rühre vom Sterben her, vom Skandal des Sterbens. Alles andere sei Konvention.

»Sie hat sich zu helfen gewusst.«

Von wem die Rede sei.

»Sie hatte gelernt, sich zu wehren. Sie ließ das Gewöhnliche hinter sich. Sie hat es verstanden, den Konventionen des Gewöhnlichen zu entgehen.«

Ob sie mir nicht sagen wolle, von wem die Rede sei.

Von Sala, sagt die blaue Frau. Sie lehnt sich zurück. Sie lächelt mich an, und dann beginnt sie zu sprechen.

Im Licht der untergehenden Sonne erzählt sie. Sie erzählt der Reihe nach und von Anfang an.

Hoch oben ragen Regenrinnen wie Auspuffrohre aus jedem Balkon. Würde sich Wasser auf den Balkonböden sammeln und durch die Regenrinnen abfließen, würde es auf den Gehweg spritzen, auf sie, die auf der Straße vor ihrem Hausaufgang steht. Nur fällt auf verglaste Balkone kein Regen. Ihrer liegt im dritten Stock, gleichauf mit dem Wipfel des Ahorns. Von unten sieht der Balkon viel kleiner aus, die Fenster abweisend im sich spiegelnden Nachmittagslicht. Bis Freitag hat sie die Miete bezahlt, dann muss sie hier raus. Aber am Freitag ist auch der September endlich vorbei.

Wohin sie dann geht, ist unklar. Doch wer drei Grenzen überquert hat und einen halben Kontinent, dem fällt etwas ein. Obdachlos wird sie nicht. Sie ist auch nicht in Not. Vielleicht ist sie das einmal gewesen.

An der Straßenecke, wo sich Majurinkatu und Komentajankatu kreuzen, wartet Kristiina in Jeans und ihrem weißen Hemd. Sie winkt, nicht ungeduldig. Sie haben es nicht eilig.

Kristiina ist da, wenn die Erde brennt. Eine Freundin, eine Kameradin. Sie wird versuchen, sie umzustimmen, auch heute wieder. Sie wird noch die Bahnfahrt ins Zentrum dazu nutzen, sie zu überreden, weil sie sich das in den Kopf gesetzt hat, weil es nur gerecht wäre, und niemand ist so hartnäckig wie Kristiina. Sie wird versuchen, sie davon zu überzeugen, dass sie reden muss, dass es wichtig ist, eine Aussage zu machen. Sie wird versuchen, sie zum Aussprechen von Worten zu bringen, die aus ihr eine andere machen würden, eine, die mit zerfetzter Bluse und zerrissener Seele durch das ganze, noch vor ihr liegende Leben geht, ohne sich selbst noch trauen zu können, abgekanzelt als Lügnerin von einem Gericht, auf dessen rechtskräftige Urteile Leonides hundertprozentig baut.

Kristiina wird alles tun, um sie wieder mit Leonides zusammenzubringen. Aus irgendeinem Grund ist sie auf Leonides geeicht. Aber das ist im Augenblick nicht das Entscheidende. Entscheidend ist, dass Kristiina ihr hilft, auch wenn die Hilfe eine andere sein wird als die, die Kristiina im Sinn hat. Wie Hilfe aufgefasst und angenommen wird, kann die Helfende nicht vorhersehen. Sie kann es nicht bestimmen. Und es geht sie auch nichts an.

Vom Bahnhof Leppävaara fahren Züge in die Innenstadt. Zur Hauptverkehrszeit sind sie voll besetzt. In einem der vorderen Wagen finden sich noch zwei Plätze nebeneinander, und auf der zwanzigminütigen Fahrt erkundigt sich Kristiina nach der Schwarzarbeit im Hotel, nach dem Stundenlohn, den das Hotel gezahlt hat, wie lange sie täglich arbeiten musste und ob außer ihr noch andere in den Abstellräumen hausten. Die Auskünfte braucht sie für eine Rede vor dem Parlament, und Kristiina ist jemand, die klar und mit Nachdruck erklärt, was sie braucht. Sie hat sogar einen Plan dabei und holt ihn aus der Tasche. Darauf stehen die Punkte, die sie in ihrer Rede ansprechen will, und sie liest sie vor zum Beweis, dass alles seine Richtigkeit hat. Als sich ein Fahrgast umdreht, weil sie etwas Lautes sagt, etwas, das den üblichen Ansichten widerspricht, kümmert sie das nicht. Es muss sie nicht kümmern. Ihre Ausstrahlung hält die Leute davon ab, sich mit ihr anzulegen. Fragen zum Leben vor Helsinki vermeidet sie heute. Auch zu Leonides fällt die ganze Fahrt über kein Wort. Kristiina scheint davon auszugehen, dass sie, Sala, innerlich schon eingewilligt hat, ihn zu sehen, denn an der Universität werden sie ihm unweigerlich begegnen. Vom Hauptbahnhof, hat Kristiina gesagt, sind es zehn Minuten Fußweg bis zum Kolleg.

Kristiina. Die den Preis, der heute dort verliehen wird, verschwiegen hat. Die ihn erst am Montag erwähnte. Am Montagabend hat Kristiina überraschend unten an der Haustür gestanden und geklingelt, um dann vorzuschlagen, einen Spaziergang zu machen, zusammen zur Bucht zu gehen, die man von der Wohnung aus nicht sieht und in der es einen kleinen Hafen gibt. Die Ostsee, hat Kristiina gesagt, ist gleich hinter der dreispurigen Straße, nur die Straße trennt sie von den Plattenbauten, lass die Straße weg, und schon wohnst du am Meer. Da ging sie neben ihr durch die Unterführung und dann von der Anhöhe hinunter zum Hafen mit den Bootsschuppen und den rostigen Schienen, auf denen die Boote zum Einwintern hochgezogen werden. Ihre Schritte hallten von den Tunnelwänden wider, ihre Schritte und Kristiinas. Vor der Helligkeit auf der anderen Seite brach das Dunkel des Tunnels jäh ab.

Kristiina ging neben ihr, wie sie jetzt durch die prächtigen Straßen der Innenstadt neben ihr geht, festen Schrittes und manchmal flüchtig ihren Ellenbogen streifend, ihren Arm, wie um zu versichern, dass da jemand ist, dass die Frau, die ins Signalhorn stößt, da ist, wenn man sie braucht. Kristiina. Die ihr hilft, auf die Preisverleihung zu kommen.

Am Einlass werden sie durchgewunken. Kristiina ist aus der Presse bekannt, die Politikerin, die Aktivistin, deren Einladung auch für eine Begleitperson gültig ist. Der Festakt findet in der Aula statt, einem großen Saal, den ein Oberlicht erhellt. Die Gäste sehen genauso aus wie die Gäste auf dem Empfang im Schloss. Vielleicht sind es dieselben. Vielleicht werden zu solchen Ereignissen immer dieselben Menschen geladen. Fremde Sprachen sind zu hören, alle schwirren aufgeregt herum.

Am Rand vor der Bühne steht Leonides. Professoral, gemieden, grau im Gesicht. Die Brille ist so groß, als sollte sie ihn verbergen. Mehrmals hebt er den Arm, um auf die Uhr zu schauen, dabei ist er kein nervöser Typ, mit ihr ist er nie nervös gewesen, aber jetzt ist ihm die Nervosität sogar von fern deutlich anzusehen. Leon, mein Le, mit einer Strahlkraft, die er eingebüßt hat. Er trägt den Anzug aus braunem Cord, der nicht zu seinen besten zählt. Vielleicht will er damit etwas zum Ausdruck bringen. Vielleicht will er diesen abgewetzten Anzug als ein Statement verstanden wissen.

Er bemerkt sie nicht. Noch hat er sie nicht entdeckt, was daran liegt, dass ihr Haarschnitt anders ist, dass zu viele Menschen um sie herum sind, und sie achtet darauf, dass das so bleibt. Sie bleibt in deren Schatten, denn seinetwegen ist sie nicht hier. Sie hat sich entschlossen, auf die Verleihung zu gehen, weil es die einfachste Möglichkeit ist, den Aufenthaltsort des Mannes in Erfahrung zu bringen, der die Hauptperson des Abends sein wird, der sich hier aufhält, der in wenigen Minuten die Bühne betritt, wo er, über die Menge erhoben, jedermanns Blicken ausgesetzt ist, der Räusperer, das deutsche Gespenst, den die Sichtbarkeit verwundbar macht.

»Nur Öffentlichkeit«, hatte Kristiina am Hafen in der kleinen Bucht gesagt, »macht solche Männer wirklich verwundbar.« Kristiina mit ihrer hohen Meinung von demokratischer Öffentlichkeit. Die Bloßstellung für die einzige Möglichkeit hält, jemanden wie Bengel zur Strecke zu bringen, *die beste Option*. Man kriegt ihn dran, hat Kristiina gesagt, wenn man seine Dunkelstellen öffentlich macht, wenn man sie ans Licht der Öffentlichkeit holt. Dunkelstellen, wie Leonides gesagt hatte, ist jetzt auch ein Kristiina-Wort.

Von ihrem Vorhaben weiß Kristiina nichts. Kristiina ist nicht eingeweiht, denn das ist eine Sache zwischen ihr und dem Räusperer. Es ist jetzt zu einer solchen Sache geworden.

Eine bessere Möglichkeit, hat der Mohikaner gesagt, wird es nie wieder geben.

In *Rio* hätte sie es erzählt, früher einmal, als sich Dinge sagen ließen, die man sonst nicht sagen darf, am einzigen Ort, an dem ein Name das Geheimnis eines ganzen Lebens enthält. Ein kleines Teufelsgesicht wäre zurückgekommen. *Bleib tapfer, kleiner Mohikaner.*

Leonides unterhalb der Bühne zu sehen, der sonst immer oben steht, grau im Gesicht und allein, obwohl ihn so viele im Saal kennen, löst ein Brennen in ihr aus, ein scharfes Rinnsal vom Solarplexus in die Magengegend, das langsam anschwillt zu einem Strom, dem sie sich anvertrauen will, von dem sie sich zu ihm hinübertragen lassen möchte, durch das ganze leere baumlose Land.

»Sollen wir uns einen Platz suchen?«

Kristiina hat Mühe, bei ihr zu bleiben, sich nicht abdrängen zu lassen. Ständig kommt jemand, um sie zu begrüßen, mit ihr zu diskutieren, zu schimpfen.

»Du kannst es dir immer noch anders überlegen.«

»Ich bleibe lieber stehen.«

»Sicher?«

Da nimmt sie Kristiinas Hände in ihre, und als sie Kristiina aus einem Impuls heraus an sich zieht, nur einen Moment lang, ist nicht auszumachen, wer wen hält

Kristiina löst sich sanft aus der Umarmung. »Schaffst du das?«

»Mach dir keine Sorgen.«

»Falls nicht, kannst du drüben im Selbstbedienungscafé auf uns warten. Wir kommen, sobald die Farce vorbei ist.«

Noch ist zu sehen, wie Kristiina in der Menge verschwindet, das weiße Hemd leuchtet eine Weile nach, bis sie, umringt und von allen Seiten beansprucht, weiter vorn Platz nimmt. Und dann ist er da. Er wird auf die Bühne gebeten, ein uralter Mann in Turnschuhen, ein Lächeln im greisen Gesicht, und alles, was in ihr vorgeht, ist das Aufkommen einer Ahnung. Sie ahnt, wie die Angst klingt. Sie ahnt, wie sich der Schrei anhören wird, nicht irgendein Schrei, sondern der Angstschrei eines Mannes, der nicht mehr Herr ist über sich, so wie die Welt, die er verkörpert, nicht Herr über sich ist, sondern Angst und Gewalt mit einer unbekannten Vielfachen multipliziert. *Der schreit das ganze Haus zusammen.*

Wie sie hinter die Bühne gelangt, ist nicht nachvollziehbar. Aber das ist auch nicht wichtig. Wichtig ist nur, dass sie dort ist, dass sie rechtzeitig im Halbdunkel der Kulissen steht, in der Seitengasse, durch die er die Bühne betreten hat und an deren Ende das grüne Licht der Notbeleuchtung brennt.

Das Messer liegt in ihrer Hand, sicher und warm wie ihr eigener Körper, die Klingen noch unbenutzt. Sie sind stählern und glatt. Eine ist ausgeklappt, die Schneide so scharf, dass sie auf der Haut kein Geräusch macht, als sie mit dem Zeigefinger prüfend darüber streicht.

Der Mann, der heute in die Wände gehen wird, den die Wände zum Verschwinden bringen, ist nicht der Mohikaner.

Das ist das Naheliegende.

Nur Gespenster hausen in Wänden.

D ie blaue Frau tritt ans Fenster. Sie sieht zum Abendhimmel, der Rippen hat.

Aus der Ferne dringt das Rauschen der Autos auf den dreispurigen Straßen.

»Warum«, frage ich, als sie fertig ist, als sie zu reden aufhört, als scheinbar alles gesagt ist und sie sagt, über der Entscheidung, nicht mehr zu reden, könne ein Leben vergehen, »warum hast du ihn nicht getötet?«

Die blaue Frau legt ihre Finger an die Schläfen und zieht die Haut straff nach hinten. Die Augen werden schmal, das Gesicht eine lachende Maske.

»Warum ich?«

Vor einer Weile war ich in New York. Dort schrieb ich einen Blog. In einem der Einträge steht: New York lässt mich Helsinki vermissen. Was genau ich vermisste, steht nicht da. Die Ostsee, die Vogelbeerbäume, den langsamen Rhythmus der Straßen, das Anlaufnehmen vor jedem Gespräch.

Ich sitze am schmalen weißen Tisch in der Schreiberstraße 4, zwischen Majurinkatu und Komentajankatu, an dem ich vier Wochen lang gesessen habe. Es ist mein letzter Tag. Der Ahorn vor dem Fenster ist kahl.

Die Bücher sind bis auf eines gelesen – *Schriftsteller liefern immer jemanden ans Messer* –, die Taschen gepackt. Die Postkarten hängen noch an der Wand, und ich werde sie dort lassen.

Das Schneidebrett, das ich so lange suchte und schließlich beim Aufziehen der Besteckschublade als Ausziehbrett fand, ist abgewischt, das Geschirr ins Abtropfgitter im Schrank verräumt. Die Flasche Olivenöl ist noch halb voll.

War ich nicht gestern erst mit der blauen Frau Pilze sammeln? Sie hat sie gesammelt, und ich habe zugeschaut, überrascht zu erfahren, dass man auch einen giftigen Pilz wie die Frühjahrslorchel genießbar zubereiten kann. Unser Gespräch war ein einziges langes Anlaufnehmen.

Über der Schnur im Bad, die mittels einer Halterung an der Wand gegenüber zur Wäscheleine wird, hängt noch die Regenjacke zum Trocknen, wie um den Ausflug zu bezeugen.

Schnur, Schneidebrett und Abtropfgitter folgen einer beeindruckend klugen, platzsparenden Logik. Die Gegenstände des täglichen Bedarfs sind in Finnland modernistisch reduziert. Mit den Buchstaben, um sie zu bezeichnen, aber geht man verschwenderisch um. So viele Konsonanten und Vokale sind doppelt.

Ich spüre es schon, das Vermissen. Es kommt hinter meinem Rücken hoch. Ich weiß: Man kann sich auf alles einstellen. Also gehe ich noch einmal hinaus in den langsamen Rhythmus der Straßen, zu Vogelbeerbaum und Meer.

DANKSAGUNG

Ich danke folgenden Institutionen, ohne deren finanzielle Unterstützung die etwa acht Jahre währende mühevolle, entbehrungsreiche, höchst undurchsichtige und zutiefst befriedigende Arbeit an diesem Roman nicht möglich gewesen wäre: dem Helsinki Collegium for Advanced Studies, dem Deutschen Literaturfonds, dem Max Kade-Haus der Lafayette University Easton, dem Grenzgängerprogamm der Robert-Bosch-Stiftung, dem Goethe-Institut Helsinki, dem Ministerium für Wissenschaft, Forschung und Kultur des Landes Brandenburg und dem Künstlerhaus Lukas in Ahrenshoop.

Auch durch Ödnis führt ein Weg.

Für die aufschlussreichen Informationen gilt mein großer Dank Tiit Aleksejev, Christina Clemm, Maria Mälksoo, Alexandra Stang und Thomas Scherzberg und für ihr konzentriertes und geduldiges Lesen bedanke ich mich herzlich bei Claudia Bengel, Ute Bettray, Karin Graf und Oliver Vogel.

Mein besonderer Dank gilt Lena Pasternak für ihre Großzügigkeit und Herzenswärme, den zündenden Funken und ihre nie nachlassende Begeisterung.

Von ganzem Herzen bedanke ich mich bei Zaia Alexander. Ohne ihre liebevolle, horizonterweiternde, abenteuerliche und beglückende Begleitung in allen Lebenslagen hätte mich Adina nie gefunden.